D1108417

La formación del carácter y la personalidad

Hijos
Triunfadores

Dimensiones
de la **Salud**
social

La formación del carácter y la personalidad

Hijos Triunfadores

Nancy Van Pelt

GEMA EDITORES

APIA

ASOCIACIÓN PUBLICADORA
INTERAMERICANA

Título del original:
Training Up a Child
A guide to Successful Parenting

Dirección Editorial:
Félix Cortés

Traducción y redacción:
Sergio V. Collins

Diseño de interiores y portada:
Ideyo Alomía Lozano

ISBN-10: 1-57554-203-X
ISBN-13: 978-1-57554-203-4

Asociación Publicadora Interamericana
2905 N. W. 87th Avenue
Doral Fl 33172 E. U. A.

Impresión: abril 2007

Impreso y encuadernado por:
Printer Colombiana S.A.
Bogotá, Colombia

Impreso en Colombia
Printed in Colombia

Dedicatoria

A mis tres esforzados hijos:
Carlene, Rodney y Mark
quienes indudablemente quisieran que yo practicara más las cosas que predico.

Agradecimiento

ESTA OBRA es el resultado de los pensamientos y las palabras de las numerosas personas que han venido a mí en busca de consejo, y también de los expertos en el campo de la educación de los padres, cuyos experimentos e investigaciones clínicas me han servido de orientación.

Expreso mi profunda gratitud a las siguientes personas: la dinámica Judy S. Coulston, que dirige mi comisión de "métodos y recursos" en forma brillante y creadora, y que es una arquitecta de la palabra escrita: todo eso contenido en un hermoso paquete dedicado a Dios, a quien sirve con amor y gozo; a Leslie Morrill, administrador de escuela jubilado, maestro y experimentado escritor, por su continua buena voluntad para leer el manuscrito y ofrecer crítica constructiva y ánimo; al Dr. Hervey W. Gimbel, notable médico de familia, por su inigualada percepción de los factores que intervienen en la interacción humana; al pastor Roger Ferris, por sus sugestiones y su interés en promover el estilo de vida cristiano para la familia; a Richard O. Stenbakken, capellán del ejército norteamericano y consejero familiar, por el material de referencia provisto de su experiencia; al Dr. Jack Hoehn, médico de la familia, por su enseñanza de habilidades que han sido de valiosa ayuda para la preparación del tema sobre el respeto de sí mismo; a D. Douglas Devnich, pastor y educador, por sus sermones sobre el hogar, que me ayudaron a esclarecer mi pensamiento; a Ethel Befus, por su habilidad como mecanógrafa; a todos los instructores y graduados del programa *Parent Education Guidance* (Orientación para la Educación de los Padres), por compartir conmigo sus experiencias, y a sus hijos por verificar la eficacia de los principios enseñados; a mi esposo Harry, por su discernimiento y perspicacia, que han enriquecido mi pensamiento, y por su paciencia durante los meses dedicados a escribir esta obra.

Varios profesionales han influido notablemente en mi pensamiento y han confirmado la validez de mis conceptos. Rindo homenaje especialmente al Dr. James Dobson por sus numerosos y excelentes libros. Con frecuencia digo que soy "la mayor admiradora del Dr. Dobson". Fue para mí un día de honra especial cuando me invitó a participar con él en su programa radial Enfocando la Familia, para hablar sobre el tema de la disciplina. Según mi manera de ver, nadie ha realizado una contribución mayor a la estabilidad de la vida familiar que el Dr. Dobson mediante su ministerio personal, sus programas de radio, películas y libros.

Otros autores, a quienes no conozco personalmente, pero cuyas obras me han proporcionado numerosos conceptos importantes, son Dorothy Corkille Briggs, Rudolf Dreikurs, Thomas Gordon, Clyde Narramore, Letha Scanzoni y otros demasiado numerosos para mencionarlos. Puesto que escribí este libro para los padres y no para los eruditos, no menciono las fuentes cuando me apoyo en algún escritor, pero los que están familiarizados con sus obras reconocerá mi dependencia de sus conceptos originales. Estoy profundamente agradecida a todos estos profesionales.

Finalmente, doy expresiones especiales de agradecimiento a mi editor y amigo Richard Coffen, cuya revisión y corrección del manuscrito ha contribuido a que esta obra se lea con mayor facilidad.

Contenido

Programa:
"Enseñanza de los hijos"

Es DIFÍCIL ENFOCAR EL TEMA de la crianza de los hijos desde un nuevo ángulo, especialmente cuando se debe trabajar solo. Los que participan en el Programa de Estudio Enseñanza de los Hijos *(Train Up a Child)*, obtendrán un máximo de beneficio si pueden asistir con el cónyuge, con un amigo o un grupo de padres. Si en el lugar donde vive, especialmente fuera de los Estados Unidos, no se ofrece este programa, usted mismo puede organizarlo. Será una actividad provechosa y satisfactoria. Que este libro sea su maestro y guía. Su tarea consistirá en poner en práctica con los hijos en el hogar los principios aprendidos. Las siguientes directivas serán útiles para usted:

1. Estudie el material capítulo por capítulo en el orden en que aparecen. Leerlos en forma desordenada ocasionará confusión. Complete todos los ejercicios y proyectos a medida que los encuentre. El curso ha sido organizado para que dure ocho semanas:

Semana 1: Capítulos 1 y 2   **Semana 5:** Capítulos 6 y 7

Semana 2: Capítulo 3   **Semana 6:** Capítulos 8 y 9

Semana 3: Capítulo 4   **Semana 7:** Capítulo 10

Semana 4: Capítulo 5   **Semana 8:** Capítulos 11 al 13

2. Siga el programa. Muchos padres que deciden cambiar su manera de criar a los hijos van en todas direcciones al mismo tiempo. Esto crea más problemas de los que resuelve. Es mejor trabajar en forma sistemática en un sector a la vez.

3. Consiga un cuaderno para hacer los ejercicios y proyectos. Si no desea escribir directamente en este libro, proporcione un cuaderno a todos los participantes. Cada uno debiera tener un ejemplar de este libro.

4. Establezca un día y una hora por semana para estudiar solo o bien con sus amigos o con un grupo de padres. Deben hacer comentarios acerca de los conceptos más importantes, sobre las respuestas a los ejercicios y proyectos, y sobre preocupaciones personales. Las sesiones pueden durar de una hora y media a dos horas.

5. Puede esperar que sus hijos ofrezcan resistencia a los cambios. Después de empezar a aplicar algunas de las ideas presentadas en este programa, podría ocurrir que su hijo se ponga peor que antes.

No lo considere como evidencia de que lo que está haciendo es incorrecto o que no debe emplear sus métodos con sus hijos. El mal comportamiento puede ser únicamente la reacción de los niños para obligarlo a volver a tratarlos en la forma acostumbrada. Podría ser que les agradara la atención que recibían anteriormente, de modo que seguirán insistiendo para cambiar las cosas en su favor. Tenga presente esto: cuando el comportamiento de sus hijos empeora después de aplicar un nuevo método, es señal de que el método está produciendo resultado. Por lo tanto, anímese.

6. Ejerza dominio de sí mismo en este período difícil. Esfuércese por no perder completamente el control. Ármese de paciencia a fin de aplicar su nuevo método en forma controlada y amistosa. Si se pone nervioso, cuente hasta diez, haga una caminata, vaya a otro cuarto, haga lo que considere necesario para recuperar la calma. Cuando su hijo comprenda que usted no seguirá tolerando su comportamiento inaceptable, entonces cambiará.

7. No intente resolver en primer lugar sus problemas más serios. Su problema más grave, probablemente se relaciona muy de cerca con sus actitudes, valores o incertidumbres. Comience en cambio eligiendo un sector en el que pueda tener éxito rápidamente. Ese éxito le proporcionará incentivo para proseguir con el programa. Una vez que tenga éxito en lo más elemental podrá continuar con objetivos más difíciles.

8. Tenga valor. No se desanime después de probar un corto tiempo. Así como el comportamiento inaceptable de su hijo no se estableció de la noche a la mañana, el nuevo comportamiento no será aprendido en pocos días. Así como el niño necesitó tiempo para aprender el antiguo comportamiento, también requerirá tiempo para desaprenderlo. Cada día le ofrecerá una nueva oportunidad de tener éxito con su hijo. Acepte sus fracasos y avance valerosamente. No puede aprender de sus errores si se desanima continuamente. ¡Puede cambiar su propio comportamiento y el de su hijo! La clave consiste en dedicarse concienzudamente a realizar la tarea.

9. Permítase ser humano y aun cometer errores. Su hijo puede aceptar sus imperfecciones y de todos modos amarlo y respetarlo. No existe el padre o la madre perfecto.

10. Si desea proseguir con el programa de estudio, manifieste su intención colocando su nombre y la fecha en los lugares correspondientes. ¡Nunca se arrepentirá de haber hecho el esfuerzo!

Accedo a participar en el programa de educación para padres **Enseñanza de los Hijos**, durante un período de ocho semanas a partir de la fecha indicada, a fin de mejorar mis habilidades como padre o madre y enriquecer mi relación con mi hijo.

_____   _____

Fecha   **Firma**

Prefacio

CUANDO ERA DIRECTORA de Programas Femeninos del Centro de Educación de la Salud, en la ciudad de Calgary, Alberta, Canadá, reconocí la necesidad de tener un programa sólido para la crianza de los hijos. Había un gran número de clases acerca del matrimonio feliz, la disciplina, la educación sexual, la comunicación y muchos otros aspectos de la vida familiar; pero no era posible encontrar un curso único que reuniera los factores esenciales acerca de la formación del carácter de los hijos en el hogar. De modo que comencé a soñar con producir un curso que tuviera estas carácterísticas.

Después de investigar durante meses, combiné los resultados de mi estudio en un programa que bautizamos con el nombre de Orientación para la Educación de los Padres. La asombrosa respuesta del público y el éxito de las clases proveyeron el impulso necesario para escribir esta obra.

He preparado este libro con tres grupos de lectores en mente. En primer lugar, los jóvenes que se preparan seriamente para el matrimonio y la enseñanza de los hijos en el hogar. La prevención de los problemas antes que se presenten es el mejor método de educación familiar, y es más fácil prevenir una cantidad de dificultades en el hogar que ponerles remedio una vez que se han presentado. En segundo lugar, los padres que crían a sus hijos sin problemas graves. Muchos padres que suponen que las cosas se desarrollan en forma satisfactoria, más tarde se chasquean al ver el resultado de su enseñanza familiar. En esta obra he procurado ofrecer ayuda a los padres y madres para que amplíen sus horizontes en el hogar, a fin de que perciban posibilidades que no habían captado en su relación con sus hijos. Ya existe un número excesivo de hogares mediocres con hijos mediocres. En tercer lugar, los padres que se encuentran afligidos y desanimados porque no se realizaron sus sueños de tener un hogar feliz. Espero que esta obra contribuya a guiar a los padres desilusionados y les ayude a resolver sus problemas.

Finalmente, he preparado este libro para que sea utilizado como guía en cursillos para padres que procuran mejorar la relación con sus hijos. En los Estados Unidos, Canadá y otros países han comenzado a funcionar numerosas clases de educación para padres, bajo la dirección de maestros competentes. Cuando se remedian las dificultades en su punto de origen –el hogar–, también se combate eficazmente una diversidad de males sociales, como la delincuencia juvenil, el divorcio y la drogadicción.

Deseo sinceramente que esta obra contribuya a aclarar la comprensión del lector y a aumentar los gozos de la crianza y educación de los hijos.

¿Hay peligrosas fisuras en sus vínculos familiares?

En verdad, los tiempos han cambiado, pero las que no han cambiado son las relaciones humanas que constituyen las raíces de la formación del carácter.

1

Los hijos siguen necesitando a los padres, porque las relaciones afectivas que desde su nacimiento han mantenido con ellos les ayudarán a adquirir los rasgos que los convertirán en seres honorables.

esumen del Capítulo

EL EVANGELISTA Billy Graham suele referir el caso de una joven que resultó gravemente herida en un accidente automovilístico. En sus últimos momentos le dijo a su madre: "Mamá, me enseñaste todo lo que necesitaba para pasarlo bien en la vida: cómo encender un cigarrillo, cómo sostener un vaso de coctel y cómo tener relaciones sexuales sin quedar embarazada. Pero nunca me enseñaste cómo debía morir. Enséñamelo pronto, mamá, porque me estoy muriendo".

La policía detuvo a un muchacho de 17 años por haber cometido un delito, y lo envió a un centro para detenidos hasta que llegara su turno de ser juzgado. El adolescente repentinamente entró en un estado de furia sin control. Arrancó un trozo de cañería y con él rompió todas las ventanas del lugar donde se encontraba. Luego pasó cuatro horas golpeando y rompiendo todo lo que tenía a su alcance, hasta que la policía logró reducirlo con ayuda de gases lacrimógenos. Cuando le preguntaron por la razón de su conducta insensata, contestó: "Lo hice porque no tengo nada que perder. Ya he perdido lo único que habría podido detenerme: mis padres".

Otro muchacho escribió lo que sigue: "Les diré por qué nosotros los adolescentes nos atiborramos de bebidas alcohólicas y nos acostamos con las muchachas. Ustedes, los padres, inician guerras y dan un mal ejemplo en lo que concierne a los asuntos morales y a la honradez, y a pesar de eso esperan que nosotros, los hijos, actuemos como ángeles. Tan sólo estamos imitando lo que ustedes hacen. ¿Por qué no practican lo que predican?"

Una joven se dejó caer muy abatida en una silla en la oficina de un psicólogo. "Soy la muchacha más desventurada de este pueblo se quejó. Voy a trabajar, regreso a casa, y no tengo ninguna razón por la cual vivir. Muchas veces tengo que intervenir para que mis padres no se hagan daño y para impedir que mi hermanito apalee a mi hermana". Luego añadió en medio de las lágrimas: "Teníamos un hogar feliz. Mi padre nos llevaba a la iglesia, y todos nos entendíamos muy bien. Luego algo le sucedió a papá. Se cansó de la vida y se aburrió de mamá. Así comenzaron las peleas. Él empezó a beber y ella a salir con otros hombres. Ahora detesto quedarme en casa, pero considero indispensable hacerlo para impedir que los miembros de mi familia se destruyan unos a otros".

Los padres modernos necesitan un cambio

En verdad, los tiempos han cambiado, pero lo que no ha cambiado son las relaciones humanas que constituyen las raíces de la formación del carácter. Los hijos siguen necesitando a los padres, porque las relaciones afectivas que desde su nacimiento han mantenido con ellos permiten que adquieran los rasgos que los convertirán en seres normales. Los niños todavía necesitan dirección, disciplina y también apoyo y ánimo, para crecer, madurar e independizarse de la familia a fin de convertirse en adultos autónomos.

Pero la naturaleza es un poquito descuidada en lo que se refiere a quiénes permite que sean padres y madres. **Producir un hijo, dentro o fuera del matrimonio, no requiere una licencia ni un examen. Hay matrimonios jóvenes que se cargan de hijos sin tener los conocimientos necesarios para ser padres responsables, para disciplinarlos, formarles el**

carácter o comunicarse constructivamente con ellos. Estos padres no cometen errores intencionalmente, pero sus hijos de todos modos sufren las consecuencias. Millones de hombres y mujeres se convierten en padres cada año. Sin embargo, una de las tareas más difíciles de la vida es tomar una criatura totalmente desvalida, y asumir plena responsabilidad para criarla con el fin de que llegue a ser un miembro disciplinado e independiente y productivo de la sociedad. Sin embargo, muchos padres avanzan a tropezones en la formación de sus hijos, abandonados a sus propios recursos o recibiendo conocimientos fragmentarios de la lectura de libros sobre el tema.

La mayor parte de los padres realizan grandes esfuerzos para ordenar los juguetes esparcidos por todas las piezas de la casa y soportar gritos estridentes de "¡No! ¡No!" lanzados por sus hijos. Además reciben las quejas de los chicos que se pellizcan o se pelean por jugar con determinados juguetes. Aunque los problemas cambian, nunca terminan y los padres luchan por hacer lo mejor posible. Invierten tiempo, energía y dinero. No escatiman ningún esfuerzo: adquieren buenos alimentos y ropa adecuada para la familia y los mejores juguetes. Sin embargo, a pesar de sus buenas intenciones, algunos padres sufren chascos a causa de la conducta de sus hijos. Estos pueden fracasar en sus estudios, replicar en forma insolente o ser desobedientes. Además, puede ser que se expresen con voz quejosa, que tengan berrinches, que mojen la cama o sean discutidores. Pueden mostrarse perezosos, mal dispuestos a cooperar o irrespetuosos. Puede ser que exijan atención, que se peleen entre ellos y que pongan a prueba la paciencia de los padres.

Los padres con buenas intenciones pueden preguntar con todo derecho: "¿Cómo pueden mis hijos ser tan desobedientes a pesar de los esfuerzos que he realizado en su favor?"

Otros padres oyen hablar del aumento de la delincuencia juvenil, de la drogadicción, de las enfermedades venéreas y de los que

A pesar de que la mayor parte de nosotros no hemos recibido ninguna instrucción acerca del arte de ser padres, de todos modos hemos efectuado un trabajo bastante satisfactorio, y es de admirarse que nuestros hijos salgan con tan pocos defectos.

abandonan sus estudios. Pensamientos inquietantes les cruzan por la mente. "¿Estoy realizando un trabajo de buena calidad? ¿Le he dado a mi hijo toda la ayuda que necesita para transitar con seguridad en medio de la confusión?"

Los padres de la actualidad necesitan un cambio, y sin embargo siguen confiando en los mismos métodos para criar a los hijos y resolver los problemas familiares que utilizaban sus padres y abuelos. Tal vez no saben que las ciencias que se ocupan de la conducta humana han reunido un gran acopio de información acerca de las relaciones interpersonales, la motivación y la comunicación. Pero además de nueva información y principios, los padres necesitan ayuda para desarrollar métodos que resulten útiles y prácticos para ellos en su hogar y con sus propios hijos.

Esta obra enseña métodos para aprender y aplicar con facilidad la disciplina eficaz. Pone énfasis en la importancia de la formación del carácter de los hijos durante los primeros cinco años de vida, e insiste en que el respeto de sí mismo se convierte en el factor determinante del éxito o el fracaso en la vida. Juntamente con los elementos esenciales de la formación del carácter, enseña la forma eficaz de comunicarse con los hijos de todas las edades, y de disciplinarlos. Los padres que dedican tiempo a la lectura, a la comprensión y a la aplicación cuidadosa de los métodos y principios presentados en este libro, serán ricamente recompensados al ver cómo sus hijos van madurando satisfactoriamente y abriéndose paso en la vida.

Prueba para padres y madre

¿Es usted un padre o una madre competente? Esta prueba le ayudará a determinarlo, pero no la **■** demasiado en serio. Hay pocas respuestas que sean totalmente correctas o incorrectas, pero una es correcta que las demás. Si tiene hijos en el hogar, conteste cada pregunta en la forma como actuaría ahc no como piensa que debiera actuar. Si tiene planes de ser padre o madre algún día, conteste las pregunt: la forma como piensa que funcionaría en las situaciones descritas. Trace un círculo alrededor del númer la respuesta que considere más correcta. Marque una sola respuesta.

1. Si esperara su turno en el consultorio de un médi-co de niños, ¿qué haría durante la espera?
   (1) Vigilaría a mi hijo.
   (2) Conversaría con alguien.
   (3) Leería cualquier revista.
   (4) Leería una revista sobre niños.

2. El mejor regalo que puedo darle a mi hijo es:
   (1) Respeto de sí mismo.
   (2) Amor.
   (3) Disciplina.
   (4) Calidad en el tiempo.

3. Comento muchas veces acerca de la crianza de los hijos y busco consejo con:
   (1) Nadie.
   (2) Amigos y parientes.
   (3) Libros y seminarios.
   (4) Números 2 y 3.

4. Si mi hijo llorara con frecuencia porque los niños de la escuela no lo aprecian, haría lo siguiente:
   (1) Le ayudaría a adquirir una habilidad especial.
   (2) Hablaría con la maestra.
   (3) Pasaría más tiempo con él.
   (4) Hablaría con sus amigos.

5. La mejor manera de formar sentimientos de valor y dignidad en los hijos es:
   (1) El empleo de las consecuencias naturales.

(2) Hablar y escuchar más.
(3) Poner más calidad en el tiempo que pasa con **■**
(4) Ayudar a sus hijos a sentirse especiales, ama**■** seguros.

6. ¿Cuánto tiempo pasa por semana hablan solas con su hijo?
   (1) Más de una hora.
   (2) 31 a 60 minutos.
   (3) 11 a 30 minutos.
   (4) 10 minutos o menos.

7. Si mi hijo lloriqueara y se quejara porque no nadie con quien jugar y nada que hacer, ha**■** siguiente:
   (1) Lo enviaría a jugar a su cuarto.
   (2) Le daría un trabajo que hacer.
   (3) Dejaría de trabajar y jugaría con él.
   (4) Trataría de descubrir el sentimiento que hay c de la queja.

8. Si mi hijo cambiara de canal mientras yo mir programa favorito, le diría lo siguiente:
   (1) Me siento muy irritada cuando alguien interr**■** mi programa favorito, porque es mi único mo to de descanso.
   (2) Ten un poco de consideración y vuelve a pon canal.
   (3) Pon mi programa o te arrepentirás de haberlo biado.

¿Acaso no ves, cabeza de piedra, que estoy mirando un programa especial?

llamara a mi hija a la mesa y ella continuara
gando, haría lo siguiente:
 La llevaría a la fuerza.
 La amenazaria.
 Volvería a llamarla.
 Le haría perder la comida.

mi hija tuviera una rabieta:
 No le haría caso.
 La imitaría haciendo lo mismo.
 La privaría de su actividad o juguete favorito.
 Le daría unas palmadas.

os padres tienden a culparse por el comporta-
iento de sus hijos, lo que es correcto, porque el
rácter de un niño depende de:
) La herencia.
 Los métodos adecuados de enseñanza.
 Del ejemplo de los padres y el ambiente.
) Del temperamento individual y del trato de los
   padres.

Para inculcar rasgos de carácter correctos, los
dres deben desarrollar lo siguiente en el hijo:
) Excelencia moral.
) Personalidad agradable.
) Talento y dones.
) Disposición agradable e individualidad.

l mejor modo de desarrollar un comportamien-
responsable y mejores hábitos es:
) Las consecuencias naturales.
 Reglas consecuentes.
) Ejemplo de los padres y amor.
) Recompensar el comportamiento positivo e ignorar
   el negativo.

a mejor forma de controlar la elección de ami-
s dudosos de parte de un hijo de 17 años es:
) Invitar a los amigos dudosos al hogar.
) Mudarse a otra ciudad.
 Restringir sus privilegios.
 Prohibirle que se junte con ellos.

i mi hijo de 15 años insistiera en no ordenar su
rmitorio y ayudar en tareas hogareñas, haría lo
guiente:
) Ordenarle su dormitorio y hacer trabajos hogareños.
) Aplicar el método de las consecuencias naturales.
) Le haría una "declaración en primera persona"
   acerca de mis sentimientos.
) Procuraría motivarlo mediante un sistema de contrato que permita manipular los privilegios.

El mejor medio de impedir que un adolescente
perimente con drogas es:
) Proporcionarle la seguridad de una vida familiar
   amante y bien adaptada.

(2) Enviarlo a un colegio cristiano.
(3) Seleccionar con cuidado a sus amigos.
(4) Conocer los síntomas físicos relacionados con el
    empleo de drogas.

17. **Existe una relación directa entre la alimentación deficiente y la delincuencia. De lo que sigue, ¿qué se puede atribuir a una alimentación defectuosa?**
(1) Problemas para leer.
(2) Hiperactividad.
(3) Escaparse del hogar y actos de vandalismo.
(4) Todo lo anterior.

18. **La mejor forma de tratar la rivalidad entre hermanos es:**
(1) Dejarlos solucionar sus propios problemas.
(2) Amar a todos los hijos por igual.
(3) Escuchar ambas partes antes de castigar.
(4) Proteger a los hijos más jovenes de los de más edad.

19. **El régimen alimentario que nos dio el Creador consiste de lo que sigue:**
(1) Carne de res y de ave.
(2) Granos, legumbres y nueces.
(3) Frutas y verduras.
(4) 2 y 3.

20. **Si su hijo de 7 años le preguntara de dónde vienen los bebés, usted contestaría:**
(1) Los bebés se forman cuando el papá coloca el pene en la vagina de la mamá. En ciertos días del mes ella puede quedar embarazada y el bebé comienza a formarse en el útero.
(2) Cuando los padres quieren un bebé, se aman en forma especial y tienen uno.
(3) Te lo diré cuando tengas más edad. Acuérdate de volver a preguntar.
(4) La cigüeña los trae.

21. **Su hijo de 5 años pregunta qué hacen cuando están a puerta cerrada en el dormitorio en la noche. Usted respondería:**
(1) Nunca pregunté esas cosas a mis padres cuando era niño.
(2) Pregúntale a tu mamá (o papá).
(3) Dormimos. ¿Por qué preguntas?
(4) A veces dormimos y a veces nos amamos en forma especial, y queremos un lugar privado para hacerlo.

22. **El nacimiento de un hijo:**
(1) Aumenta las preocupaciones y tensiones de los padres que no están preparados para criarlo.
(2) Disminuye la satisfacción material, especialmente durante la adolescencia.
(3) Es más satisfactorio para las mujeres que para los hombres.
(4) Aumenta automáticamente la satisfacción del matrimonio.

Busque en la página 240 el puntaje para esta prueba.

Los padres con buenas intenciones pueden preguntar con todo derecho: "¿Cómo pueden mis hijos ser tan desobedientes a pesar de los esfuerzos que he realizado en su favor?"

Aunque no puedo ofrecer respuestas para los casos individuales de cada padre y madre, nada puede ser más práctico que las actitudes y los principios recomendados aquí. Si el lector permite que esas actitudes formen parte de su comportamiento en relación con sus hijos, finalmente las cosas aprendidas resultarán valiosas para él, a medida que las incorpore en su vida y las aplique a las diversas situaciones que se van presentando en su familia.

Por supuesto, si es necesario realizar cambios, éstos deben comenzar en nosotros. Lo cual vale para el caso de cualquier relación, ya sea padre-hijo, esposo-esposa o amigo. La psicología social ha descubierto que cuando alguien altera su respuesta habitual a cualquier situación estructurada, ese cambio puede modificar, y modificará, la situación total. Por ejemplo, si el lector responde en forma diferente de la acostumbra-

da ante un comportamiento de su hijo, ése se modificará. Esto constituye la base de la educación de los padres: producir cambios en las actitudes y el comportamiento de los padres hacia sus hijos.

Es probable que numerosos lectores se hagan esta reflexión: "¡Cómo quisiera haber tenido esta información hace años! Juanita ya tiene diez años, y puedo ver los errores cometidos durante sus años formativos. No quiero repetirlos en la crianza de Julita, mi hija menor". Usted no debe sentirse culpable ni mortificarse por los errores cometidos en el pasado. Usted podría tener un doctorado en psicología y de todos modos cometer numerosos errores en la educación de sus hijos: como el psicólogo que tenía seis teorías acerca de la crianza de los hijos, pero no tenía hijos, y quien finalmente cuando tuvo seis hijos se quedó sin ninguna teoría. **A pesar de que la mayor parte de nosotros no hemos** recibido ninguna instrucción acerca del arte de ser padres, de todos modos hemos efectuado un trabajo bastante satisfactorio, y es de admirarse que nuestros hijos salgan con tan pocos defectos.

Los sentimientos de culpa no producen buenos padres, y el hecho de que usted se haya propuesto ser un mejor padre o madre, demuestra que realmente siente preocupación por sus hijos. Los padres deficientes pocas veces realizan este esfuerzo, o bien lo efectúan cuando ya es demasiado tarde. De modo que no se detenga a lamentarse por sus fracasos, ni se reproche cuando reincide en hábitos que consideraba superados. En cambio refuerce su respeto por sí mismo recordando las veces que ha tenido éxito como padre o madre. Reconozca su inclinación a cometer errores, pero hágalo de tal manera que no ponga en peligro su valor personal como padre o como persona. Esto le ayudará a mantener el buen ánimo. La perfección en el arte de ser padres es un blanco que no se puede alcanzar. Sin embargo, es posible efectuar todas las mejoras que sean necesarias. **Por eso, procure realizar los cambios poco a poco y aprenda a utilizar los** principios presentados en este libro. **Es indudable que necesitará tiempo para hacerlo, pero cada pequeña mejora será un paso dado en la dirección correcta.** De modo que alégrese cuando introduce un nuevo método en su trato con sus hijos y cuando resulta provechoso.

Desde el día cuando el pecado entró en este mundo, ha sido el propósito de Satanás destruir la familia y el hogar, porque sabe que deshaciendo los hogares también puede destruir las naciones. Mientras casi toda la gente ignora las intenciones del enemigo de Dios, éste obra en el hogar para confundir, engañar y seducir a sus componentes, a fin de destruir las familias.

Resultados eternos

Dios que también está preocupado por el bienestar de todas las familias, invita a los padres sinceros a defender sus hogares, y si éstos están edificados sobre fundamentos sólidos, no necesitamos temer el futuro. El factor fundamental que determina la imagen en la cual se desarrollará un niño depende de la imagen que los padres proyectan. ¿Se identifica usted con Dios o con el enemigo?

Un sentimiento básico: el respeto de sí mismo

Es tiempo de que haga un inventario del clima emocional que reina en su hogar. La felicidad consiste en apreciarse a sí mismo, y el mayor don que usted puede dar a su hijo es una dosis saludable de respeto propio.

2

Si los padres proporcionan una atmósfera de aceptación a sus hijos a quienes les falta respeto propio, les ayudarán a superar su concepto negativo de ellos mismos.

esumen del Capítulo

ERA EL CUARTO de ocho hijos nacidos a una familia de inmigrantes que se había trasladado desde Polonia hasta Míchigan, en los Estados Unidos, cuatro meses antes de su nacimiento. El padre trabajaba en el departamento de salubridad de la ciudad y la madre era lavandera. La familia se mudó con frecuencia durante esos primeros años. Los tiempos eran difíciles y sus sueños de encontrar una vida mejor comenzaban a desintegrarse. La madre murió cuando el niño tenía solamente 12 años de edad, poco después del nacimiento de su octavo hijo. Ella era la única persona que hubiera podido preocuparse de él, y a quien él hubiera querido. A esa tierna edad el niño se vio envuelto en el abandono y el rechazo completo. Su padre nunca logró abrirse paso en la vida. Recargado con sus propios problemas, permaneció indiferente a las necesidades de su familia. Con el tiempo volvió a casarse y la familia se estableció en una pequeña granja agrícola.

La infancia del niño fue muy pobre desde el punto de vista afectivo. Nadie se preocupaba de él, de modo que se retrajo a una vida solitaria de odio contra sí mismo y de insatisfacción personal. Con el tiempo completó cinco años y medio de estudios y se convirtió en el estudioso de la familia. Su ensimismamiento en el silencioso mundo de las revistas

23

y periódicos lo tornó sumamente tímido. No tenía amigos íntimos con excepción de su hermano. **Era obsesivamente limpio y ordenado y manifestaba una extrema repugnancia por la crueldad, aun contra los insectos. En la casa atrapaba moscas y las llevaba cuidadosamente afuera, donde las dejaba en libertad.**

A la edad de 13 años se empleó en una fábrica de botellas, y después de eso trabajó en una fábrica de alambre. Debido a su preferencia por la vida solitaria tenía dificultad para hacer amigos de cualquier sexo; pero le resultaba especialmente difícil establecer relaciones duraderas con las mujeres. No tenía ninguna amiga especial. Era relativamente bajo de estatura y delgado.

Era buen trabajador aunque insociable. Nunca peleaba, pero se aislaba para leer los periódicos y revistas radicales que había aprendido a apreciar. También asistió a muchas reuniones políticas. Se interesó definidamente en las doctrinas anarquistas. Su trabajo era rutinario y su vida era tan fría y rígida como el alambre que fabricaba.

A la edad de 25 años su personalidad cambió definidamente. El trabajador de fábrica que aparentemente gozaba de buena salud y llevaba una vida normal, se transformó en un hombre de mala índole, pálido y agitado. Más adelante ese mismo año abandonó su trabajo y se trasladó a la granja de sus padres, donde pasó una cantidad anormal de tiempo durmiendo. Cuando estaba despierto, dedicaba su tiempo a leer propaganda anarquista. Los medicamentos que le recetaron para aliviar sus síntomas adversos resultaron ineficaces. Su condición mental continuó deteriorándose. Todos los días manifestaba su desesperación, quería que lo dejaran solo, se peleaba continuamente con su madrastra, y cada vez se tornaba más ensimismado e irritable. Comenzó a comer solo en su pieza, separado del resto de la familia. Una sed anormal de sensacionalismo lo hizo cierta vez leer cada noche, durante semanas, un relato sobre un asesinato que apareció publicado en un periódico.

A la edad de 28 años decidió irse de la granja. Anduvo por diversas ciudades, sin un propósito fijo, donde asistió a más reuniones anarquistas. El golpe final a su respeto de sí mismo lo recibió cuando trató de unirse a uno de esos clubes, pero fue rechazado. Para entonces su concepto de fracaso y su odio propio se habían arraigado profundamente.

Cierto día leyó en un periódico que el presidente de los Estados Unidos planeaba asistir a la Exposición Panamericana en Búfalo, en los primeros días de septiembre, y saludar personalmente a la gente. Leyó con profundo interés esas noticias. Este hombre solitario e insociable fue muchas veces a la exposición. Silencioso y hosco, pasaba los días recorriendo los terrenos de la exposición. Algunas veces se sentaba y escuchaba los conciertos de Souza. Mucha gente lo vio, pero nadie lo recordó. Estudiaba cuidadosamente todas las noticias que los periódicos publicaban acerca de la próxima visita del presidente de la nación. Por ese tiempo hizo sus preparativos con gran calma. Compró un revólver y practicó la forma de envolverse la mano con un pañuelo para disimular el arma.

Amaneció el 6 de septiembre. Era un día caluroso y nadie prestó atención a ese hombre de baja estatura y ataviado con un bien cuidado traje gris. El presidente le dio la mano a la gente durante 10 minutos. Habían pasado 7 u 8 minutos antes que aquel hombre joven se aproximara al presidente. Mientras miles de personas disfrutaban de una sonata de Bach, el hombre extendió su mano izquierda. El presidente vio que la mano derecha estaba vendada y trató de saludarlo con la izquierda. El asesino rechazó con un golpe la mano del presidente y le disparó dos veces a través del pañuelo.

Al comienzo el presidente William Mc Kinley pareció que se iba a recuperar, pero murió ocho días después murmurando unas palabras del himno "Más cerca oh Dios de ti". El juicio de León F. Czolgosz se llevó a cabo cuatro días después del funeral de McKinley. Duró solamente ocho horas y media. El jurado dio su veredicto de cordura y culpabilidad después de haber deliberado

La falta de respeto de sí mismo afecta a más gente, incapacita e inutiliza a más personas que la peor enfermedad física.

solamente 34 minutos. A las 7:12 de la mañana, 53 días después de haber asesinado a McKinley, Czolgosz fue asegurado en una silla eléctrica de una prisión estatal y electrocutado.

Czolgosz había escuchado a McKinley mientras hablaba a una multitud de 50.000 en la exposición el día anterior de su asesinato. Dijo en la corte: "Vi a muchísimos que lo saludaban, se inclinaban ante él y lo honraban y eso no era justo". En su celda, antes de su ejecución, escribió su confesión: "Lo maté porque tenía que llevar a cabo mi deber. No creo que un solo hombre debiera recibir tanta ceremonia (atención) y otro hombre no recibir nada". De modo que debido a que nadie lo había respetado, amado, estimado o prestado atención, Czolgosz destruyó la vida de uno de los presidentes más amados de los Estados Unidos hasta el año 1901.

Aunque no todos los niños descuidados y rechazados se convierten en asesinos, podemos garantizar que tendrán problemas con sus sentimientos de dignidad personal. Puede ser que no todos respondan en forma tan agresiva como León Czolgosz, pero en todas partes vemos los resultados de los que se sienten inferiores. **La duda de su propia capacidad y los sentimientos de insuficiencia ponen trabas a una persona por el resto de su vida. ¿Por qué hay tanta gente que se detesta a sí misma? Los padres no han comprendido la forma adecuada de estructurar el ambiente de sus hijos para que se desarrolle el respeto de ellos mismos en lugar de que se destruya.**

¿Quién siente el aguijón de la inferioridad?

Casi toda la gente tiene sentimientos de inferioridad. Vemos evidencias de esta tragedia de las masas en todas partes: en los vecindarios, en la iglesia y en la escuela. Aunque los sentimientos de inferioridad son evidentes en los niños pequeños, adquieren toda su intensidad en la adolescencia. **Muchos adolescentes se encuentran chasqueados en lo que concierne a su identidad, por su apariencia y sus realizaciones. Pero los adolescentes no están solos en esto. Hay gente de todas las edades que tiene problemas particulares de insuficiencia.** Un niño de 5 años se da cuenta de cuán importante es para los adultos que le rodean. **Muchos adultos padecen de profundos sentimientos de inferioridad. También la gente de edad avanzada sufre de inferioridad en un mundo en el que se adora la juventud y la belleza.** Las enfermedades del corazón y de los vasos sanguíneos hacen grandes estragos en la actualidad. En los Estados Unidos solamente, más de un millón de hombres y mujeres mueren cada año a causa de esas afecciones. Sin embargo existe un mal que destruye aún más vidas humanas. La falta de respeto de sí mismo afecta a más gente todavía, incapacita más vidas e inutiliza a más gente que la peor enfermedad física. Hagamos una aplicación práctica. *La futura felicidad de su hijo depende de la fotografía mental de sí mismo. El contenido completo de este libro tiene que ver con esto. La forma como su hijo siente acerca de sí mismo determinará su éxito o fracaso en todo lo que emprenda en la vida.* La forma de percibirse a sí mismo influirá en su conducta y en sus notas escolares; también ejercerá influencia en su elección de amigos de ambos sexos, de colegio y de carrera. Finalmente, hasta influirá en la forma como percibirá las cuestiones morales y los asuntos espirituales. En resumen, el concepto que tenga de sí mismo ejercerá influencia sobre todas las decisiones que realice.

El propósito de esta obra consiste en poner de manifiesto las abarcantes ramificaciones del desarrollo del concepto que su hijo forme de sí mismo. Al leer los capítulos que siguen usted notará que cada palabra, acción y método que usted aplica actualmente a la enseñanza y formación de sus hijos edifica o destruye la imagen que cada niño tiene de sí mismo. Nunca se insistirá demasiado en los abarcantes efectos de este tema.

El engañoso concepto de identidad propia

Las investigaciones realizadas recientemente han demostrado que tanto los niños como los adultos que poseen respeto de ellos mismos funcionarán adecuadamente en la vida en lugar de andar a tropezones y a tientas. ¿En qué consiste el respeto de sí mismo? Es la fotografía mental de sí mismo que se forma con ayuda de lo que los demás han dicho de uno, el modo como lo han tratado y las experiencias de la vida.

Los que tienen respeto propio, se sienten a gusto con su persona, tienen confianza en sus habilidades y se encuentran satisfechos con su vida y con su trabajo. Puesto que tienen confianza en sus habilidades, pueden correr riesgos al intentar hacer nuevas cosas. Si fracasan, lo aceptan con altura y sin necesidad de castigarse echándose la culpa. Pueden tomar las medidas necesarias para evitar el fracaso la próxima vez que intenten hacer algo. **Los que tienen respeto por ellos mismos no sólo sienten que personalmente son valiosos, sino también saben que tienen una importante contribución que hacer en la vida. Se sienten amados, y por lo tanto, pueden amar genuinamente a otros.** Porque se sienten a gusto con ellos mismos, pueden responder positivamente en su relación con otras personas y en las diversas situaciones de la vida.

Un concepto adecuado de sí mismo lleva a la aceptación de la apariencia personal, aun con sus características distintivas. Hace que la gente se sienta dispuesta a utilizar sus energías para resolver los problemas antes que dejarse abrumar por su peso. Pueden aceptar el valor de sus realizaciones sin tornarse vanidosas. **Las personas que tienen sentimientos saludables de dignidad personal pueden apreciar sus habilidades en forma realista.** Comprenden que no son perfectas, que cometen errores y que de vez en cuando fracasan en las cosas que emprenden. Sin embargo, después de efectuar una evaluación correcta llegan a la conclusión de que tienen suficientes buenas cualidades para equilibrar sus rasgos negativos. Por lo tanto, se sienten iguales a otros y capaces de vivir de acuerdo con las opiniones positivas que otros tienen de ellos.

No se debe confundir el respeto de sí mismo con el egoísmo. **El jactarse y vanagloriarse acerca de lo que uno es y de lo que uno hace son síntomas clásicos de una autoestima inferior.** Los que pueden apreciar justamente su dignidad personal tienen poquísima necesidad de impresionar a otros con sus habilidades o posesiones. **El respeto de sí mismo no se puede medir mediante los talentos o las capacidades.** Mucha gente que posee grandes talentos y habilidades puede tener un concepto devastador de la dignidad personal. La historia habla de muchas personas inteligentes y bien dotadas que se convirtieron en alcohólicos, en drogadictos o en suicidas con el fin de escapar de un concepto propio que habían llegado a odiar.

Evaluación del amor propio para niños

Este no es un test psicológico para determinar si su hijo es "normal" o "anormal". Sólo tiene el propósito de proporcionarle una idea más clara de la forma como siente acerca de sí mismo.

1. Lo que puedo hacer mejor es...
2. Lo que hago peor es...
3. Me siento más contento por mi habilidad de_____
   ¿Por qué?_____
4. Algo que mis amigos no gustan en mí es...
5. Lo que más me disgusta de mi apariencia es... ¿Por qué? _____
6. En lo que se refiere a los deportes, yo...
7. Me siento importante cuando...
8. Si pudiera cambiar una cosa de mí mismo y hacerme diferente de lo que ahora soy, ésta sería...
9. Tres palabras que me describen son...
10. Lo mejor de ser yo mismo es...
11. La gente que más me disgusta es...
12. Me siento preocupado cuando...
13. Tendría más amigos si...
14. Para ser popular necesito...
15. Me siento mal cuando...
16. Si pudieras expresar un deseo y éste convertirse en realidad, ¿cuál sería tu deseo?
17. Si tuvieras100 dólares (o la cantidad equivalente en la moneda de tu país) y pudieras usarlos como quisieras, ¿qué harías con ellos?
18. ¿Qué tres cosas te gustan más acerca de ti mismo?
19. ¿Qué tres cosas no te gustan acerca de ti mismo?
20. Si pudieras hacer un cambio en ti mismo y ser diferente de lo que ahora eres, ¿qué cambio decidirías hacer?

Ahora estudie cuidadosamente las respuestas para encontrar los sentimientos negativos expresados por su hijo o hija: las cosas que no le agradan acerca de sí mismo o de sí misma. ¿Qué puede hacer usted para ayudarle a superar esos sentimientos negativos y a desarrollar sentimientos más saludables?

¿Cuál es el origen de los sentimientos negativos?

¿Cómo se forman las opiniones que uno tiene de sí mismo? ¿Qué hace que un niño piense de sí mismo en la forma como lo hace?

Todo comienza en los tiernos años de la infancia. La mayor parte de los padres no se conforman con decirle "no" a su hijo cuando su comportamiento infringe los derechos de otros. El padre y la madre típicos añaden: "No lo hagas, niño malo, porque eso es algo malo que no debes hacer. Eres un niño perverso". Las siguientes palabras y otras parecidas rebajan los sentimientos de dignidad del niño: malo, lento, feo, estúpido, perverso, tonto, ridículo, torpe y retardado. Las siguientes frases contribuyen a que el niño forme una imagen negativa de sí mismo: "Nunca haces nada bien", "Siento vergüenza de ti", o "¿Qué pasa contigo? ¿Eres estúpido o algo peor?" El niño que se ve atacado por una descarga continua de expresiones humillantes, juntamente con actitudes no verbales de falta de respeto o de descuido emocional, empieza a sentirse avergonzado y descontento consigo mismo. Comienzan a brotar en su mente semillas negativas como éstas: "No sirvo para nada", o "Nunca podré hacer lo que mis padres esperan de mí".

Lamentablemente, la estructura de nuestra sociedad se presta para promover esa clase de sentimientos. En todas las salas de clase se siente la competencia por ser "el mejor" de todos. Los ganadores en los deportes y en otras actividades reciben honores y premios. Hay recompensas para los campeones de los certámenes. Los adolescentes compiten activamente por ser los más populares. Los anuncios de ciertos productos nos dicen que si deseamos que otros nos acepten debemos utilizarlos. Los hermanos y las hermanas luchan por alcanzar posiciones honrosas y favorables dentro del círculo de la familia. Siempre que hay ganadores también hay perdedores.

Los que participan en el juego y pierden, experimentan los dolores de la falta de aceptación y la inferioridad. **Las expresiones negativas y rebajantes que se dicen en el hogar, juntamente con la competencia que reina en la sociedad, preparan el escenario para que un niño se desprecie y rehúse aceptarse a sí mismo.**

El origen de la falta de respeto hacia sí mismo yace en la infancia. Los padres dejan de prestar el apoyo necesario a sus hijos para que desarrollen sentimientos de suficiencia durante los años de la infancia. Eso puede producir toda una vida de autocastigo, de recriminación contra sí mismo y de rechazo de sí mismo. Estos sentimientos negativos comienzan durante los años formativos y son nutridos por una sociedad orientada hacia las realizaciones personales. Los resultados devastadores afligen a una persona por el resto de la vida.

Las dimensiones del respeto propio

Para el tiempo cuando el niño apaga la velita en su primera torta de cumpleaños, su actitud de respeto hacia sí mismo ya se ha hecho vulnerable. **Una criatura de sólo pocos meses de edad ya es capaz de distinguir entre la censura y la alabanza.** Se da cuenta de su importancia cuando recibe atención y experimenta sentimientos negativos cuando lo tratan ásperamente. **Se identifica con la forma como sus padres sienten acerca de él. Su captación del amor y respeto que sus padres manifiestan hacia él coloca el importante fundamento del respeto de sí mismo.**

Cuando un niño se aproxima a su tercer o cuarto cumpleaños, su mundo se amplía hasta incluir un gran número de personas. La guardería, el jardín de infantes, la asistencia a la iglesia, los programas de televisión y el escuchar la lectura de libros aumenta su trato con otras personas. **A la edad de 7 u 8 años, cuando su vida social ha vuelto a ampliarse, un niño ya puede estar afectado por sentimientos de inferioridad.** El contacto con sus compañeritos de juego lo expone a las provocaciones y al ridículo. **Los niños suelen ser francos, crueles y desconsiderados en su trato unos con otros. El niño que crece, casi cada día encuentra experiencias que podrían atentar contra el concepto de sí mismo. Los sentimientos de suficiencia se agravan hasta alcanzar un nivel máximo durante la adolescencia.**

¿Pero el desarrollo del respeto de sí mismo y la dignidad personal, abarca más que solamente la abstinencia de usar expresiones rebajantes? Sí. Cuando se trata el tema del desarrollo de la imagen psicológica del niño, hay que tomar en consideración tres factores:

1. El respeto de sí mismo se aprende. El respeto de sí mismo es una respuesta aprendida a la totalidad de las experiencias de la vida. Un niño nace sintiéndose bien acerca de sí mismo, aunque sea inherente la tendencia a sentir en forma positiva o negativa. El respeto de sí mismo generalmente evoluciona de la interacción diaria de un niño con otras personas. Entonces el niño desarrolla sentimientos positivos o negativos acerca de su dignidad personal, basándose en la suma total de las experiencias de la vida.

Charlie Brown, niño de una tira cómica muy popular en los Estados Unidos denominada "Peanuts", ha aprendido que él es inferior a los demás. Cuando se para junto a una fuente para beber, sabe que se mojará. Cuando ocupa la posición de lanzador en el juego de béisbol, es un fracaso total y completo. Carece de amigos. "Nadie me quiere; a nadie le importa si yo vivo o muero", comenta frecuentemente. Su "amiga", Lucy, lo rebaja constantemente y le recuerda su inferioridad. ¿Cómo sabe Charlie Brown esas cosas acerca de sí mismo? Todo ya ha sucedido antes. Fracasa cada vez que intenta hacer algo. Una experiencia tras otra le ha enseñado que es totalmente incapaz ponerse a la altura de las cosas que debe realizar. Todo y todos están contra Charlie Brown.

Así como Charlie Brown aprendió que era inferior, también su hijo aprenderá a tener sentimientos negativos o positivos acerca de su dignidad personal. Cuantas más experiencias positivas ponga al alcance de su hijo y mientras más positivas sean las reacciones que recibe de parte suya, tanto mayor será la posibilidad de que aprenda que él es una persona valiosa y adecuada.

2. El respeto de sí mismo debe ser ganado. Una tarea que vale la pena y que se hace bien estimula el sentimiento de suficiencia. Las riquezas y las posesiones se pueden heredar, pero los sentimientos de respeto se aprenden. Como resultado, lo que se relaciona con la actuación del niño y con su habilidad se entreteje con los aspectos más íntimos de su vida.

Todo niño se pregunta: "¿Cómo me estoy desempeñando?" No importa cuán bien haya hecho una cosa, la mayor parte de los adultos creen que habría podido hacerlo mejor si se hubiera esforzado más. Si usted piensa así acerca de su hijo, lo manifestará consciente o inconscientemente en su trato con él. No podrá ocultar dichos sentimientos durante mucho tiempo.

La productividad, las realizaciones y la creatividad promueven los sentimientos de dignidad personal. El niño que no piensa que puede hacer bien las cosas nunca podrá gustar de sí mismo. Por lo tanto, todo niño necesita una "especialidad", es decir, una habilidad o aptitud a través de la cual pueda ganarse el respeto de sí mismo. **Mediante el desarrollo de aptitudes y habilidades un niño puede aumentar su sentimiento de suficiencia. La realización responsable de tareas caseras y deberes hogareños también contribuyen al desarrollo de sentimientos de valor personal en el niño.**

Los padres pueden reforzar este aspecto del respeto de sí mediante comentarios verbales tales como: "Esta mañana hiciste muy bien tu cama", o "Estás mejorando en aritmética", o "Eres realmente bueno para dibujar. Tienes mucho talento". Los sentimientos que surgen cuando se realiza algo bien promueven los sentimientos de suficiencia.

3. El respeto de sí mismo tiene que experimentarse. Usted le puede decir repetidamente a su hijo: "Te quiero mucho. Creo que vales mucho. Me gustas". Pero si él no siente su calor y aceptación, sus palabras no lo convencerán, no importa cuántas veces se las repita. Usted puede hablar todo lo que quiera acerca de respeto: "Por supuesto, querido, te respetamos. Creemos que eres maravilloso". Pero si sus acciones no refuerzan sus palabras, su hijo no desarrollará su dignidad personal.

Un niño puede sentir que sus padres lo aman y se preocupan de él, y de todos modos puede ser que no crea que ellos lo consideran valioso. La madre de un drogadicto puede amar a su hijo y sin embargo detestar lo que ha estado haciendo. Asimismo, un niño puede llegar a esta conclusión: "Usted dice que me ama, pero está obligada a amarme porque soy su hijo. Usted solamente se preocupa de mí porque tiene que hacerlo. Veo claramente que no se siente orgullosa de mí. No soy importante para usted. La he defraudado de alguna manera. No soy lo que usted hubiera querido que yo fuera".

Usted convence a su hijo de esto cada vez que alguien le pregunta algo, cuando le dice lo que debe decir y lo que no debe decir cuando va a la casa de un amigo, y cuando le envía otros mensajes sutiles que refuerzan el pensamiento de que podría hacerla quedar mal frente a otros. El puede decir si usted realmente lo quiere o lo acepta.

No basta que los padres amen a sus hijos. Su hijo debe sentir su aceptación de él como persona; sentir su aprecio de su valor individual ya sea que realice o no algo grande en la vida. **El amor no es el don más grande que los padres puedan hacer a un hijo, en cambio el respeto de sí mismo lo es. Un niño no es capaz de experimentar o devolver amor hasta que primero aprende a respetarse a sí mismo.**

Entonces, el respeto de sí mismo es una actitud positiva que se obtiene *aprendiendo, ganando y experimentando.*

Una mezcla de tres sentimientos

Tres sentimientos que el niño capta afectan significativamente su comprensión de su dignidad personal: el sentimiento de que es único, el sentimiento de que forma parte de la familia y el sentimiento de que es amado. Estos tres sentimientos se combinan para dar estabilidad y apoyo a la estructura del concepto que el niño forma de sí mismo. Si cualquiera de estos tres aspectos es débil, en el mismo grado resultará débil el concepto que el niño forme de sí mismo.

1. El sentimiento de que es único. Toda persona es única, y lo que un niño tenga de especial merece respeto. Los niños no son nunca copias carbónicas. Ya sea que usted tenga dos o quince hijos, cada uno tendrá su individualidad. Y cada niño debe reconocer que es único y que puede hacer una contribución a la familia que nadie más puede realizar. Este sentimiento de ser algo único se puede basar en que es el hijo mayor, el del medio o el menor, o bien en talentos o habilidades especiales. Me agrada pensar en las características únicas que cada uno de nues-

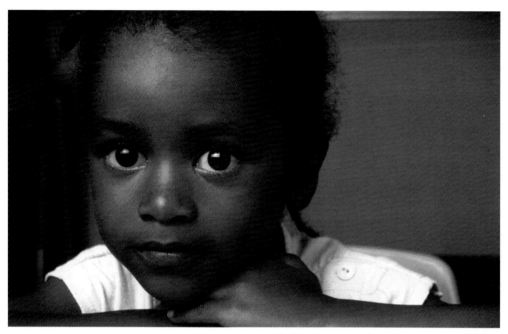

El amor no es el don más grande que los padres puedan hacer a un hijo, en cambio el respeto de sí mismo lo es. Un niño no es capaz de experimentar o devolver amor hasta que primero aprende a respetarse a sí mismo.

tros hijos ha contribuido a nuestra familia. Carlene era la organizadora y la creadora. Rodney sobresalió en la escuela y obtuvo los honores más destacados. Mark era un excelente deportista y le agradaba trabajar con los niños. **Reconozca en cada uno de sus hijos el aporte especial que hace a su familia, y hágale ver que puede ocupar un lugar importante en su vida.**

2. El sentimiento de que forma parte de la familia. Un niño se da cuenta si el papá o la mamá se sienten felices cuando él se encuentra junto a ellos. Puede detectar si "pertenece" a la familia. El niño que tiene la sensación de ser un apéndice innecesario o que cree que es la "quinta rueda del carro" o un "desafortunado accidente", tendrá dificultades para sentirse respetado.

Todos tenemos la necesidad básica de sentir que somos "una parte de" o que formamos parte de un grupo. No es diferente el caso de un niño. Necesita experimentar un sentimiento de unidad con su familia. Dicho sentimiento se establece fundamentalmente durante la infancia. **Cuando los padres cuidan en forma adecuada a su bebé y satisfacen sus necesidades, cuando lo abrazan con cariño, él desarrolla la sensación de ser amado. Pronto establece una confianza básica en la gente.** De estos tempranos comienzos se constituye todo el fundamento de su futura relación con la gente.

3. El sentimiento de que es amado. El amor se define aquí como la consideración de su hijo como algo valioso, como una tierna preocupación por él. Significa que su hijo sigue siendo algo especial y querido para usted aunque usted no apruebe lo que él hace.

Todos sabemos que los niños necesitan amor pero muchos de nosotros suponemos que nuestros hijos saben automáticamente que los amamos. Por una parte hay incontables niños que sienten que no son amados, aunque sus padres se preocupen profundamente de ellos. Por otra parte, algunos menores nunca escuchan las palabras "Te amo" y sin embargo sienten que sus padres manifiestan una profunda preocupación por ellos.

31

Con frecuencia los padres creen que manifiestan amor porque dejan de lado sus propios intereses para atender los del niño, para preocuparse de él, para proporcionarle ventajas o pasar mucho tiempo con él. Pero esto no hace necesariamente que un niño se sienta amado. **El afecto cálido estimula el crecimiento, pero no garantiza que un niño se sienta amado. El niño necesita tener la seguridad de que es amado.**

Los padres, en algunos casos, sin proponérselo, le causan al niño la impresión de que no lo aman ni desean preocuparse de él. "Si te portas bien, mamá te va a querer". "Si te portas mal, mamá no te puede querer". "Si ayudas a mamita, ella te querrá mucho". "Te querré mucho si barres el piso de la cocina".

Otros dichos comunes son: "Mamita no te va a querer si te portas así". "Si te mojas en los pantalones, mamá no te amará más". "Si no comes tus verduras, papá no te querrá". "Si no dejas de gimotear no podré seguir queriéndote". "Me dijiste una mentira, así que ahora ya no te quiero". En estos casos también se suspende el amor debido a la mala conducta.

Es importante que recuerde que a su hijo debe amarlo porque es suyo. Debe amar a Pedrito no porque ahora se porta bien, no porque obtiene buenas notas en la escuela, no porque es buen deportista, no porque es obediente, sino porque es suyo. Lo ama porque es Pedrito. Ninguna otra experiencia puede compararse con esta clase de amor. Cuando usted ama a su hijo en esta forma, él sentirá que pertenece, que se lo necesita y que es respetado, y estos sentimientos íntimos de seguridad le ayudarán a crecer hasta convertirse en una persona sólida y madura.

Valores falsos

Nuestra sociedad ha creado un falso sistema de valores que destruye eficazmente la dignidad humana. Necesitamos comprender estas fuerzas destructivas si es que deseamos ayudar a la generación joven durante los años formativos de la vida.

1 **BELLEZA.** Si su hijo o hija han nacido hermosos, gozan de una ventaja definida. La sociedad humana siente gran aprecio por la belleza. A la edad de 3 ó 4 años un niño ya ha aprendido el significado de la belleza personal. El niño hermoso sabe que los adultos lo tratan favorablemente. La gente le sonríe, le dice que es lindo o linda y le hace fiestas. Pero el chico que carece de atractivos es ignorado mientras sus hermanos o amigos reciben toda la atención. Así es la naturaleza humana.

El Dr. James Dobson en su libro titulado *Hide or Seek* (Juego de escondite), obra que ha disfrutado de gran venta, se refiere a un artículo publicado en *Psychology Today* (La psicología en la actualidad). El artículo, titulado "La hermosura y lo mejor", informa acerca de algunos asombrosos prejuicios contra los niños y adolescentes de facciones ordinarias:

1. La evidencia de que se dispone parece indicar que las cualidades atractivas de los estudiantes influyen en sus notas escolares.

2. Cuando se mostraba a los adultos un conjunto de fotografías de niños y se les pedía que identificaran al niño que probablemente había creado cierto alboroto en clases (u otra mala acción similar), éstos con mucha frecuencia, seleccionaban a un chico poco atractivo como el responsable. Asimismo, el niño feo era considerado ser más deshonesto que su compañero de aspecto hermoso. El autor comenta: "En lo que se refiere al carácter y a los valores personales, suponemos lo mejor de la gente que es más linda. Y desde la escuela primaria en adelante prácticamente no se discute quiénes son los más lindos".

3. De acuerdo con las investigaciones de Karen Dion, la forma como un adulto maneja un problema de disciplina se relaciona con las cualidades atractivas del niño. Frente a una misma falta cometida por dos niños, probablemente tratará con mano más blanda al niño más lindo y con mayor severidad a su compañero menos atractivo.

4. Es de gran importancia el hecho de que el impacto de la atracción física se deja sen-

tir claramente en el jardín de infantes, cosa que yo mismo he podido comprobar. Las criaturas de 3 años que son lindas, gozan de mayor popularidad entre sus compañeritos. Y desafortunadamente, ciertas características físicas como la gordura, son reconocidas y rechazadas a esta tierna edad.

Este problema se agudiza durante la adolescencia. La jovencita que tiene atractivos físicos no demora mucho en descubrir que tiene el mundo a sus pies. El muchacho bien parecido y atlético aprende rápidamente que se encuentra en la cumbre. El resto de la muchachada sigue su camino vestida con pantalones de dril azul con soportes correctivos de los dientes y con espinillas en la cara. A pesar de la forma cruel como la naturaleza los ha tratado, esperan que alguien se fije en ellos. ¡Qué distorsión de los valores! Juzgar a las personas por sus cualidades atractivas es realmente obrar basándose en un valor falso.

2 **INTELIGENCIA.** Otro factor crítico que usamos para medir el valor de un individuo es su inteligencia. Los padres se ponen muy sensibles y molestos si alguien menciona siquiera casualmente que su hijo tiene menos habilidad mental que otros chicos.

Los padres se ponen muy sensibles y molestos si alguien menciona siquiera casualmente que su hijo tiene menos habilidad mental que otros chicos.

Los padres manifiestan una actitud especial después del nacimiento de un hijo. Es como si estuvieran en competencia con todos los demás padres. Quieren que su hijo sea el primero en todo. ¡Cómo les gusta jactarse! Que a su hijo le salió el primer diente (¡como si la criatura pudiera impedirlo!), que se sentó a los cuatro meses, que dijo "Ta, Ta" a los cinco meses, y que anduvo a los seis meses. ¡Como si todo eso aumentara el valor del niño! Cuanto más temprano el bebé manifiesta las diversas habilidades, tanto más estima recibe de sus padres. Los padres en gran medida establecen el valor de su hijo por la habilidad que éste tiene para hacerlos quedar bien.

Con el paso de los años, tal vez se haya borrado el recuerdo de algunas ocasiones cuando actuamos con torpeza. Pero, la mayor parte de nosotros recordamos la vergüenza y

humillación experimentadas cuando dimos una respuesta incorrecta y toda la clase se echó a reír. O bien recordamos el día cuando nuestro equipo de fútbol perdió por culpa nuestra. O la ocasión cuando fracasamos en un examen. Todo niño sentirá durante su vida el aguijón del rechazo y el ridículo, pero algunos niños –debido a que no son bien parecidos o a que no son muy inteligentes– viven sintiéndolo todos los días de su vida. **El niño cuya inteligencia está por debajo del promedio, puede sentirse atrapado en el torbellino de la depresión, como una víctima más de otro valor falso creado por nuestra sociedad. El valor de un individuo no debe medirse por su cociente intelectual.**

3 **OTROS PROBLEMAS.** Algunos niños están predispuestos a tener problemas emocionales debido a circunstancias que están

Muchos padres son muy sensibles y se molestan si alguien dice, aunque sea casualmente, que su hijo tiene menos habilidad mental que otros chicos.

fuera de su control. Factores como deformidad física o ciertas rarezas casi pueden arruinar la vida de un niño. La escasez de dinero puede constituir un grave escollo en la aceptación de un niño o adolescente por parte de sus compañeros, especialmente si su ropa no satisface las normas establecidas por el grupo. Un niño perteneciente a una familia pobre o a un hogar en el que los padres no perciben la presión de los compañeros para que todos se conformen al estilo de vestir establecido, puede convertirse en un paria social. Un niño con fiebre reumática o con otros problemas de salud que le impiden participar de las actividades escolares normales, puede comenzar a creer que padece de alguna anormalidad física.

Un desacierto o error social cometido en los primeros años, a veces puede obsesionar a una persona durante toda la vida. Otros niños y adolescentes pueden haber tenido el inconveniente social de haber sido criados por padres descendientes de extranjeros o por haber crecido fuera de su país natal o en una zona rural. **Otros factores que afectan la dignidad incluyen: haber crecido en un hogar con solamente el padre o la madre, haber tenido padre o madre alcohólicos, tener un hermano con trastornos mentales o defectos físicos, o formar parte de una raza o religión diferentes. El trato negativo e incompetente de algunos padres incapacita a otros niños.**

¿Qué pueden hacer los padres que no tienen una varita mágica para proporcionar belleza, riqueza o talento instantáneos a sus hijos? **La gente con frecuencia dice ingenuamente que todo lo que un niño necesita es amor, y con eso se desarrollará satisfactoriamente. Pero en realidad no es así. No basta el amor. Los padres pueden controlar ciertos factores negativos dentro del hogar, pero no pueden controlar el mundo exterior.** Su hijo debe poder funcionar adecuadamente a pesar de los problemas que le presenta la vida. Todavía no existe una píldora o vacuna para impedir que su hijo sea rechazado fuera del hogar. Los niños sufren cuando otros se ríen de ellos, cuando los desprecian, cuando les ponen sobrenombres, cuando los ridiculizan o los humillan. Ninguno de nosotros desea que sus hijos experimenten estos tratos. Sin embargo, difícilmente podemos impedir que eso suceda. **Nuestro trabajo como padres no consiste en proteger a nuestros hijos de las lastimaduras y vejaciones, sino en prepararlos para que acepten esos males inevitables y se eleven noblemente por encima de ellos.** En otras palabras, podemos enseñarles a sobreponerse a los falsos valores que existen en algunos sectores sociales y a no permitir que las palabras y las reacciones de los demás los destruyan. Entonces cuán importante es que les enseñemos a desarrollarse emocionalmente haciendo frente a los problemas.

La inferioridad causada por la clase de problemas que hemos presentado, puede anonadar y destruir completamente a un individuo o bien puede proporcionarle un trampolín para llevar a cabo realizaciones valiosas y alcanzar el éxito. La necesidad de demostrar que se es digno de aprecio y que se es capaz de hacer algo útil en la vida, impulsa hacia la superación y el éxito.

El ejemplo de los padres puede significar mucho para los hijos afectados por sentimientos de inferioridad. Si usted se puede reír de sus errores e imperfecciones, contribuirá en gran medida a ayudar a su hijo a superar con éxito los problemas y las dificultades que encontrará en la vida. Enseñe a sus hijos a recordar sus fracasos con una sonrisa.

Hágale comprender claramente a su hijo que no debe despreciarse a sí mismo ni a otras personas. Enséñele esto temprano en su vida y recuérdeselo con frecuencia. Sin embargo, si usted se menosprecia a sí mismo, su enseñanza no surtirá efecto. Elimine comentarios como éstos: "Nunca hago nada que esté bien". El menosprecio de sí mismo puede convertirse en un mal hábito difícil de romper. Las personas con un bajo nivel de amor propio se complacen en hablar de su propia insuficiencia.

Charlie Brown, personaje de historieta cómica, con frecuencia comenta en voz alta sus insuficiencias; pero si aprendiera a guardarlas para sí mismo, probablemente nadie las notaría. Cuando su amiga Lucy percibe alguna, se complace en hacer comentarios acerca de ella y en ridiculizarlo. El éxito de la serie "Peanuts", en la que aparecen estos personajes, se debe a dos factores: la habilidad de Charles Schulz, su autor, para reproducir los numerosos errores y fracasos que recordamos de nuestra infancia, y nuestra identificación personal con Charlie Brown.

Obstáculos para el respeto de sí mismo

La mayor parte de los sentimientos de insuficiencia tienen su origen en experiencias desafortunadas de la infancia. Los padres con frecuencia no se dan cuenta de los efectos que sus palabras y acciones producen en sus hijos, ya que éstos edifican o destruyen el respeto propio.

Los padres criticones despiertan en sus hijos sentimientos de rechazo. "Niño estúpido, ¿acaso no ves que este tornillo no va en ese lugar? ¡Hasta el más tonto se da cuenta de eso!" Los gritos, las represiones y la crítica constante le demuestran al niño que su padre o su madre no lo aman ni se preocupan de sus sentimientos.

Especialmente los padres que tienen un nivel muy bajo de respeto de ellos mismos sienten la compulsión de encontrar mal todo lo que sus hijos hacen. Los niños pronto se dan cuenta de que es imposible agradarles o satisfacerlos. Si el niño recibe censura o condenación adicionales en la escuela por parte de sus maestros y compañeros, el golpe resulta todavía más anonadador. *Debemos comprender que el rechazo no necesita expresarse en forma verbal para ser experimentado por los niños. La falta de aprecio o reconocimiento de lo que ellos hacen habla tan claramente como si hubiera sido expresada verbalmente. La crítica, ya sea que se la exprese verbalmente o no, es la causa más común de un bajo nivel de respeto de sí mismo.*

La actitud dominadora o mandona de un

adulto le causa al niño la impresión de que él es incapaz de terminar una tarea asignada a menos que su padre o madre estén allí para supervisarlo. Los padres pasan mucho tiempo diciendo al niño lo que debe hacer, cuándo debe hacerlo y cómo debe hacerlo. Los padres autoritarios debilitan la dignidad personal del niño. **Un niño a quien se le dice constantemente lo que debe hacer desarrolla escasos controles internos y carece de fe en sus habilidades para llevar a cabo las tareas por sí mismo. Todo niño necesita adiestramiento y dirección, pero no en forma abrumadora.**

El exceso de protección también puede hacer que el niño se sienta rechazado debido a que nunca tiene la oportunidad de efectuar decisiones por sí mismo. Los padres pueden controlar el ambiente de su hijo durante los dos o tres primeros años de vida, pero a partir de los tres años éste comienza a interactuar con otros: con los vecinos, con otros niños pequeños del vecindario, y más tarde con los compañeros de escuela. Los padres se sienten muy afligidos cuando otros se ríen de sus hijos, les ponen sobrenombres o los ignoran. Su primera reacción puede ser mantenerlos a su lado, protegerlos o defenderlos. Pero lo único que conseguirían con esa actitud sería inhibir el progreso del niño. Su desarrollo emocional se fortalecerá al aprender a soportar esos pequeños problemas. **Una madre que se pelea con el vecindario para proteger a su "precioso" hijito del mundo cruel, inhibe su progreso hacia la obtención de una imagen positiva. Un padre o una madre sobreprotectores es probable que hagan frente a los maestros de escuela que traten de disciplinar a su hijo.**

También puede ocurrir que los padres excesivamente solícitos con sus hijos intenten demostrar a todo el mundo cuánto lo aman dedicándole mucho tiempo. **Es verdad que se recomienda a los padres pasar bastante tiempo con sus hijos, pero no es la cantidad sino la calidad del tiempo lo que más importa.** Conozco un padre que pasa horas con sus hijos llevando a cabo diversos proyectos y participando en juegos, y que superficialmente parece un ejemplo de devoción. Pero cuando está con ellos no cesa de decirles cosas como éstas: "¡Juan, no te distraigas, porque es tu turno. Apúrate!" "Carlos, no tienes derecho el taladro. ¡Cuántas veces tendré que decirte que ésta es la forma correcta de mantenerlo!" "¡Debieras mirar con más atención a tu hermano cuando golpea la pelota con el bate! Tienes que aprender a mover correctamente todo tu cuerpo cuando bateas". "Has hecho un trabajo muy chapucero al sacarle lustre al automóvil. Tendré que hacerlo yo de nuevo. Pero observa cómo lo hago. Cuando hagas algo aprende a hacerlo bien la primera vez". En resumen, este padre está diciendo a sus hijos que no son competentes, y cuanto más tiempo pasan con él, tanto menos competentes y amados se sienten.

Hay padres que manifiestan su rechazo de sus hijos demostrándoles falta de interés.

Les envían el siguiente mensaje: "No me molestes con tus problemas. Ya tengo suficientes preocupaciones. Crece rápido y vete del hogar lo antes posible". **Los padres que carecen de tiempo o que han sido perjudicados emocionalmente debido a relaciones carentes de amor con sus propios padres, son los que más perjudican a sus hijos.**

Además, nuestras actitudes de aceptación o rechazo varían con nuestros estados de ánimo. Si nos sentimos contentos con nosotros mismos, podemos tolerar a nuestros hijos una gran cantidad de comportamiento inadecuado. Sin embargo, cuando hemos tenido un día difícil, cuando estamos cansados, cuando nos sentimos enfermos o bien cuando no estamos felices, nuestro "cociente de aceptación" descenderá a un nivel muy bajo.

Algunos padres tienen mejor disposición a aceptar y amar que otros debido a su constitución emocional. Puesto que se aman ellos mismos, se sienten íntimamente seguros. Otros mantienen conceptos muy estrictos acerca de lo que es correcto e incorrecto, y les resulta difícil aceptar naturalmente a sus hijos.

Nuestras actitudes de aceptación y rechazo también dependen del lugar donde nos encontramos y de quienes nos observan. La mayor parte de nosotros tendemos a manifestar menos aceptación cuando nos encontramos en casa de un amigo, en un restaurante, en la iglesia o en otro lugar público en el que el mal comportamiento del niño podría afectar nuestro amor propio. Y cuando los amigos visitan nuestro hogar, nos molestamos si el niño manifiesta comportamientos que aprobamos en otros momentos.

Algunos de nosotros caemos inocentemente en estas trampas. Amamos profundamente a nuestros hijos y nos preocupamos de ellos, y hasta estaríamos dispuestos a dar nuestra vida por ellos, y sin embargo parte de nuestro amor se pierde en la lucha diaria por la vida.

La clave se encuentra en aceptar al niño en todo momento, mientras que no se acepta todo lo que hace. **Así como Dios odia el pecado pero ama al pecador, también los padres debieran establecer una diferencia entre el comportamiento del niño y el niño mismo, si es que desean que construya una autoimagen positiva.** Las estadísticas indican que el niño afirma un principio determinado en su mente con mayor facilidad mediante la repetición en forma de canto antes que por pura memorización. Una de las estrofas del canto infantil "Jesús me ama" enseña hermosamente el amor y la aceptación incondicionales:

> *Jesús me ama cuando soy bueno*
> *cuando hago lo que debo hacer,*
> *Jesús me ama cuando soy malo*
> *aunque eso lo ponga triste.*

Fuentes del rechazo de los padres

Durante un seminario de capacitación para padres analizábamos las razones por las que se rechazan los hijos. De pronto uno de los asistentes interrumpió en voz alta con la siguiente observación: "¿Por qué se habla tanto del rechazo de los hijos? ¡No conozco a ningún padre que haya rechazado a su hijo!"

Una trabajadora social contestó inmediatamente lo que sigue: "Todos los días de mi vida tengo que vérmelas con niños que han sido golpeados cruelmente. Deseo en esta oportunidad testificar de que la sociedad se encuentra enferma, y que muchos padres rechazan a sus propios hijos por una multitud de razones".

Ann Landers, la popular escritora norteamericana de artículos para periódicos, en una sección que ella dirige hace la siguiente pregunta: "Si pudiera volver a empezar, ¿tendría hijos nuevamente?" Setenta por ciento de las personas que contestaron dijeron que si hubieran sabido lo que ahora saben, no hubieran tenido hijos. Estas per-

sonas pueden clasificarse en cuatro categorías: (1) padres jóvenes que se encontraban profundamente preocupados por el exceso de población y la amenaza de las armas nucleares, (2) padres que declararon que sus hijos habían arruinado su matrimonio, (3) padres de hijos que ya habían abandonado el hogar y que manifestaban poca o ninguna preocupación por sus progenitores, (4) padres de adolescentes con problemas.

Los Sentimientos de Valor Personal

Marque su respuesta en la columna apropiada.

V – VERDADERO	F – FALSO	U – USUALMENTE

1. Mi hijo se siente razonablemente seguro. **V F U**

2. Evito transferir mis temores a mi hijo. **V F U**

3. Mi hijo teme que mi matrimonio se deshaga. **V F U**

4. Abrazo y beso diariamente a mi hijo. **V F U**

5. No comparo a mis hijos con los demás niños. **V F U**

6. No protejo excesivamente a mi hijo. **V F U**

7. Trato a mi hijo como individuo único. **V F U**

8. Cada día pongo calidad en el tiempo que dedico a mi hijo. **V F U**

9. Presento a mi hijo por nombre a las visitas para demostrarle que pienso que es importante en la familia. **V F U**

10. Dejo que mi hijo hable por sí mismo cuando un adulto le pregunta algo. **V F U**

11. Estimulo en él sentimientos positivos de valor personal, porque yo tengo esos sentimientos. **V F U**

12. Respeto las opiniones de mi hijo. **V F U**

13. Me abstengo de emplear palabras como malo, lento, feo, estúpido, perverso, tonto, torpe o retardado, cuando hablo con mi hijo. **V F U**

14. Los sentimientos de valor personal de mi hijo son estimulados mediante la productividad, el rendimiento y la creatividad. **V F U**

15. Mi hijo experimenta diariamente sentimientos positivos de valor personal por vivir en nuestra familia. **V F U**

16. Mi hijo piensa que es único y cree que ocupa una posición importante que nadie más puede llenar. **V F U**

17. Mi hijo siente que "pertenece" a nuestra familia y que no está allí por accidente. **V F U**

18. Mi hijo se siente amado por lo que es, sin necesidad de tener que hacer algo para merecer nuestro amor. **V F U**

Compruebe la exactitud de sus respuestas haciendo que su cónyuge u otro familiar adulto las revise.

¿Qué otras razones o actitudes pueden encontrarse en la base del rechazo de los hijos?

1. Nacimiento en un momento inoportuno. Numerosos hijos son rechazados, no son aceptados, no son apreciados o amados en la forma como debieran, simplemente porque han llegado en el momento no oportuno. Tal vez el hijo llegó demasiado temprano en el matrimonio. Los esposos disfrutaban de la mutua compañía y comenzaban a conocerse. Repentinamente ella quedó embarazada.

O tal vez el negocio del marido comenzaba a estabilizarse y a producir ganancia, y la situación ofrecía un futuro prometedor. Repentinamente la esposa anuncia que va a tener un hijo. Era un mal momento. No es que el esposo no deseaba un hijo, no es que no le gustaran los niños, sino que la llegada de un hijo le complicaría la vida.

Cuando un hijo pasa inesperadamente a formar parte de la familia, en algunos casos los padres lo rechazan inconscientemente. Y eso no porque la criatura haya hecho alguna cosa objetable, porque tenga rasgos indeseables o porque carezca de valor; lo rechazan únicamente porque ha llegado en un momento inoportuno.

Otros factores podrían ser un número excesivo de niños en la familia, o que el recién nacido constituye una amenaza para las carreras de los padres, o bien uno de los cónyuges no desea tener un hijo.

2. Desilusión producida por el sexo del hijo. Por tratarse del primer hijo y debido a que el papá deseaba tener un niño no se siente a gusto con la llegada de una hija. Puede haber sido tan importante para él que siente la necesidad de rechazar a la hija como niña para aceptarla como si fuera niño. La trata como si fuera un varón, le compra juguetes de niños y la entrena en deportes masculinos.

Es saludable una participación relativa en los roles del sexo opuesto. Es aceptable y normal una cierta cantidad de interacción entre el padre y la hija y la madre y el hijo. Pero si los roles de los padres se tornan indefinidos, entonces el hijo o la hija no perciben con claridad su identificación sexual. Se preguntan: "¿Qué se supone que debo ser?"

El conocimiento claro de la identidad sexual constituye una parte importante del respeto de sí mismo, porque un niño no puede respetarse a sí mismo si no está seguro si debe ser varón o niña. Si se encuentra inseguro de su papel y lugar en la familia, no puede respetarse a sí mismo.

3. Conceptos erróneos acerca de las actitudes sexuales. Un hijo concebido antes del casamiento con frecuencia es rechazado aunque sus padres se casen prontamente. iEn muchos casos la presencia del niño les recuerda su falta, de modo que lo rechazan! El bebé le recuerda a la madre la forma como "este tipo se aprovechó de ella". El padre se pregunta por qué ella no resistió sus requerimientos de amor. Los sentimientos de culpa debido a esto pueden conducir al rechazo del niño, y el niño siente que no vale nada porque sus padres no se aprecian ellos mismos. Le trasmiten su culpa porque no pueden perdonarse mutuamente.

4. Responsabilidad adicional. Algunas parejas son tan inmaduras emocionalmente que se encuentran completamente sin preparación para hacer frente a la responsabilidad de la paternidad. Acostumbrados a hacer su propia voluntad, rechazan al bebé que cuesta dinero, causa trabajo e insume tiempo. Por ejemplo, si la niñera no se presenta en el momento debido, cuando ellos desean asistir a una reunión social que les interesa especialmente, experimentan resentimiento contra el niño que les ha causado tal inconveniente. Se sienten amargamente frustrados cuando deben renunciar a una vacación que deseaban tener en un hermoso lugar lejano, porque deben pagar una elevada suma por trabajos de ortodoncia que el niño necesita. Los padres se sienten desilusionados cuando tienen que pasear a las dos de la mañana a un bebé afectado por un cólico intestinal. Experimentan resentimiento porque desean divertirse, ser jóvenes y libres.

Esos padres no tienen la intención de rechazar a su hijo; no lo rechazan porque sea malo o indigno, sino porque carecen de la madurez necesaria para hacer frente a las exigencias que el hijo impone sobre su tiempo y su atención.

Otros padres se encuentran tan ocupados llevando a cabo sus propios planes y deseos, que carecen de tiempo para atender a su hijo. El padre debe preocuparse de su trabajo, de modo que se preocupa de su hijo únicamente cuando tiene tiempo, es decir, cuando tiene tiempo extra. Debido a que la madre también trabaja fuera del hogar no dispone de mucho tiempo para pasar con su esposo. Aunque los padres dicen que el niño es importante para ellos y aseguran amarlo, éste comienza a comprender que no lo toman en cuenta. Tales padres difícilmente admitirán que rechazan a su hijo, y sin embargo, el nivel de respeto de sí mismo del hijo se encuentra por el suelo.

5. Expectativas irreales. Muchos padres se encuentran secretamente frustrados debido a que su hijo no se destaca. Habían esperado tener un hijo con personalidad y talento ilimitado. Muchas madres sueñan que sus hijas serán hermosas y populares, especialmente si ellas mismas no lo fueron. Pero cuando sus hijas no satisfacen esas expectativas, se sienten desilusionadas. Esas madres pocas veces envían mensajes de rechazo verbalmente, pero indirectamente les dan a entender a sus hijas que no están satisfaciendo las expectativas que habían formado acerca de ellas. **Los padres que no se destacaron en los deportes o que no tuvieron oportunidad de asistir a la universidad, mantienen esperanzas secretas de que sus hijos tengan éxito donde ellos fracasaron.** Tampoco en este caso dan expresión verbal a sus sentimientos, pero el niño comprende claramente sus mensajes indirectos y se siente

insuficiente y rechazado.

Esos hijos pueden tener un rendimiento adecuado en diversos sectores, pero si los objetivos que los padres habían fijado para ellos no son razonables, puede ser que rechacen a un hijo que está desarrollándose bien y que es valioso. En ese caso, crecerá pensando que es indigno porque no ha satisfecho las expectativas irreales de sus padres. ¿Qué derecho tienen los padres de exigir que su hijo sea un superhijo cuando ellos mismos son gente común?

6. Actitudes que reinan en la familia numerosa. En algunas familias numerosas, en las que viven los abuelos, los tíos u otros familiares, a veces se imponen presiones sobre los padres para que tengan hijos o para que no los tengan, sobre cuándo y cómo deben tenerlos, sobre cómo deben enseñarlos o dejarlos de enseñar. Procuran dictaminar sobre la religión en que deben ser instruidos los hijos, sobre la escuela a la que deben asistir y sobre una cantidad de otras cosas.

Debemos decir que los abuelos, como también otros miembros de la familia numerosa, pueden ser muy valiosos. Las familias en la actualidad sufren porque no tienen relaciones estrechas con otros miembros de la familia que viven en sus propios hogares. **Los hijos son privados del afecto, del amor, la experiencia y la sabiduría de la generación mayor. Pero al mismo tiempo los padres no deben dejar que los abuelos se encarguen de la educación de sus hijos.** Aunque la Biblia insiste que es necesario honrar a los padres y no descuidarlos, también dice lo siguiente: "Por tanto, dejará el hombre a su padre y a su madre y se unirá a su mujer, y se harán una sola carne" (Génesis 2: 24). Los abuelos pueden causar un sin fin de problemas cuando interfieren en las relaciones entre los padres y el hijo. Los resultados pueden ser muy negativos. **Ejercer presión sobre los padres o los hijos para que se adapten a una idea preconcebida puede hacer que el padre rechace a su hijo o bien que el hijo aumente el rechazo de sí mismo.**

7. Presiones sociales. Algunas teorías que se encuentran de moda instan a las parejas a no tener más de dos hijos. Otros padres están profundamente preocupados por el hambre universal, el exceso de población, el fin de la historia humana o bien la posibilidad de que el mundo sea incinerado en una guerra nuclear. Un padre que acepta esas ideas puede rechazar a su hijo.

¿Sabemos lo que se encuentra a la base de estas razones del rechazo? **El egoísmo es la raíz de todo pecado, falta de felicidad, discordia matrimonial y familias quebrantadas. Al esforzarnos por llegar a ser mejores padres y esposos debemos madurar y procurar dejar de lado los deseos egoístas a fin de vivir para el bien de los demás.**

El efecto de la aceptación de los compañeros

Los padres no son los únicos que afectan el respeto que el niño tiene de sí mismo. Cualquier persona que pase largos períodos de tiempo con él le ayuda a establecer la imagen de sí mismo. Esa persona puede ser un pariente, un vecino, una niñera, un hermano o hermana. Las maestras y los maestros ejercen una influencia definida sobre el niño debido a que se asocian constantemente con él. Aunque el niño no dependa tanto de esa gente como de sus padres para satisfacer sus necesidades emocionales, estas personas interactúan constantemente con él y llegan a formar parte íntima de su vida.

Cuando el niño comienza a asistir a la escuela, a la edad de seis años, ya no depende completamente de su familia. Entonces descubre que otros niños valoran ciertas cualidades. Los niños le dan importancia a los deportes, a la fuerza y al valor. Las niñas generalmente valoran su apariencia física y la personalidad. El hecho de que un niño posea o no estas cualidades afecta la forma como se considera a sí mismo.

Si Luis es alto, fuerte y bien coordinado, sentirá en forma diferente acerca de sí mismo, de como se considera Leonardo, que es de baja estatura y no coordina bien sus

Aunque los padres dicen que el niño es importante para ellos y aseguran amarlo, éste comienza a comprender que no lo toman en cuenta.

movimientos. Leonardo siente que no puede ofrecer lo que sus amigos desean, y por lo tanto se considera de menos valor que ellos. Puesto que Luis es bueno para los deportes, los demás niños compiten por tenerlo en sus equipos, y los padres y maestros se sienten satisfechos con sus realizaciones. De modo que Luis se siente más competente que Leonardo.

Un niño reacciona emocionalmente ante su crecimiento, sus energías, su estatura, su apariencia, su fuerza, su inteligencia, su amistad, sus habilidades y sus impedimentos. Extrae conclusiones acerca de sí mismo basadas en parte en su comparación de sí mismo con otros niños y en parte en la forma como otros responden ante su manera de ser. Cada conclusión mejorará o empeorará sus sentimientos de respeto propio. Los éxitos que obtenga tendrán más peso si los consigue en sectores a los que él atribuye más

Los síntomas del rechazo

Tal vez usted se preguntará si su hijo tiene sentimientos de rechazo. ¿Es posible que los padres sepan si su hijo se siente rechazado? Sí. El temor al fracaso y a la crítica dominará las emociones del niño. Las acusaciones y reproches recibidos lo inducirán a justificar su existencia como hijo, por medio de discusiones presentadas en defensa propia. Estos temores e incertidumbres lo agotan emocionalmente y lo cansan físicamente. Por lo tanto, un niño rechazado manifiesta ciertos síntomas, que veremos a continuación.

Síntomas de un bajo nivel de respeto de sí mismo*

1 Falta de habilidad para tomar decisiones: Vacila hasta para tomar las decisiones más sencillas. Teme iniciar nuevas cosas aun si se le ofrece ayuda. Cuando se le pide que haga algo dice: "No sé cómo hacerlo". No pide las cosas que necesita.

2 Retraimiento o retirada al mundo de la fantasía: No participa fácilmente con otros en juegos ni otras actividades. No inicia contactos con otros. No se defiende mediante palabras o acciones. Teme hacer preguntas o contestarlas. Contesta solamente preguntas directas. Manifiesta una actitud fría o carente de afecto. Pasa solo una cantidad de tiempo anormal. Pasa una cantidad de tiempo anormal mirando televisión o leyendo. Prefiere amigos imaginarios antes que amigos reales.

3 Mal comportamiento repetido deliberadamente: Exceso de mordiscos, golpes, puntapiés, etc. Miente o roba habitualmente. Se produce daño a sí mismo y a los demás. Busca atención haciendo alguna cosa prohibida. Hace continuamente cosas insensatas o perturba a otros. Manifiesta actitud competitiva extrema.

4 Esfuerzo anormal por agradar: "Da" cosas a la gente constantemente en intento por "comprar" el afecto o la amistad. Lleva cosas de la casa para obtener la aprobación de la maestra o de los amigos. Pregunta constantemente: "¿Te caigo bien?"

5 Habitualmente llora con facilidad: Llora, se enfurruña o hace una escena cuando no puede salir con la suya. Se queja: "nadie me quiere" o bien: "nadie quiere jugar conmigo". Manifiesta temor cuando lo dejan con la niñera, con una persona desconocida o con la maestra.

6 Tensión: Se moja en la cama. Azota la cabeza. Se come las uñas. Tartamudea. Lleva constantemente un paño, chupete o algún juguete.

7 Se desprecia a sí mismo y a los demás: Pone sobrenombres a los demás. Es criticón y juzgador. Culpa a otros por sus errores. Encuentra excusas para justificar su comportamiento. Habla excesivamente. Dice cosas como: "Soy mejor que tú".

8 Características físicas: Tiene exceso de peso. Habla con voz débil e insegura. Su apariencia es descuidada. Anda encorvado. Las esquinas de la boca apuntan hacia abajo y tiene los ojos sin brillo. Tiene apariencia infeliz. Evita mirar directamente a los ojos.

*Dr. James Dobson. *Hide or Seek* (Jugando a las escondidas). págs. 23-24, Editorial Fleming H. Revell y Co., 1974. Old Tappan. Nueva Jersey, EE.UU.

importancia. Un niño de doce años puede ser un excelente pianista, pero un fracaso en el fútbol. Sin embargo, la habilidad de tocar piano significará poco para él si sus compañeros no la aprecian. Toda actividad en la que participa un niño le da más información acerca de sí mismo. Los clubes, los deportes, los grupos de la iglesia, la escuela y el trabajo añaden a su colección de descripciones de sí mismo, y por lo tanto, a la formación de su identidad personal.

Aun bajo las mejores circunstancias, la gente que no pertenece a la familia contribuye a los sentimientos de no aceptación del niño, pero cuanto más aceptación encuentre en su familia, tanto más rechazo podrá soportar proveniente de afuera.

Antes de llegar a conclusiones apresuradas, recuerde que el comportamiento normal puede variar ampliamente. No entre en pánico si su hijo ocasionalmente manifiesta uno o dos síntomas. En cambio observe si existen pautas de comportamiento y persistencia durante un período de tiempo. No se ha intentado efectuar una lista completa de síntomas, sino más bien se ha procurado identificar tendencias. Si su hijo manifiesta varias de estas características en pautas repetidas durante un período de tiempo, conviene que encuentre métodos para mejorar su autoimagen.

Recuerde lo siguiente: Cuanto peor es el comportamiento de un niño, tanto mayor es su anhelo de recibir aprobación. Cuanto más mal se comporte su hijo –cuanto más difícil, ensimismado u odioso– tanto más necesitado se encuentra de atención y aceptación. Cuanto mayores son sus defensas, el retraimiento o el mal comportamiento, tanto más grande su necesidad. **Sin embargo, con gran frecuencia las exasperantes defensas hacen que los padres y los maestros amontonen castigos, corrección y comentarios negativos precisamente sobre el niño que necesita más amor y seguridad.** Las mismas defensas que el niño erige disminuyen la posibilidad de obtener el afecto y la aceptación que anhela, y en

esa forma, tanto los padres como el hijo quedan atrapados en un círculo vicioso. La mayor parte de las defensas pueden rastrearse hasta la convicción oculta de un niño de que es malo, indigno, incompetente y desagradable, porque debemos proteger las debilidades y no los puntos fuertes.

El concepto de sí mismo puede cambiar

El concepto que un niño tiene de sí mismo no es inalterable, aunque una vez que se ha establecido no resulta fácil cambiarlo. Por ejemplo, el respeto de sí mismo tiene como base los sentimientos de ser amado y de servir para algo; pero por ser el sentimiento de ser amado más importante que el otro, su sentimiento de sentirse útil no le importa mucho cuando falta el amor. El niño que se convence de que no es bueno cree únicamente los mensajes que confirman ese sentimiento. Ignora los otros mensajes porque nadie puede creer que el niño sea despreciable y que al mismo tiempo tenga verdadero valor. Una niña puede creer que es estúpida aun cuando los tests de inteligencia demuestren que es brillante. Puede sentirse fea aunque sea linda. Una vez que se ha constituido su fotografía mental, permanece constante, porque cambiar el concepto que la niña tiene de sí misma significa para ella abandonar la única identidad que ha conocido durante años. Resulta más seguro vivir con lo que es familiar.

Debido a que los sentimientos de valor personal se aprenden, se adquieren y se experimentan en vez de heredarse, las actitudes hacia sí mismo pueden cambiar cuando la persona encuentra una experiencia positiva en relación con la gente y la vida. **Los padres que tienen hijos que no han aprendido a respetarse, si les proporcionan una atmósfera de aceptación les ayudarán a cambiar su autoconcepto negativo en cierto período de tiempo.** Sin embargo, cuanto más tiempo viva el niño con una opinión inferior de sí mismo, tanto más profundas se harán las raíces del odio a sí mismo, y tanto más difícil se hace la tarea de desarraigar esos sentimientos.

Estrategias para edificar la dignidad personal

Si usted detecta que su hijo tiene dificultad para aceptarse a sí mismo, o bien si desea edificar sentimientos más positivos de valor y dignidad en él, las instrucciones que siguen le ayudarán a obtener resultados positivos.

1. Admita que existe falta de aceptación. Si ha detectado síntomas que indican la existencia de un nivel bajo de respeto de sí mismo en su hijo, y si piensa que usted es responsable, aunque sea parcialmente, su primera tarea consiste en admitirlo. Mientras continúe negando la existencia del problema y su responsabilidad en relación con el mismo, no mejorará su relación con su hijo ni conseguirá mejorar la idea que él tiene de su propio valor y dignidad. A la mayor parte de nosotros nos cuesta admitir nuestros errores, pero éste es el primer paso hacia el crecimiento.

2. Identifique la causa. Puede ser que usted como padre o madre no se dé cuenta de que tiene sentimientos de rechazo contra su hijo. Tal vez convenga que haga una lista de las cosas que no le gustan acerca de su apariencia, personalidad, hábitos o habilidades. Si a usted no le gustan algunas cosas que en su hijo le recuerdan características que usted mismo tiene o que posee su cónyuge, o bien si no posee rasgos o habilidades que podrían compensar algunas debilidades que usted mismo tiene, podría suceder que usted nunca se haya aceptado como una persona digna y valiosa o bien que nunca haya aceptado a su cónyuge. **Si usted lo rechaza porque no quería tener un hijo, porque prefería un hijo de sexo diferente, o porque le molesta asumir las responsabilidades, las tareas desagradables y las obligaciones que surgen de la crianza de un hijo, admita que el egoísmo es la base real de su falta de aceptación.**

3. Pida a su hijo que lo perdone. Con frecuencia pensamos que los niños son demasiado jóvenes para captar ciertas actitudes que imperan en el hogar, ya se trate de tensiones o de falta de aceptación del hijo. Pero los niños se dan cuenta de estas cosas. Si pedimos a nuestro hijo que perdone nuestros errores, no es necesario que nos sintamos rebajados como padres. Pedir perdón comprende tres pasos: (1) admitir que ha cometido un error, (2) identificar el error, y (3) decir: "quiero que me perdones". Yo llevaría a cabo esto en la siguiente forma: "Marcos, he estado equivocada acerca de algo y quiero conversar contigo. He cometido un serio error. No siempre he tenido la actitud correcta hacia ti. Cuando has obrado de ésta u otra manera, yo he reaccionado en tal y tal forma. Sé que tú me has visto hacerlo. No me siento orgullosa de lo que he hecho. Lamento haberlo hecho, y en el futuro procuraré mejorar. Y quiero que me perdones". Este paso puede producir un acercamiento entre el padre o la madre y el hijo.

4. Pida perdón a Dios. Después de confesar su error a su hijo, pida perdón a Dios por la actitud egoísta que ha tenido hacia su hijo. Luego agradézcale por haberle dado ese hijo. Si las circunstancias lo permiten, esa oración puede contribuir al mejoramiento de las relaciones si el niño se encuentra presente mientras usted ora a Dios. **Reconozca que su hijo es un don especial que usted ha recibido y que Dios tiene un propósito específico para su vida.** Después de esto, usted se encontrará en condición de ayudar a su hijo a crecer en forma positiva.

5. Ayude a su hijo a desarrollar una especialidad. Esfuércese por ayudar a su hijo a desarrollar los rasgos, las habilidades y los hábitos que armonizarán con los intereses de Dios para su vida. Ayúdele a volver a encauzar cualquier rasgo negativo y a adquirir cualidades positivas para las que tenga capacidad. La mayor parte de los padres deben avanzar un paso más. Si su hijo es diferente en alguna forma del promedio de los niños de su grupo, es decir, si es demasiado bajo o alto, demasiado delgado o gordo, si usa lentes, si tiene dientes salidos y orejas grandes, o algún otro rasgo característico, o bien si difiere en cualquier cosa de lo que es importante para su grupo de compañeros, necesitará alguna "especialidad". El hecho de poseer una especialidad compensará su debilidad y le ayudará a valerse de sus puntos fuertes. La especialidad es algo que el niño puede hacer muy bien y que le servirá de compensación para los momentos cuando sus compañeros lo rechazan. En algún momento en la vida de su hijo, *será* rechazado por el grupo, por mucho que se haga por protegerlo. Si tiene un hijo de una estatura demasiado baja para su edad, o bien si no es bueno en los deportes (tanto la estatura como la habilidad en los deportes son importantes para los compañeros de un niño), encuentre una especialidad para él. Puede ser carpintería, aeromodelismo, tocar algún instrumento musical, fotografía, o alguna otra cosa. Si su hija tiene exceso de peso y usa lentes, ayúdele a encontrar una especialidad que contribuya a formar en ella sentimientos de aceptación. Tal vez puede convertirse en una excelente nadadora, aprender a coser, a tejer, a dibujar o a escribir. Cuando su hijo cumple ocho o nueve años, ya debiera haber desarrollado habilidades o aptitudes que podrían convertirse en especialidades. Entonces, cuando el grupo rechace a su hijo, eso le dolerá, pero también podrá decir: "Está bien, ustedes no me aceptan. Se ríen y se burlan de mí, pero yo puedo hacer algo que ustedes no pueden". **Las especialidades pueden cambiar con la edad y la maduración del niño, pero todo niño necesita tener alguna habilidad que le permita hacer frente a los puntos ásperos que encuentra en la vida.**

6. *Expresse todos los días aceptación verbal de su hijo.* Esto no significa que usted alabará a su hijo hasta por las cosas más pequeñas que dice o hace. Pero significa que siempre hablará en forma positiva acerca de él, especialmente cuando él se encuentra presente.

El hecho de poseer una especialidad compensará su debilidad y le ayudará a valerse de sus puntos fuertes.

Refuerce el comportamiento positivo de su hijo con comentarios en voz alta como el que sigue: "Te agradezco por haberte cambiado de ropa después de llegar de la escuela, sin que yo tuviera que recordártelo. Eso me causa alegría". Luego hágale un gesto amistoso o déle un abrazo, y así le habrá demostrado aceptación en términos que él puede comprender.

Evite las alabanzas sin sentido, pero busque todos los días oportunidades para expresarle sinceramente su encomio en forma verbal por las cosas que haga bien o por su buen comportamiento. Evite compararlo con otros, con sus hermanos, hermanas, niños del vecindario, compañeros de escuela, el papá, los parientes o con usted misma cuando tenía su edad. Aprecie a su hijo tal como es. Háblele de los sectores en los cuales él satisface sus expectativas y sus sueños. **Una de las necesidades mayores del niño consiste en escuchar expresiones de aceptación que signifiquen algo para él como persona, y no solamente por las cosas que hace.**

El niño rechazado

Tal vez su hijo sufre de rechazo en la escuela y también en el vecindario. Casi todos los días se queja con lágrimas diciendo: "Los chicos no me quieren". ¿En qué forma debiera usted encarar este problema?

La mayor parte de los padres tal vez le dirían que no tiene necesidad de sentirse tan mal. Algunos padres podrían reprenderlo por sentirse en esta forma. Evite este error. Anímelo a que le hable de sus preocupaciones. El decirle que no debe sentirse mal debido a esto, sería una negación de lo que está experimentando. En lugar de inhibir sus sentimientos, escúchelo atentamente (en el capítulo siguiente hablaremos más de esto). No trate de resolverle el problema, por lo menos no en este momento. Ahora se encuentra demasiado molesto para escuchar sus soluciones. Pero cuanto más libre se sienta el niño de expresarle sus sentimientos, tanto más probable será que usted pueda descubrir la causa verdadera de su problema.

Al escucharlo atentamente podrá encontrar la raíz de su dificultad. Y luego podrá encontrar la solución adecuada que le ayudará a desarrollar las habilidades necesarias que le permitirán ser aceptado por sus compañeros, lo cual él necesita con tanta urgencia.

¿Le falta a su hijo alguna habilidad o aptitud que hace que los demás niños lo rechacen? ¿Hay algo en él que promueve tales sentimientos? ¿Es su hijo demasiado sensible? Piense en estas posibilidades y procure encontrar las respuestas necesarias.

Enseñe a su hijo a demostrar amistad hacia los demás. Puede invitar a uno de sus compañeros a pasar una tarde en su casa o a salir de picnic con usted. Esto puede estimular el desarrollo de una amistad genuina.

Que su hijo es demasiado sensible, significa que tiene un bajo nivel de respeto de sí

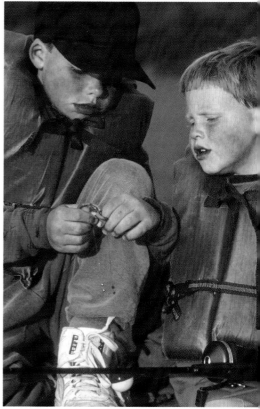

Los padres interesados en el bienestar de su hijo encontrarán la raíz de la dificultad y la mejor solución.

mismo. Ayúdele a desarrollar una especialidad que pueda servirle de compensación cuando sea rechazado. Enséñele a soportar esas situaciones sin que se menoscabe su dignidad.

La satisfacción consigo mismo promueve la felicidad

Al enseñar a su hijo a sentirse bien consigo mismo, usted debe empezar con usted misma. Usted le provee a su hijo un modelo de comportamiento, y él prontamente capta los errores que usted comete con respecto a su dignidad y aprecio personal. Si no considera que vale mucho, probablemente con su actitud negativa contaminará a su hijo. Él llegará a pensar: "Mi papá y mi mamá se consideran inferiores. Creo que debo sentirme en la misma forma". Así es como los padres exponen a su hijo a los mismos conceptos, valores y suposiciones equivocados generados en el bajo nivel de respeto propio que ellos tienen. ˙

El poco respeto de sí mismo con frecuencia pasa de una generación a otra, de bisabuelo a abuelo, de abuelo a padre, y de padre a hijo, en una reacción en cadena. Con cada generación aumenta la gravedad de este mal y el número de personas que sufren de él. Las historias médicas de suicidas demuestran que la tendencia a quitarse la vida (el suicidio es el resultado final de un largo período de odio de sí mismo) se ha manifestado en diversos miembros de la familia. A menos que los padres adopten medidas eficaces para interrumpir la espiral fatal, la falta de respeto de ellos mismos podría dañar aun a la criatura que está en formación en el seno materno.

¡ Usted puede lograrlo!

Por la gracia de Dios es posible cambiar una imagen psicológica dañada. Dios ha dado en la Biblia los recursos necesarios para reproducir en nosotros su imagen perfecta y el propósito que él tiene para nuestra vida y para la vida de nuestros hijos. "Y todos nosotros, mirando a cara descubierta como en un espejo la gloria del Señor, vamos siendo transformados de gloria en gloria a la misma imagen, como por la acción del Señor" (2 Corintios 3: 18).

Una niña tenía dificultad para obtener buenas notas en la escuela. Decidió confiar a Dios la imagen psicológica deteriorada de sí misma, y finalmente captó la esencia de 2 de Corintios 3: 18. Todos los días se repetía estas expresiones transformadoras: "Todo lo puedo en Cristo que me fortalece". "Mayor es el que está en mí que el que está en el mundo". "Soy más que vencedora por medio de aquel que me amó". También se recordaba continuamente: "Uno con Dios es mayoría". "¡Puedo conseguirlo!"

Cualquier cosa que se envíe directamente al subconsciente se acepta como verdad. No hay lugar para la duda. La campaña de cambio de su imagen psicológica efectuada por la adolescente a la que nos hemos referido, tuvo un éxito completo. Al cabo de pocas semanas había experimentado un cambio completo en sentido positivo. Aunque antes había pensado que no podía hacer nada correctamente, ahora sus profesores la felicitaban por su buen trabajo. Sabía con certidumbre que Dios la estaba ayudando con su poder a llevar a cabo el propósito que él tenía para ella en su vida y a reproducir su imagen en ella. Esa jovencita que había estado desanimada, ahora estaba triunfando. ¡Usted también puede conseguirlo!

Haga un inventario

Es tiempo de que haga un inventario del clima emocional que reina en su hogar. Si no hace el esfuerzo ahora, le costará más hacerlo después. ¿Ha creado usted una atmósfera de aceptación en la cual su hijo puede alimentar sentimientos positivos de dignidad personal? ¿Le ha manifestado su aceptación en términos que su hijo pueda comprender? ¿Contribuye su hogar a la edificación de la dignidad personal o a la destrucción de la misma? ¿Ha satisfecho usted las necesidades emocionales de su hijo mediante su aceptación diaria? ¿Respeta usted a su hijo por lo que él es o bien debe llevar a cabo algo de mucho valor antes de poder ganar su aprobación? ¿Debe él hacer que usted se sienta orgulloso antes de poder aceptarlo a él? ¿Contribuye su hogar por igual a promover la dignidad y el respeto de sí mismo de cada miembro de la familia? En los años futuros, ¿cómo considerará su hijo la herencia de respeto de sí mismo y dignidad que usted ahora le está ayudando a formar?

La felicidad consiste en apreciarse a sí mismo, y el mayor don que usted puede dar a su hijo es una dosis saludable de respeto propio. Ahora se puede comprender con mayor profundidad lo que es el amor. Este es el firme fundamento de la felicidad que se estructura en el hogar. ¡En eso consiste la vida abundante! No la malogremos por nuestro descuido.

Beneficios de la comunicación adecuada

Los padres saben que los niños oyen y entienden muy bien lo que se les dice, y sin embargo con frecuencia hablan excesivamente y con insensatez en presencia de sus hijos.

3

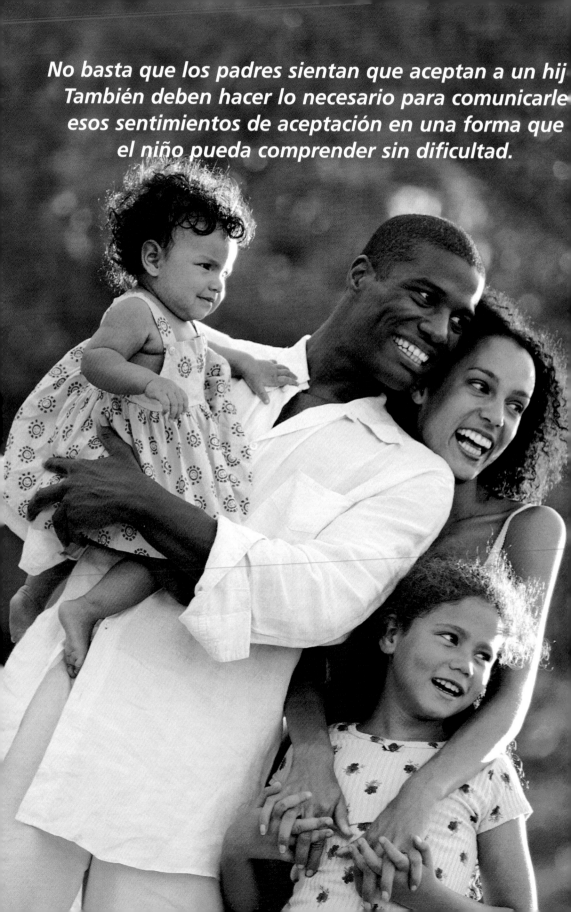

No basta que los padres sientan que aceptan a un hij
También deben hacer lo necesario para comunicarle
esos sentimientos de aceptación en una forma que
el niño pueda comprender sin dificultad.

esumen del Capítulo

L A MAYOR PARTE de la gente considera inevitable la brecha entre la generación de los padres y la de los hijos, y sin embargo reconoce que la buena comunicación es fundamental para mantener una disciplina adecuada y establecer un sólido sistema de valores. Desean mantener abiertos los canales de comunicación. ¿Pero cómo? Aunque no exista una fórmula que permita el éxito cada vez que la aplican, existen principios y directivas que pueden seguir con éxito. En primer lugar, es importante determinar qué es y qué no es la comunicación, y qué puede esperar un padre de ella. Algunos confunden el contacto verbal con la comunicación. Suponen que si sus hijos hablan o si ellos lo hacen, se están comunicando. Pero la comunicación se efectúa siguiendo una doble vía: va de una persona a otra y luego regresa de la segunda a la primera; es dar o intercambiar información. La comunicación consiste en recibir información en forma tan abierta y voluntaria como se da.

Los niños y adolescentes con frecuencia se quejan de que nadie les escucha, que nadie comprende la forma como se sienten, que se los regaña todo el tiempo. Y muchos padres actúan como sargentos de regimiento, que gritan sus órdenes a los soldados. Por eso no es extraño que muchos padres no puedan comunicarse con sus hijos. Los inves-

51

tigadores y los psicólogos han aprendido técnicas para llevar a cabo una comunicación más eficaz; los padres pueden utilizarlas en el hogar para mantener expeditas las vías de comunicación. Uno de los descubrimientos más importantes efectuados se refiere a una actitud que debe existir antes que pueda comenzar la comunicación. Esa actitud recibe el nombre de "aceptación".

La mayor parte de nosotros suponemos que a fin de desarrollar el carácter de nuestros hijos debemos decirles lo que no nos gusta acerca de ellos. Recargamos nuestra conversación con sermoneos, amonestaciones y órdenes, todo lo cual comunica a nuestros hijos una falta de aceptación de nuestra parte. **En muchas familias, la comunicación verbal consiste únicamente de crítica. Las palabras de encomio, el aprecio, la simpatía y la felicidad se expresan raramente.** Algunos padres preguntan: ¿Para qué comentar acerca del buen comportamiento? ¡Si está haciendo justamente lo que le he ordenado que haga!" Debido a esta actitud negativa, sus hijos encuentran más fácil y conveniente no expresar sus pensamientos y sentimientos. La crítica los pone a la defensiva, de modo que para evitar nuevas complicaciones, se encierran en un mundo de silencio en el hogar y se comunican únicamente con sus compañeros y amigos. A ellos pueden hablarles confiadamente porque saben que cualquier cosa que digan será aceptada.

El Instituto Norteamericano de Relaciones Familiares informó los resultados obtenidos en una investigación acerca de comentarios negativos y positivos que los padres hacen a los hijos. Un grupo de madres registró cuántas veces hacían observaciones negativas, en comparación con las observaciones positivas. Como resultado se encontró que efectuaban diez comentarios negativos por cada uno positivo. En otras palabras, 90 por ciento de su comunicación total era negativa.

Esta situación es un poco mejor en el caso de los maestros de escuela. Una investigación que duró tres años, efectuada en las escuelas públicas de la ciudad de Orlando, Florida,

Estados Unidos, reveló que los maestros mantenían una comunicación que era negativa en 75 por ciento. El mismo estudio mostró que cada comentario negativo tenía un efecto tan perjudicial sobre el concepto que los niños tenían de ellos mismos, que resultaba necesario presentar cuatro veces puntos favorables para deshacer ese efecto negativo.

Los padres saben que los niños oyen y entienden muy bien lo que se les dice, y sin embargo con frecuencia hablan excesivamente y con insensatez en presencia de sus hijos. Por ejemplo, una amiga mía tenía una hija de ocho años que era difícil de manejar. Constantemente se quejaba de lo "imposible" que era Rebeca, y con frecuencia lo hacía en presencia de la niña. Esos recordativos de lo mala que era, animaban a Rebeca a formar una imagen mental de sí misma que correspondiera a esta apreciación: "Soy imposible". Una vez formada esa autoimagen negativa, comenzaría a ejercer una influencia destructiva sobre el comportamiento en el hogar, en la escuela, en el trabajo y en el juego.

Durante los seminarios que llevamos a cabo, con frecuencia los padres nos piden a mi esposo y a mí que demos nuestra opinión personal acerca del comportamiento de sus hijos. Comienzan a describir en presencia de sus hijos lo mal que se portan Juanito, Pedrito, o María. ¡Los padres a veces no se dan cuenta del daño que causan a sus hijos! De la última descripción que su madre hace de él, Juanito añadirá un detalle adicional a la imagen mental que está formando de sí mismo. Cuanto más frecuentes sean estas escenas, con tanto mayor firmeza se establecerá la imagen mental negativa.

Aceptar a una persona tal como es, es un acto de amor, porque sentirse aceptado es sentirse amado. **El sentirse amado promueve el desarrollo de la mente y del cuerpo, y es una fuerza terapéutica eficaz que contribuye a reparar el daño psicológico y físico.** Cuando una persona se siente verdaderamente aceptada por otra, puede pensar libremente en cambiar, en cómo desea crecer, ser diferente

Autoexamen sobre comunicación

Esta prueba evalúa la forma como usted se comunica con su hijo. Marque en la escala de 1 a 5 lo que corresponda a la forma como usted considera que actúa.

1. Nunca	2. Ocasionalmente	3. A veces	4. Frecuentemente	5. Siempre

1. En nuestra familia hablamos de los problemas.	1 2 3 4 5
2. Manifiesto respeto en mis desacuerdos con mis hijos.	1 2 3 4 5
3. Antes de evaluar un problema, escucho los puntos de vista de mis hijos	1 2 3 4 5
4. Cuando escucho a mi hijo, lo miro a los ojos	1 2 3 4 5
5. Proporciono amplia oportunidad para que mi hijo haga preguntas y hable conmigo en privado	1 2 3 4 5

Analice sus respuestas con su cónyuge o con un amigo.

o llegar a ser más capaz. La aceptación permite que el niño desarrolle sus posibilidades latentes. Pero la aceptación debe manifestarse palpablemente para que el niño pueda experimentarla.

Cómo comunicar la aceptación

Podemos comunicar en diversas formas nuestros sentimientos y actitudes de aceptación. En muchas ocasiones las vías de comunicación entre el padre o la madre y el hijo se interrumpen debido a que el niño percibe sentimientos de rechazo. Como resultado, éste no expresará sus verdaderos sentimientos y pensamientos porque no desea experimentar dolor ni aflicción. No basta que los padres *sientan* que aceptan a un hijo. También deben hacer lo necesario para comunicarle esos sentimientos de aceptación en una forma que el niño pueda comprender sin dificultad. Uno de los métodos más fáciles de comunicar aceptación es decirle: "Comprendo lo que quieres decir".

Los mensajes no verbales o el "lenguaje del cuerpo" –gestos, posturas, expresiones faciales, tono de la voz–, con frecuencia hablan más fuerte y con más claridad que la voz. El entrecejo fruncido, un suspiro, un portazo, pueden revelar sentimientos sin que se diga una sola palabra. **Muchos mensajes no verbales establecen barreras antes que la** **conversación pueda empezar.**

La "no interferencia" es otro método para demostrar aceptación. Se pone en práctica cuando se permite a un niño o a un adolescente que hable, juegue, o participe en otras actividades sin interrupción. Interrumpir a un niño, darle instrucciones, hacer sugerencias u ofrecerle ayuda mientras se encuentra dedicado a una actividad propia, revela falta de confianza en sus habilidades. Un padre puede observar a Jaimito mientras se entretiene con un juego de construcción. Puede anticipar que se presentará un problema si el chico sigue edificando en la misma dirección. Sin embargo, si detiene a Jaimito y corrige el error, el niño puede resentirse o desanimarse. "Nunca puedo hacer nada que agrade a mi papá. ¿Para qué seguir intentando?" El padre no tenía la intención de enviar un mensaje de rechazo, pero lo hizo. **Con mucha frecuencia, la intervención de los padres en las actividades de sus hijos son en realidad intentos realizados para ayudarles a comportarse y actuar de acuerdo con sus expectativas.** La no interferencia en momentos como éstos, comunica pensamientos positivos como el que sigue: "Tengo confianza en tu habilidad para completar esta tarea en forma satisfactoria". El mezclarse en lo que el hijo hace comunica falta de aceptación; la no interferencia comunica aceptación. Ambas actitu-

Nos sentimos bien cuando otros nos respetan, cuando nos hacen sentirnos dignos e indican que lo que tenemos que decir es interesante. El caso de los niños no es diferente. Necesitamos ofrecerles más oportunidades de expresar sus sentimientos y convicciones.

des afectan en forma positiva o negativa el concepto de dignidad que el niño tiene de sí mismo.

La actitud de escuchar en forma pasiva e interesada también puede comunicar aceptación. La diferencia entre la actitud pasiva y activa de escuchar radica en el propósito por el que se escucha. Se puede escuchar en forma pasiva simplemente para recibir información, y en ese caso se comunica la aceptación no diciendo nada o muy poco. Los consejeros profesionales suelen usar este método para animar a la persona aconsejada a adquirir confianza y hablar de sus problemas. El que escucha no emite ningún juicio, sino que solamente se limita a escuchar. A continuación presentamos un corto ejemplo de cómo se escucha en forma pasiva.

Niño: "Mamá, hoy en el recreo la maestra no me dejó salir a jugar".
Mamá: ¿De veras?"
Niño: "Sí. Me hizo quedar en el aula para hacer unas tareas que tenía atrasadas".
Mamá: ¿Y qué más?"
Niño: "Terminé todo lo que tenía atrasado".
Mamá: "¡Qué bueno!"
Niño: "De ahora en adelante no volveré a atrasarme en mis tareas".
Mamá: "Me alegro de escuchar eso, hijito".

La madre pudo haber dicho: "¿Qué hiciste esta vez?" o bien: "Llamaré a la Srta. Cáceres y hablaré con ella acerca de esto". Estos comentarios habrían quitado al niño los deseos de hablar. El escuchar con actitud pasiva permitió que el niño se abriera, que hablara sobre su situación y que resolviera el problema por sí mismo. La actitud pasiva de la madre y el lenguaje corporal adecuado revelaron su interés y su aceptación de los sentimientos de su hijo.

Pocos padres han desarrollado esta habilidad. Piensan que su deber consiste en corregir, refutar, amonestar, repetir o volver a interpretar todo lo que el niño les diga. Esta forma de escuchar muestra claramente al niño que su padre o su madre no pueden aceptar sus historias o sentimientos. Mientras usted escucha pasivamente, puede incluir algunas frases como éstas: "¡Qué interesante!" "¿Sí?" o "¿Es posible?" Cuando permite que su hijo exprese sus sentimientos en una atmósfera de aceptación, éste puede dedicarse con mayor libertad a resolver sus problemas por sí mismo.

Sin embargo, los padres no pueden permanecer silenciosos durante mucho tiempo si desean mantener una buena relación con sus hijos. Éstos desean tener alguna clase de apoyo verbal; pero la clase de respuesta que reciban, determinará si confiarán o no en sus padres para contarles sus dificultades. Una respuesta verbal eficaz invita al hijo a seguir hablando. Esta clase de comunicación abre las puertas porque no efectúa ningún juicio ni crítica de lo que el hijo está procurando decir. Las siguientes frases son invitaciones a seguir hablando: "¡Qué interesante!" "Me alegro de escuchar eso". "¡Qué bueno!" "¡Magnífico!" "Ya veo". "Comprendo". "¡No me digas!"

A continuación presentamos invitaciones a seguir hablando que son más definidas: "¡Eso parece muy interesante! Cuéntame más". "Puedo ver cuán importante es esto para ti". "Sigue hablándome de eso". "Me interesa escuchar lo que tienes que decir acerca de esto". "Me gustaría conocer tu punto de vista".

Cuando usted utiliza estas frases, u otras parecidas, revela su interés en su hijo, le hace ver que él tiene derecho de expresar sus sentimientos acerca de diversas cosas, que usted podría aprender algo acerca de eso, que le gustaría escuchar su punto de vista, y que sus ideas son importantes para usted. También contribuyen a mantener la conversación con él. Su hijo no pensará que usted desea monopolizar la conversación y comenzar a sermonearlo, a darle consejos o amenazarlo. Usted podrá sorprenderse ante la respuesta que obtendrá cuando utilice esas expresiones que demuestran su interés, porque con eso lo animará a hablar, a aproximarse a usted y a compartir sus sentimientos.

Cualquier persona responderá favorablemente ante tales actitudes. Nos sentimos bien cuando otros nos respetan, cuando nos hacen sentirnos dignos e indican que lo que tenemos que decir es interesante. El caso de los niños no es diferente. Necesitamos ofrecerles más oportunidades de expresar sus sentimientos y convicciones.

Los padres que deseen comunicarse abiertamente con sus hijos, deben prepararse para escuchar algunas cosas que podrían parecerles amenazadoras. ¿De qué serviría escuchar con atención únicamente las cosas buenas y agradables? Los jóvenes necesitan compartir sus gozos, sí, pero también necesitan que alguien les escuche cuando desean compartir sus problemas, sus aflicciones, sus temores y sus fracasos. Necesitan ser escuchados por alguien que no se escandalice ante sus confidencias ni les grite sus recriminaciones.

Conozca los sentimientos de sus hijos

Antes de aprender a escuchar es necesario comprender los sentimientos de los hijos. Supongamos que Juanita corre hacia su mamá gritando: "¡Quisiera no tener una hermana! ¡Es una chismosa!" La mamá podría replicar: "¡Juanita! ¡Lo que acabas de decir es algo terrible! Tú quieres a tu hermana". En este caso, ha negado los sentimientos de la niña. ¿No habría sido mejor conversar con ella para disminuir los celos que siente por su hermana?

Con frecuencia, cuando los niños comparten sus emociones con nosotros, nos apresuramos a decirles cómo deben sentirse o dejar de sentirse, ¡como si nuestras declaraciones lógicas pudieran aliviar sus sentimientos! Lo hacemos porque hemos aprendido que los sentimientos negativos son malos y no debiéramos tenerlos. Como resultado, nos sentimos menos valiosos o menos maduros cuando surgen en nosotros. Sin embargo, los sentimientos negativos son una realidad de la vida. **No podemos vivir de día en día sin experimentar conflictos, y los conflictos generan emociones negativas. Lamentablemente, la mayor parte de los padres no sabe cómo aliviarse de sus propios sentimientos negativos ni cómo ayudar a sus hijos a canalizarlos.**

Pocas personas comprenden que la forma mejor de liberarse de las emociones negativas consiste en expresarlas. Si las almacenamos en el interior pueden convertirse en amargura, lo cual con frecuencia genera resentimiento que más tarde hará erupción y producirá síntomas enfermizos. Bill Gothard, conferenciante y teólogo de la institución denominada Conflictos Básicos de la Adolescencia, cuenta la historia de un niñito que dijo: "Mi papá me hizo sentarme, pero dentro de mí todavía estoy de pie". Al decirles a los niños que se calmen, que no sigan enojados o que no sigan teniendo emociones fuertes, los alejamos de nosotros. Les decimos que una parte de ellos, lo que están sintiendo, es inaceptable, y que son personas terribles por tener tales sentimientos negativos. Por lo tanto, si se esfuerzan repetidamente por ocultarlos, aun de ellos mismos, podrían llegar a experimentar confusión mental. Además, la represión de los sentimientos destruye el respeto de sí mismo.

Cuando su hijo manifieste una actitud emocional alterada, escúchelo con simpatía, acepte sus sentimientos y proporciónele medios aceptables para disipar esa emoción, tales como participación en deportes, entretenimientos, música, o bien sencillamente déle algún trabajo que pueda realizar.

Cómo escuchar en forma activa

Las invitaciones a comunicarse abren la puerta a la comprensión mutua, pero los padres deben saber cómo mantener esa puerta abierta. El método de escuchar en forma activa es excelente para este propósito. No sólo se obtiene información por medio de su apli-

cación, sino además, lo que es más importante, es posible detectar los verdaderos sentimientos del niño a través de lo que dice. Se utiliza mejor cuando el padre o la madre captan indicios de que su hijo experimenta algún problema emocional o de otra índole. Los padres debieran escuchar para discernir lo que hay detrás del problema (los sentimientos) y luego comentar acerca de ese sentimiento de tal manera que no haya posibilidad de confundir su significado. Cuando usted crea que comprende lo que sucede, entonces debe expresarlo en sus propias palabras para que su hijo lo verifique. Si no ha identificado debidamente los sentimientos del niño, él dirá: "No, no es eso lo que quise decir", y en esa forma corregirá las impresiones que se había formado. A veces será necesario que estimule suavemente al niño para descubrir qué hay detrás de sus palabras. Su actitud de aprecio, que invita al niño a seguir hablando, y algunas preguntas hechas con tacto, serán de valiosa ayuda.

Al avanzar su hijo más profundamente en la situación difícil que está experimentando, debe resistir el impulso a resolver el problema por él o a decirle lo que debe hacer. Cualquier persona que se encuentra afectada por un problema emocional no puede pensar con claridad, de modo que al ayudar a su hijo a expresar verbalmente el problema, le ayuda a aprender a manejar los sentimientos negativos en forma positiva. Su hijo también aprenderá que puede expresar sus sentimientos sin que usted objete, con lo cual usted establecerá una sólida relación con él.

A continuación damos algunos ejemplos de padres que usan acertadamente el método de escuchar en forma activa.

Ejemplo 1:
Niño: "Juanita tomó mi libro y lo escondió. Me dio tanta rabia que sentí ganas de golpearla".

Papá: "Veo que esto te ha molestado. No es nada agradable cuando alguien te quita algo y luego lo esconde".

Niño: "Claro que no lo es".

Ejemplo 2:

Niño: "Desde que Eduardo se mudó a otro lugar, ya no tengo con quien jugar. Paso todo el día sin hacer nada. ¡Estoy muy aburrido!"

Mamá: "Te sientes solo desde que Eduardo se fue. Es triste perder el mejor amigo sin tener otro con quien entretenerse".

Niño: "Así es. Es terrible. Estoy seguro que no volveré a encontrar otro amigo como Eduardo".

Ejemplo 3:

Adolescente: "Papá, cuando tú eras adolescente y salías con las muchachas, ¿qué clase de chicas te interesaban? ¿Qué te llamaba la atención en ellas más que nada?"

Papá: "Me parece que estás preocupada pensando en qué clase de compañera serás para los muchachos".

Adolescente: "Sí. Tengo 15 años y nunca he salido con un muchacho. Todas mis amigas lo han hecho".

En cada uno de los ejemplos anteriores, los padres descifraron acertadamente los sentimientos de sus hijos. Pero no siempre resulta fácil determinar exactamente cuáles son esos sentimientos.

El Dr. Haim Ginott en su excelente libro *Between Parent and Child* (Entre padre e hijo), p. 18, también hace énfasis en la necesidad de escuchar para descubrir el significado oculto de las palabras. Su ejemplo clásico se refiere a un niño que visitó por primera vez una escuela para párvulos.

–¿Quién hizo esos dibujos tan feos? –preguntó el niño.

La madre trató de hacerlo callar, pero la maestra intervino y explicó:

–Aquí no es necesario que los niños hagan dibujos bonitos. También pueden hacer dibujos feos si así lo desean.

Entonces el niño preguntó:

–¿Quién rompió este carro de bomberos?

La madre contestó:

–¿Y a ti qué te importa quién lo haya

Cuando su hijo manifieste una actitud emocional alterada, escúchelo con simpatía, acepte sus sentimientos y proporciónele medios aceptables para disipar esa emoción

roto? No conoces a nadie aquí".

La maestra respondió:

–Los juguetes son para jugar con ellos. A veces se rompen. Eso sucede todo el tiempo.

En cada uno de estos casos, comenta el Dr. Ginott, el niño lo que realmente deseaba saber era qué les sucedía a los niños que hacían dibujos feos o que rompían los juguetes. La madre percibió las palabras y las preguntas, pero no los sentimientos que existían detrás de ellas. La maestra descubrió los sentimientos del niño y le infundió seguridad con sus respuestas acertadas.

En el ejemplo que sigue, la madre utiliza el método de escuchar activamente para ayudar a Natalia a abrirse, a pensar en el problema por cuenta propia, a efectuar una evaluación de sí misma y de su amigo, y a comenzar a resolver el problema.

Natalia: "Anoche estuve nuevamente con Julio. Es el mejor muchacho que he conocido en largo tiempo. Me gusta mucho. De hecho... [hace una pausa para pesar sus palabras], ¡hasta podría casarme con él!"

Mamá: "Háblame de él". (Expresión calculada para animarla a expresarse.)

Natalia: "Es tan considerado y tiene buenos modales. ¡Me trata como una reina! No se parece a los muchachos desconsiderados del colegio".

Mamá: "Seguramente te sientes muy bien al ser tratada como una dama".

Natalia: "Así es. He estado con él sólo unas pocas veces, pero anoche fuimos a comer juntos, y él retiró la silla para que me sentara, colgó mi abrigo y hasta abrió la puerta del carro para que yo entrara".

Mamá: "Me parece que te gusta mucho ser objeto de esas atenciones".

Natalia: "Sí, mamá. Es muy amable y muy conversador. Nunca nos falta tema para hablar. Podría platicar con él durante horas".

Mamá: "Te sientes bien después de conversar con él, ¿verdad?"

Natalia: "Sí. Me siento como una persona especial cuando estoy con él. ¿Pero sabes, mamá? Dijo algo que me preocupó un poquito. No está haciendo planes de terminar sus estudios secundarios. Trabaja en un almacén, y dice que prefiere trabajar allí antes que seguir estudiando. Sin embargo, su trabajo es bastante bueno".

Mamá: "Me parece que estás confundida pensando si él hace lo correcto o no".

Natalia: "Sí, he estado pensando en eso. Me parece que todos debieran por lo menos terminar sus estudios secundarios. No todos pueden ir a la universidad, pero yo siempre he hecho planes de seguir estudios universitarios. Me pregunto cómo resultará el matrimonio cuando la esposa estudia en la universidad y el esposo ni siquiera ha completado sus estudios secundarios..."

Mamá: "Parece que tienes algunas preguntas bien definidas acerca de esto".

Natalia: "Bueno, no me parece que sea algo muy serio, y sin embargo es algo en lo que hay que pensar. ¿Y sabes qué más me dijo, que también me preocupa? Piensa que no tiene nada de malo ayudar a sus amigos diciéndoles algunas respuestas en un examen".

Madre: "Parece que no estás muy segura de que sea bueno o malo".

Natalia: "Bueno, yo sé que eso sucede todo el tiempo; pero me parece que no es justo, por lo menos en relación con los alumnos que no copian. Tal vez ellos sean los que salen gananciosos, al final, aunque sus notas sean un poco inferiores. Ahora debo hacer mis deberes, porque mi amigo me va a llamar más tarde y debo tener bastante tiempo para conversar con él".

Durante esta conversación en la que se empleó el método de escuchar activamente, la madre puso de lado sus propios pensamientos y sentimientos para escuchar los sentimientos de Natalia. Demostró interés en el amigo de su hija, pero no emitió ningún juicio, lo cual requirió que ejerciera definidamente control sobre sí misma. Julio es un muchacho muy bueno y simpático, pero tiene algunos rasgos que no son recomendables. La madre pensaba en un joven más especial para Natalia.

Le preocupó haber dejado la conversación sin terminar, porque sentía que poco o nada se había resuelto. Pero al repasar mentalmente los comentarios, comprendió que Natalia había comenzado a entrar en la etapa en la que resolvería el problema, al señalar algunas deficiencias y hábitos objetables de Julio, que le preocupaban.

La conversación de Natalia con su madre le permitió ver a Julio en una forma como no lo había visto antes. Dos semanas después, Natalia le confió a su mamá que ella y Julio eran todavía amigos, pero que no seguirían viéndose con tanta frecuencia.

Hizo este razonamiento: "Los buenos modales y la conversación agradable son importantes, ¡pero no es lo único que hay

Cuando usted cree que comprende lo que sucede, entonces debe expresarlo en sus propias palabras para que su hijo lo verifique.

que tener en cuenta!"

En la siguiente escena las respuestas entre padre e hijo están restringidas al ataque y la defensa.

Padre: "Luis, ¿no tenías hoy que cortar la grama? Esa es una de tus responsabilidades, como bien lo sabes".

Luis: "No lo hice porque no pude encontrar el aceite para la máquina cortadora".

Padre: "Entonces, consigue el aceite y hazlo mañana. Y hazlo bien de entrada".

Luis: "¿Qué quieres decir con eso de hazlo bien de entrada? Cuando corto la grama de los vecinos, piensan que lo hago muy bien, y me pagan sin ningún problema".

Padre: "No me contestes. La última vez que cortaste la grama en casa lo hiciste mal. Por eso tuviste que hacer el trabajo de nuevo. Hazlo bien la primera vez. Eso es todo".

Luis: "¡Hacerlo bien! Nadie puede hacer nada suficientemente bien para agradarte".

Padre: "Si hicieras algo bien la primera vez, eso me agradaría".

Luis: "¡Ya lo creo! Como cuando me pusieron en la lista de honor en la escuela, y tú preguntaste que cómo era que había un par de chicos que tenían mejores notas que yo. No soy perfecto, después de todo".

Padre: "¡Cuidado con lo que dices!"

Luis: "¿Por qué me gritas todo el tiempo? Mis hermanos pueden hacer lo que quieren y tú nunca les dices nada".

Padre: "¡Eso no es cierto, y tú lo sabes!"

Luis: "¡Ya lo creo que es verdad!"

Padre: "Luis, no digas eso. No me hables en esa forma. Estás equivocado y me vas a decir que sabes que estás equivocado".

Luis: (Guarda silencio.)

Padre: "Luis, yo soy justo contigo, y ahora me vas a pedir disculpas".

Luis: (Guarda un silencio frío.)

Padre: "¡Muy bien! Si me vas a faltar el respeto y a desafiar, además de hacer un trabajo mal hecho, te voy a prohibir que salgas durante una semana, a menos que me pidas disculpas ahora mismo".

Luis: "¡Ya lo ves! ¡Nunca castigas a mis hermanos, sino únicamente a mí!"

Padre: "Ya basta con lo que has dicho. Ahora vete a tu cuarto. ¡No te vas a portar insolente conmigo!

Luis se va, entra en su cuarto y da un portazo.

Padre: (Le dice gritando.) "¡Eso te va a costar otros tres días de castigo!"

Notemos que el problema inicial, cortar la grama, recibió sólo atención superficial. Puesto que tanto el padre como el hijo se atacaron mutuamente, y debido a que ambos defendieron sus actitudes y declaraciones, se resolvió muy poco.

El padre y Luis se apartaron del tema original y entraron en temas secundarios, como Luis que no hacía nada bien, los vecinos y las calificaciones escolares, "nadie te puede complacer", los demás hermanos de Luis, y el favoritismo (que tal vez no era real sino percibido en esa forma por Luis). El cambio desordenado de temas es una señal inconfundible de comunicación deficiente; es como si alguien tirara una piedra, luego se escondiera mientras le hace el quite a otra piedra que va en su dirección, y al mismo tiempo mirara en busca de una nueva piedra. Luis y su padre escuchaban únicamente para encontrar la oportunidad de refutar lo que el otro decía o de fustigarlo con una nueva andanada de palabras. Ninguno escuchaba los mensajes no expresados de: "¿Quién será el amo aquí?" o bien: "¿Quién va a salvar las apariencias?" Las respuestas que daban se encontraban en el nivel del contenido de las comunicaciones, mientras que la ira, la frustración y otras emociones fuertes quedaban sin tocarse. La hostilidad y las recriminaciones eran intensas.

Como resultado de no haber analizado el tema ni las emociones expresadas, tanto el padre como el hijo se retiraron con problemas adicionales sin resolver y sin dar expresión al contenido emocional original. Luis se fue sintiéndose rebajado, con ira y hostilidad. También se sintió justificado por abrigar sentimientos negativos; después de todo:

Es nuestro deber como padres, sin embargo, equiparlos con la capacidad de hacer frente a los problemas de la vida.

"¡Quién no se enojaría con alguien que le gritara todo el tiempo de esa manera!" El padre, por otra parte, se sintió frustrado, desobedecido, desafiado y enojado. Él también se consideró justificado por tener sentimientos negativos. "¿Qué se puede hacer con un muchacho como éste? Necesita alguien que le haga frente con firmeza".

¿Cuál fue el resultado final? Una situación sin resolver y frustradora tanto para el padre como para el hijo. Eso no tendría por qué haber sucedido. Ambos tuvieron varias oportunidades de escuchar mutuamente lo que decían; y lo más importante, de percibir las emociones que se ocultaban detrás de las palabras.

Veamos otro caso. Ana María, niña de

cinco años, al regresar de la escuela llevó a casa un anillo que no le pertenecía. La primera versión sobre el origen del anillo se centró en una niña que se lo había "dado". Cuando la mamá le hizo preguntas, la niña dijo finalmente que lo había encontrado en un cesto de papeles en la escuela.

Pocos días después de este incidente, Ana María le preguntó si podía conversar con ella después de la cena. La madre accedió y ambas fueron al cuarto de Ana María, donde la niña le dijo que quería hablarle "de toda clase de cosas", lo cual hizo. Le habló de los amigos, de la escuela, de una profesora en particular con quien tenía problemas. Le habló de todo menos del anillo.

Finalmente la madre abrió la puerta al tema del anillo preguntándole si deseaba conversar acerca de él. Así lo hizo. Ana María estaba muy preocupada por lo que había hecho y quería saber si eso era robar. La madre usó el método de escuchar activamente, y Ana María decidió que debía llevar el anillo de vuelta a la escuela y dejarlo en la sala donde lo había encontrado.

La madre salió del cuarto, y entró la hermanita de Ana María. La madre alcanzó a oír que la niña le decía a su hermana: "Clarita, cuando uno tiene un problema que le preocupa, lo mejor que se puede hacer es hablar con mamá. ¡Qué bien se siente uno cuando se lo cuenta todo!"

El método de escuchar en forma activa cumple cinco cosas específicas para el niño:

1 *Le ayuda al niño a aprender la forma de manejar sus sentimientos negativos.* Su aceptación de los sentimientos de su hijo, le ayudará a aprender que las emociones negativas forman parte de la vida, y que por lo tanto él no es "malo" por tener tales sentimientos. También le ayudará a no contener sus emociones sino a buscar una forma adecuada de darles expresión.

2 *Provee una base para establecer una estrecha relación entre padre e hijo.* A todos nos agrada saber que se nos escucha y

se nos comprende. Esta experiencia crea un vínculo entre padre e hijo que estrechará los sentimientos de respeto y confianza.

3 *Ayuda al niño a prepararse para resolver sus problemas por su propia cuenta.* Cuando a una persona se le da la oportunidad de expresar un problema que la aflige, eso le permite verlo con mayor claridad. Esta es una de las ventajas de buscar la ayuda de un consejero cuando se tiene un problema de familia. El hecho de poder hablar en una atmósfera de completa aceptación ayuda a pensar con mayor claridad y a encontrar una solución más aceptable. Tanto los niños como los adultos encontrarán beneficioso comunicarse con una persona que escuche activamente, cuando tiene que resolver un problema.

4 *Le enseña al niño a escuchar a su padre y a otros.* Cuanto antes y con cuanto mayor frecuencia demuestre a su hijo que está dispuesto a escuchar sus ideas y problemas, tanto más voluntad manifestará él para escuchar lo que tenga que decirle. Si usted cree que su hijo nunca escucha lo que le dice, podría ser que su propia actitud como padre o madre le sirva de ejemplo negativo sobre el cual él modela su comportamiento.

5 *Estimula al niño a que piense por sí mismo.* El método de escuchar activamente estimula a niños y adolescentes a pensar y hablar acerca de problemas antes que a escapar de ellos. Nosotros como padres, no podemos seguir a nuestros hijos durante toda nuestra vida (o la de ellos) para darles consejos, ofrecerles soluciones o llevar a cabo decisiones en lugar de ellos. Es nuestro deber como padres, sin embargo, equiparlos con la capacidad de hacer frente a los problemas de la vida y de resolverlos.

El método de escuchar activamente provee la base para una relación de confianza y afecto; mientras que el dar constantemente consejos, soluciones, advertencias y sermoneos destruye las relaciones entre padres e hijos. El método de escuchar activamente no es una venda medicada que se puede extraer del botiquín familiar cada vez que uno piensa que es necesario parchar los problemas de un hijo o manipular su ambiente. En cambio, se trata de una actitud. **Si la actitud de aceptación se encuentra ausente del método de escuchar activamente, su hijo lo reconocerá. Las respuestas carentes de autenticidad y mecánicas producirán sentimientos de sospecha y resentimiento.** Antes que el método de escuchar activamente pueda resultar eficaz, es necesario querer escuchar todo lo que el niño tiene que decir y estar dispuesto a dedicarle todo el tiempo que sea necesario. Si tiene mucho que hacer, no comience la conversación. Su disposición de ánimo también es importante cuando usted escucha activamente. Si no siente ganas de escuchar, déjelo para otra ocasión.

La palabra clave en el método de escuchar activamente es aceptación: aceptación de los sentimientos de su hijo, de sus ideas u opiniones, a pesar de lo diferentes que puedan ser, de la forma que usted desea que su hijo responda a la vida. **Los sentimientos son transitorios. Son cambiantes, y pocas veces permanecen fijos. Demuestre a su hijo que confía en su habilidad para controlar sus emociones y resolver sus problemas.**

Todo niño y adolescente, en algún punto de su vida experimentará problemas en la escuela o en el hogar, con los compañeros, los profesores, los hermanos o consigo mismo. Utilice el método de escuchar activamente en tales ocasiones. Cuando su hijo aprenda que puede recibir aceptación y apoyo para resolver sus problemas por cuenta propia, desarrollará sentimientos de dignidad y confianza en sí mismo. En esa forma lo protegerá para que no desarrolle los problemas emocionales perturbadores que otros encuentran. Pero no espere hasta que surja alguna situación difícil. Escuche activamente cada día las cosas que afligen aun a los niños muy pequeños.

Robertito: "Mamá, mamá, te necesito. [comienza a llorar.] ¡Ven a verme!"

Mamá: "Me parece que hay algo que te aflige, Robertito".

Robertito: [Todavía llorando.] "Quiero que esta noche te quedes conmigo en mi cuarto".

Mamá: "Estás afligido porque esta noche tienes que dormir en tu cuarto. A veces uno siente miedo cuando está solo en la oscuridad".

El hecho de saber que su mamá lo comprende genuinamente y acepta sus sentimientos, calma de inmediato a Robertito, mucho más que cualquier cantidad de explicaciones lógicas que ella hubiera podido proporcionarle.

Algunas respuestas características que los padres suelen dar a sus hijos en estas circunstancias, incluyen las siguientes: "Robertito, ¡deja de llorar ahora mismo! No hay nada por lo que debas sentir miedo". (Una negación de sus sentimientos.) O bien: "Solamente los bebés tienen miedo a la oscuridad. ¿Eres tú un bebé?" (Esto humilla al niño.) O: "Robertito, es tonto tener miedo a la oscuridad. Aquí no hay monstruos ni fantasmas. ¡Deja ahora mismo de sentir miedo!" (Encontramos aquí una negación de los sentimientos del niño y una orden que no se puede hacer cumplir. No hay manera de forzar a Robertito a que deje de sentir miedo.)

En el ejemplo citado, la mamá comprendió que Robertito estaba asustado y se sentía solo. Aceptó lo afligido y asustado que estaba. Contrariamente al pensamiento popular, se puede lograr que un chico deje de llorar aceptando sus sentimientos antes que negándolos. Cuando un niño llora, con frecuencia busca comprensión para algún mal que ha experimentado. Cuando encuentra a alguien que comprende, por regla general deja de llorar.

Es mejor no dar importancia excesiva a un pequeño temor o lastimadura; en cambio, conviene disminuir su importancia. Sin embargo, si el niño está asustado o lastimado, tal cosa puede realizarse mejor por medio del método de escuchar activamente.

Salvaguardas en el camino

Sin embargo, el escuchar activamente no es una manera de guiar a un niño hacia la respuesta que los padres consideran correcta. No se trata de un medio para manipular el pensamiento del niño. Aunque una de las funciones principales de la paternidad consiste en guiar a los hijos y enseñarles valores, esto no se puede cumplir directamente por medio del método de escuchar activamente.

Tampoco debieran los padres animar a sus hijos a expresar sus sentimientos; para luego comenzar a ofrecer soluciones o intentar corregirlos. Los niños se dan cuenta de esta maniobra y no la aprecian, porque se consideran humillados.

No se deje perder ni confundir por los hechos: responda con sentimientos a los sentimientos. Procure comprender la forma como su hijo se siente cuando está hablando. Póngase en su lugar. Un padre se desanimó después de tratar por primera vez de escuchar activamente. Comentó que su hija le pidió que dejara de repetir todo lo que ella decía. Al comienzo puede resultar difícil descubrir cuál es el sentimiento que preocupa al niño, lo que induce a repetir lo que el niño o el adolescente dicen.

Ponga cuidado cuando su hijo no siente ganas de hablar de sus problemas. No insista después de haber indicado que no desea continuar hablando de su problema. Respete su vida privada. No utilice el método de escuchar activamente cuando el niño o el adolescente piden información específica, como ésta: "¿Cuánta leche debo comprar?" O bien: "¿A qué hora estarás en casa?"

Cuando usted escucha activamente, puede recibir más de un beneficio. Por ejemplo, sus propias actitudes u opiniones pueden cambiar al comprender mejor la forma como se siente su hijo. Al escuchar con atención e interés las experiencias de otros, invita la posibilidad de reevaluar sus propias experiencias. Y esto puede resultar alarmante, porque una persona que se encuentra a la defensiva no puede exponerse a sí misma a las ideas y puntos de vista que difieren de los suyos propios. Sin embargo, una persona madura y flexible no siente temor de la posibilidad de cambiar.

Alguien ha dicho con mucho acierto que fuimos creados con dos orejas pero con una sola lengua, y cuando los padres aprendan a controlar su lengua y a abrir sus oídos, encontrarán que se producen cambios admirables en las discusiones familiares.

Escuche a su hijo. Es un ser humano pequeño, lleno de curiosidad y entusiasmo. Escuche su voz, con sus oídos, sus ojos y su corazón. En algunas ocasiones su voz estará llena de canto y conversación; a veces revelará desesperación y necesidad, preguntas y decisiones; en algunos casos manifestará admiración y sabiduría juvenil basadas en un nuevo conocimiento adquirido. Dele el mayor

Escuche a su hijo. Es un ser humano pequeño, lleno de curiosidad y entusiasmo. Escuche su voz, con sus oídos, sus ojos y su corazón.

No se deje perder ni confundir por los hechos: responda con sentimientos a los sentimientos. Procure comprender la forma como su hijo se siente cuando está hablando. Póngase en su lugar.

don de todos: usted mismo. **Convierta su hogar en un lugar para compartir ideas y pensamientos sin temor a la humillación ni al ridículo. Sus hijos comenzarán a traer toda clase de problemas que nunca analizaron con usted, y el hogar se convertirá en un lugar de crecimiento y desarrollo.**

El escuchar activamente no sólo es un método eficaz para comunicar aceptación y desarrollar relaciones afectuosas, sino, además, es un método excepcional para enseñar a su hijo a efectuar elecciones y a ser responsable de su propio comportamiento. Puesto que al escuchar activamente usted no trata de influir en las elecciones de su hijo, él comprende que usted confía en su habilidad de tomar decisiones acertadas. Una vez que usted ha dominado el método de escuchar activamente, se coloca en una posición desde la que puede ayudar a su hijo a considerar en forma más creadora los problemas que encuentra. Los siguientes comentarios pueden ayudar a su hijo en algunas situaciones problemáticas: "¿Podría ser que esto suceda debido a que...?" O bien: "¿Cuál crees tú que es la razón que se encuentra detrás de este incidente?" O: "¿Cómo crees tú que se inició todo esto?" A veces puede ayudar si se invierten los papeles; es decir, si usted hace las veces de su hijo y éste pretende ser el padre o la madre.

Repetimos nuevamente que usted debe dominar el método de escuchar activamente antes de intentar llevar a cabo la inversión de los papeles. Si procura hacerlo antes de haber establecido un clima de aceptación y confianza, su hijo pensará que se trata de otra forma de manipularlo. Aun en esta fase de su esfuerzo por enseñarle al niño a resolver sus problemas, su motivo no debe ser tratar de influir sobre él, de dirigirlo o forzarlo a aceptar sus soluciones. Su propósito debiera ser aquí únicamente ayudarle a aprender cómo manejar sus sentimientos y desarrollar su habilidad de pensar claramente y de resolver los problemas.

¿Así debemos hablar?

"¿Qué podemos hacer para que nos escuche? Eso es lo que quisiera saber –dice un padre frustrado–. ¿Cómo podemos presentarle nuestras ideas sin irritar a nuestro hijo?"

La comunicación es una calle de dos vías. Tanto el padre como el hijo necesitan decir algo. Pero el tiempo es importante. Si escuchar con atención no resuelve el asunto, entonces el padre o la madre deben hablar. Pero enviar un mensaje cuando el hijo se encuentra alterado emocionalmente, no produce ningún buen resultado, porque no escucha cuando se encuentra bajo presión emocional. **Sí, los padres deben enseñar, persuadir, usar la lógica, compartir reacciones y hasta darle seguridad al hijo, pero el secreto se encuentra en la elección del momento apropiado.** Primero es necesario que se calmen las emociones alteradas. "Escuche hoy; comunique mañana". Y no siempre es necesario esperar un día completo. Pero espere por lo menos media hora hasta que las emociones se enfríen. Los padres también deben desarrollar métodos eficaces de comunicar sus propias necesidades a sus hijos, porque los padres también las tienen. Los hijos a veces nos molestan, perturban y frustran. Pueden ser desconsiderados, descuidados, destructivos, ruidosos y exigentes. Con frecuencia causan trabajo adicional, nos demoran cuando estamos tarde, nos importunan cuando estamos cansados o bien desordenan y ensucian la casa.

Si un hijo causa problemas a su padre o a su madre, hay varias opciones que se pueden considerar. Según la situación, un padre puede decidir ignorar la mala conducta, emplear el método de escuchar activamente, emplear el método de las consecuencias naturales o arbitrarias (véase la descripción en el capítulo sobre la disciplina), o bien expresarle al niño lo que se denomina una "declaración en primera persona". Sin embargo, con más frecuencia los padres se hacen cargo de la situación, hacen sonar el látigo, y obligan al niño a hacer lo que desean que haga. Los padres que asumen este papel podrían recibir el nombre de "comandante en jefe".

Tratan de dictar, amenazar o dirigir a sus hijos hacia una obediencia forzada. El comandante en jefe habla más o menos así: "¡Te dije que te pongas a trabajar y tienes que hacerlo ahora!" "Es mejor que no vuelvas a hacerlo, porque la próxima vez te daré una buena tunda". "¡No te atrevas a hablarme de esa manera otra vez!" "¡Tienes que hacerlo ahora mismo o verás lo que te pasa!" El comandante en jefe no espera que el hijo comience un comportamiento adecuado. Salta inmediatamente y le ordena lo que tiene que hacer.

Tal vez usted piense: "¿Entonces qué tienen que hacer los padres si no es decir a sus hijos lo que deben hacer, especialmente cuando se portan mal y causan dificultades?" El decir constantemente a los hijos lo que deben hacer crea lo que podríamos llamar "sordera hacia los padres". Los hijos se resienten cuando se les dice lo que tienen que hacer o lo que deben hacer. Esta clase de comunicación coloca barreras que estorban la comunicación eficaz e implica que usted como padre o madre no piensa que su hijo es capaz de iniciar un buen comportamiento por cuenta propia. También insinúa que su hijo no está a la misma altura que usted, puesto que usted requiere obediencia instantánea e incuestionable.

A continuación presentamos otra serie de frases ineficaces que humillan al niño, porque acusan, reprochan y denuncian por medio de evaluaciones negativas: "Eres el chico más lento que conozco". Las expresiones humillantes incluyen el uso de insultos; "¡Eres tan estúpido!" Ponen al niño en ridículo: "¡Qué burro eres!" o bien: "¿Acaso no tienes cerebro?" Otras expresiones humillantes que deben eliminarse del vocabulario de los padres son: "¿Acaso no ves que estoy ocupado?" "¡Te lo he dicho cien veces!" "¿Qué te está fallando?" "¿Acaso estás sordo?" "¿Cuántas veces tendré que decirte...?"

Como resultado a largo plazo, el niño a quien repetidamente se lo humilla llamándolo estúpido, flojo, malo o ignorante, llega a formar una imagen inferior y dañada de sí mismo. Con el tiempo aceptará esa imagen negativa y vivirá de acuerdo con ella. Cuando los sentimientos de indignidad se establecen temprano en la infancia, tienden a permanecer hasta la edad adulta, y con frecuencia perjudican todos los aspectos de la vida.

La comunicación eficaz

Tal vez usted se pregunte qué método puede usar para comunicar su frustración cuando su hijo se comporta mal o causa un problema. Para aprender la diferencia entre la comunicación eficaz e ineficaz durante tales situaciones, usted necesita familiarizarse con las "declaraciones en segunda persona" y "declaraciones en primera persona". La mayor parte de las órdenes y expresiones humillantes contienen evaluaciones desagradables de la otra persona. Si usted busca en la página anterior las expresiones ofensivas utilizadas por el "comandante en jefe" para dirigirse a su hijo y coloca un círculo alrededor de los pronombres "tú", "te" y las terminaciones verbales que indican segunda persona, descubrirá que el mensaje que se comunica es de inferiorización y devaluación del hijo.

En cambio la "declaración en primera persona" se limita a comunicar al niño o adolescente la forma como usted se siente debido a su comportamiento inaceptable: "Yo no puedo mirar televisión porque hay mucho ruido aquí". "De veras me siento mal cuando encuentro que no has hecho los trabajos de la casa que te encargué". "Yo no puedo preparar la cena cuando tus juguetes están esparcidos en el piso de la cocina".

Notemos que el padre o la madre eligen palabras adecuadas para decirle a su hijo que los padres también tienen sentimientos. Cuando el papá o la mamá están cansados y no sienten deseos de jugar, harían una mala elección de las palabras para comunicar sus sentimientos si le dijeran al niño: "¡Eres un chico verdaderamente molestoso!"

Las "declaraciones en primera persona" contienen una explicación de cómo el padre o la madre se sienten debido al comportamiento molesto. No condenan al niño, sino

que se refieren únicamente al comportamiento inaceptable, con lo cual establecen una diferencia entre el niño y su conducta. Las declaraciones en primera persona tienen más probabilidad de producir cambios positivos en el comportamiento y reducir los sentimientos de resistencia y rebelión que con frecuencia acompañan a las declaraciones en segunda persona. El niño interpreta las declaraciones en segunda persona como un juicio de lo que él vale, mientras que las declaraciones en primera persona sólo se refieren a los sentimientos del padre o la madre.

Una declaración en primera persona eficaz consta de tres partes:

1. Una declaración de cómo el comportamiento inaceptable del niño hace sentir al padre o a la madre.

2. Una descripción no condenatoria del comportamiento del niño (en esta descripción es aceptable utilizar el pronombre tú).

3. Una explicación concerniente al efecto tangible que ese comportamiento ejerce en usted.

Entonces, el formato de una declaración en primera persona sería: "Me siento .. (1) .. cuando tú .. (2) .. porque .. (3)..."

A continuación damos algunos ejemplos de declaraciones en primera persona que son eficaces. Note que carecen de órdenes y de expresiones humillantes. El padre o la madre no le dicen a su hijo lo que debe hacer.

Ejemplo 1: El padre dormita en el sofá después de la cena, pero repentinamente es despertado por una pelea entre dos hermanos. "No puedo dormir con tanto ruido. He tenido un día bastante pesado y deseo descansar sin escuchar peleas".

Ejemplo 2: La mamá está cosiendo. Su hijito ha descubierto el enchufe de la máquina de coser y lo saca repetidamente de su lugar. "Hoy no tengo mucho tiempo para coser. Me demoro en mi trabajo cada vez que tengo que volver a colocar el enchufe que tú sacas. Yo no tengo tiempo para jugar ahora".

Ejemplo 3: El hijo, quien con frecuencia se olvida de lavarse los dientes, se presenta con una gran sonrisa en la mesa a la hora de la cena, pero con restos de comida en la dentadura. "Me encanta verte sonreír, pero no puedo soportar los dientes sucios mientras estoy comiendo. Me hace perder el apetito".

Ejemplo 4: Un adolescente escucha música que sus padres no aprueban. "No puedo soportar esa clase de música. Me afecta los nervios y me pone irritable".

Las declaraciones en primera persona pueden producir resultados asombrosos. Sorprende a los hijos saber cómo sus padres realmente se sienten. Con frecuencia dicen: "No sabía que te molestaba tanto". O: "No pensaba que realmente te importara si yo..." O bien: "¿Cómo es que nunca me habías dicho la forma como te sientes?" Aun los adultos con frecuencia no se dan cuenta de la forma como su comportamiento afecta a otras personas, y los niños no son diferentes de los adultos. También somos básicamente egoístas en la realización de nuestros objetivos, pero los niños están especialmente centrados en ellos mismos. Cuando los hijos comprenden el impacto de su comportamiento en otras personas, con frecuencia abandonarán su actitud irresponsable y se comportarán con responsabilidad.

Una familia viajaba cierto día en auto durante sus vacaciones. De pronto los niños comenzaron a hacer desorden. Repentinamente el padre perdió la paciencia, paró el auto junto al camino se volvió hacia el asiento de atrás y dijo: "Ya no puedo seguir soportando ese ruido. Esta es también mi vacación. Quiero disfrutarla, pero no puedo debido al ruido que ustedes hacen. Eso me pone nervioso y me hace doler la cabeza. Yo también tengo derecho de disfrutar del viaje". Los chicos, que se habían estado comportando sin tomar en cuenta el bienestar de los demás, pidieron disculpas y en adelante se portaron en forma aceptable.

Cuando nuestro hijo Rodney tenía trece años, acostumbraba a hacer algo que me irritaba. De acuerdo con lo que enseño, le hice una declaración en primera persona:

Cuando los sentimientos de indignidad se establecen temprano en la infancia, tienden a permanecer hasta la edad adulta, y con frecuencia perjudican todos los aspectos de la vida.

"Cuando haces eso, realmente me irrito porque tengo que trabajar adicionalmente". No dio muestras de haberme escuchado. Le repetí la misma declaración. Esta vez pensé que había llegado a su cerebro, pero no produjo ningún resultado. Tuve que repetírsela una vez más y por fin dejó de hacer lo que me molestaba.

Algunos de ustedes probablemente se preguntan: "¿Para qué repetir una misma cosa vez tras vez cuando se le puede decir al niño una sola vez que no haga una cosa y obtener los mismos resultados?" Primero, Rodney eligió cambiar su comportamiento por respeto a mis necesidades. Estaba aprendiendo a respetar los derechos y las necesidades de los demás. Segundo, y lo más importante, eligió el comportamiento correcto sin necesidad de que se le diera orden de hacerlo. Cada vez que un niño puede efectuar una elección correcta sin instrucciones, está avanzando hacia el control de sí mismo y la madurez, que es el objetivo final de la enseñanza de los hijos.

Es digno de notarse que las declaraciones en primera persona pueden cambiar eficazmente el comportamiento inaceptable de los niños, pero éste no es el propósito principal de estas declaraciones. **La razón principal por la que se usan en forma opuesta a las declaraciones en segunda persona, es permitir que dé expresión a sus sentimientos de irritación antes de que éstos se conviertan en enojo.**

A continuación hacemos algunos comentarios útiles en relación con las declaraciones en primera persona: (1) Úselas cuando comienza a sentirse irritado. No espere hasta estar enojado. (2) Evite dar una solución o decirle al niño lo que debe hacer. (3) Si su hijo no responde a una declaración en primera persona, como podría suceder cuando usted comienza a usar este método, entonces debe hacer otra declaración, tal vez un poquito más larga y en voz más alta o con mayor expresión.

Las declaraciones en primera persona son una comunicación más eficaz porque colocan la responsabilidad en el niño para que efectúe un cambio de comportamiento. Le ayudan a aprender a ser responsable de su propia conducta. Le permiten comprender que usted confía en que él podrá manejar la situación en forma constructiva y respetar sus necesidades como padre o madre.

Con el tiempo, las declaraciones en primera persona pueden hacer más para animar a un niño a cambiar su comportamiento inaceptable –sin dañar el respeto de sí mismo ni las relaciones con sus padres–, que todas las recompensas, castigos o reproches que la mayor parte de los padres efectúan sin éxito.

Vigile el tono de su voz

Arnold Bennett dijo que cuando uno le habla a otra persona, en realidad habla dos veces: una vez con lo que dice y otra vez con la forma como lo dice. Afirma que 90 por ciento de las fricciones que surjen en la vida son causadas por el tono de voz que se usa.

Con frecuencia, cuando hablamos a nuestros hijos, utilizamos un tono de voz que indica que ya sabemos que no tienen intención de hacer lo que les pedimos. En otras ocasiones nuestra voz tiene un tono de amenaza que advierte: "Es mejor que no hagas eso si no quieres soportar las consecuencias".

Los padres cansados con frecuencia hablan con irritación a su hijo, mediante ráfagas de amenazas y represiones. Esta manera de hablar despierta sentimientos de enojo y resentimiento en el niño, y como resultado, él también se pone irritable, y todos se sienten mal. Los padres culpan al niño o al adolescente considerándolo desobediente y rebelde, cuando ellos mismos son los que han causado el problema.

Cuando se interrumpe la comunicación

Si la comunicación se ha interrumpido en su familia, a usted, como padre o madre, le corresponde ponerle remedio. **Si no se ha interrumpido, haga todo lo posible para que se mantenga saludable, porque el hogar en el que falta la interacción es un hogar infeliz.** Impida que las pequeñas diferencias crezcan y se conviertan en problemas poniéndoles remedio a tiempo. No deje que su hijo mantenga vivo su enojo contra usted, porque podría afectar sus sentimientos y hacer erupción en años posteriores. La recomendación bíblica que dice: "No dejes que el sol se ponga sobre tu enojo" (Efesios 4: 26), se aplica tanto a los hijos como a los padres. Hay que curar las heridas a tiempo, cuando se pueden sanar con facilidad, antes que se agranden y se infecten.

Usted debe tomar la iniciativa de restaurar la comunicación interrumpida, como adulto maduro que es. No importa mucho lo que el niño o el adolescente hayan hecho para despertar su enojo. Usted ha errado al permitir que esa interrupción continúe y se agrande, antes de remediarla. Encuentre la

Las declaraciones en primera persona son una comunicación más eficaz porque colocan la responsabilidad en el niño para que efectúe un cambio de comportamiento. Le ayudan a aprender a ser responsable de su propia conducta.

manera adecuada de llegar hasta su hijo. Al comienzo puede ser necesario que confíe en el lenguaje no verbal de la bondad. Trátelo con cariño para que el niño vea que lo ama. Para la mayor parte de los hijos, las acciones hablan en voz más alta que las palabras. Posteriormente utilice el método de escuchar activamente y las declaraciones en primera persona.

Tal vez después de haber empleado el método de escuchar activamente y las declaraciones en primera persona, todavía no habrá resuelto todos los problemas de comunicación que existían en su hogar; pero habrá alcanzado un grado de éxito si logra descubrir, tal vez por primera vez en su experiencia de padre o madre, que realmente están en contacto con la forma como su hijo siente acerca de sus problemas y de los de usted. La comunicación genuina con los hijos no significa necesariamente una repetición diaria de todo lo que sucede. Pero incluye una asociación diaria placentera. Muchos padres sienten que han perdido la comuni-

cación con sus hijos porque no conversan interminablemente en el hogar, pero la conversación constante puede ser una forma de ocultar un problema de larga duración. **Se ha producido comunicación auténtica si usted está en contacto con su hijo y mejora su habilidad de aceptarlo como individuo que también posee derechos, necesidades y valores personales.**

Una vez que la comunicación intrafamiliar se ha deteriorado y ha dejado de ser eficaz, no puede ser restablecida mediante la aplicación de una fórmula mágica. Además, aun la comunicación de óptima calidad requiere que se la cultive cuidadosamente y que se le dedique esmerada atención. Conviene que tanto los padres como los hijos recuerden esto y procuren mejorar la suya propia.

Diremos finalmente que cuando los padres y los hijos se tratan con respeto, manifiestan comprensión, se expresan mutuamente afecto y consideración, entonces logran construir un puente sobre la brecha entre las generaciones.

Las recompensas de la disciplina

Los padres que ganan y mantienen el respeto de sus hijos durante los primeros años serán respetados durante la adolescencia.

4

Los expertos en el cuidado del niño generalmente están de acuerdo en que, excluyendo el importante período prenatal, el primer año de vida es, por lo general, el más importante.

E L *Diccionario Internacional de Webster* define la disciplina como "Entrenar por medio de la instrucción o el ejercicio". Hay muchos, sin embargo, que consideran la disciplina como un castigo. En este capítulo, disciplinar a un niño no significa castigarlo por salirse de la línea, sino enseñarle el camino que debe transitar. En efecto, la palabra "disciplina" se relaciona con el vocablo "discípulo". De este modo, cuando los padres disciplinan al niño, lo están entrenando en realidad para que sea un discípulo, o que aprenda de usted, su maestro.

La disciplina y el respeto propio

Temprano, en este proceso de la paternidad, la mayoría de los padres reconocen que deben limitar las actividades del niño y enseñarle a controlar su comportamiento. Ellos piensan que si no comienzan temprano, el niño se encaminará por una senda que lo llevará a convertirse en un pequeño tirano.

En este punto, muchos padres cometen un error común. Cuando comienzan el proceso de la disciplina, califican al niño como "malo", cuando en realidad no es malo en absoluto. Por ejemplo, una madre que sufre de un intenso dolor de cabeza le puede decir a su hijo que es un "muchacho malo" por cerrar la puerta con violencia. En realidad, no fue más que la vivacidad infantil lo que causó

73

el portazo. Los padres y los maestros a menudo califican a un niño como desvergonzado o malo por acciones que hubieran causado un problema a los adultos; pero esto no significa que el niño sea malo. Al referirse constantemente al comportamiento negativo, corren el riesgo de hacer que el niño se identifique con sus malas acciones y que de esta manera adquiera sentimientos negativos acerca de sí mismo.

El enojo de los padres, la irritación y la impaciencia cuando aplican la disciplina, refuerzan la idea del niño de que lo castigan porque no lo quieren. Cuando los padres se enojan como resultado del comportamiento inapropiado del niño, se resienten por el trabajo adicional que causa y por el elevado costo de la paternidad, el niño percibe que es una carga en vez de una bendición. **El enojo, a menudo obliga al niño a buscar compensación para sus sentimientos de una baja estimación de sí mismo, por lo que recurre a una actitud desafiante para establecer su propia identidad.**

Si el niño se siente respetado cuando sus padres lo corrigen, no perderá el respeto de sí mismo aunque haya cometido una falta muy grave. Se sentirá mal a causa de su error, pero sabrá que podrá superar el problema. En cambio, cuando el niño no es respetado durante la corrección, tenderá a desesperarse, y no sólo aprenderá a temer el castigo, sino que también se sentirá indigno y malvado.

La disciplina no debe destruirle nunca el respeto de sí mismo. Sin embargo, eso puede suceder con rapidez y facilidad, especialmente cuando un mal comportamiento toma por sorpresa a los padres, o bien cuando los avergüenza. Consideremos, por ejemplo, el caso de una madre que sorprende a su hijo pegándole a otro niño. Lo agarra bruscamente, y le lanza una andanada de reproches: "¡Muchacho malvado! ¡Sabes que no debes golpear a otros niños! ¿Te crees un valentón? ¡Ya te enseñaré a que no le vuelvas a pegar a nadie!" Y procede la madre a darle una buena tunda al niño.

Otra madre le hace frente a un incidente similar de una manera diferente: "Juan, golpear a otros es algo malo y no te lo puedo permitir. Ven aquí, por favor, y siéntate en la silla por unos minutos. Después hablaremos de eso". Esta madre hace la distinción entre el mal comportamiento y el niño. Golpear a otros es malo, pero no el niño. La dignidad personal del niño se ha preservado, mientras que sus malas acciones han sido corregidas. Se le ha señalado exactamente lo que hizo de malo; sin embargo, no se lo ha condenado personalmente.

Si usted ataca el respeto de sí mismo de su hijo debido a su mala conducta, lo más probable es que esto lo impulsará a rebelarse y a concebir ideas de venganza. Cuanto menos amado se sienta en esas ocasiones, tanto más motivado se sentirá a resistir a su autoridad o a buscar otros métodos desviados para desquitarse de usted. Cuanto más satisfaga la necesidad básica del niño de respeto propio durante el proceso de la disciplina, tanto menos resistencia mostrará.

Disciplina no es una palabra indebida

El objetivo de la disciplina consiste en entrenar al niño para que sepa gobernarse. **El objeto primordial de los padres al ejercer la disciplina es el de ayudar al niño para que llegue a ser una persona capaz de controlarse a sí misma.** Como el concepto que tenga de sí mismo determinará en gran medida la extensión del control que ejercerá sobre su comportamiento, la disciplina no debe atacar descuidadamente su dignidad personal. Hay una gran diferencia entre decirle al niño que él es malo porque la golpeó a usted y decirle: "Dar puntapiés es malo, y no lo toleraré". Es relativamente inofensivo atacar las acciones de otra persona cuando ésta puede aprender a efectuar los cambios necesarios. Pero es desastroso atacarle su dignidad personal, puesto que no puede cambiarse por otra persona.

La Biblia amonesta a los padres: "Instruye al niño en el buen camino" (Prov. 22:6). Aquí no se enseña a los padres a satisfacer hasta los últimos deseos del niño, y el niño no siem-

Las lecciones más importantes aprendidas en casa no son la lectura, la escritura y la aritmética, como algunos suponen, sino el respeto, la obediencia, la reverencia y el control de sí mismo.

pre está dispuesto a dejarse enseñar. En efecto, puede ser que el niño discuta tercamente todo lo que se le diga, pero recuerde que usted es el maestro y él es el discípulo. No es él quien decide las reglas, en cambio tiene que cumplirlas, ya sea que esté de acuerdo con ellas o no. ¿Qué pasa si no quiere obedecer y seguir las normas establecidas? En ese caso usted debe estimularlo para que obedezca. **El desafío y la prueba de la paternidad vienen cuando el padre o la mndre se enfrentan con la oposición, la resistencia, la rebelión y muchas otras reacciones similares de parte de sus hijos.**

Una pregunta importante sobre disciplina: ¿dónde comenzar?

La disciplina debe comenzar cuando el infante empieza a mostrar su propia voluntad y a escoger su manera de hacer las cosas. Podría considerarse esto una educación inconsciente. Leland E. Glover, reconocido psicólogo, ofrece este consejo a los padres: "¿Cuáles son los años más importantes en el desarrollo humano? **Los expertos en el cuidado del niño generalmente están de acuerdo en que, excluyendo el importante período pre-** natal, **el primer año de vida es por lo general el más importante.** Además, el primer mes del primer año es el mes más importante, y cada mes sucesivo es importante en menor grado que el mes anterior. ¿Por qué? Porque el ser humano madura más rápidamente el primer mes; y luego, con pocas excepciones, el tipo de madurez disminuye gradualmente en los diez a catorce años siguientes.

"¿Qué le sugiere a usted, como padre o madre, esta información? Significa que su hijo lo necesita probablemente más ahora mismo de lo que pueda necesitarlo en el futuro. Nunca más será tan tierno y sin madurez como lo es hoy. Nunca más tendrá usted esta oportunidad de proporcionarle un buen comienzo en la vida" (*How to Giue Your Child a Good Start in Life*, [Cómo proporcionarle a su hijo un buen comienzo en la vida], p. 18).

Aun en su infancia, un niño sabe si puede manipular a sus padres o no; si puede hacerlo, lo realizará. Si no se le enseña a conformarse dentro de un programa que encaje en la rutina de la familia, cuando tenga seis meses de edad entrenará a sus padres para que se ciñan al programa que él quiera imponerles.

Recursos que ayudan a tener hijos bien gobernados

1. Gane respeto y manténgalo. El respeto que un niño mantiene por sus padres está en proporción directa con el respeto que tendrá por las leyes del país, la fuerza policial, las autoridades escolares y la sociedad en general.

El respeto, sin embargo, es una avenida de dos sentidos. Una madre no debe esperar respeto de su hijo si no lo respeta a él. **No debe avergonzarlo ni menospreciarlo en presencia de sus amigos. Si el padre es sarcástico y criticón con él, no debe esperar que su hijo lo respete.** Puede ser que el niño tema a su padre lo suficiente para no mostrar sus verdaderos sentimientos de odio y venganza, pero esos sentimientos brotarán en los años futuros.

Los padres que ganan y mantienen el respeto de sus hijos durante los primeros años serán respetados durante los años de la adolescencia. **Los padres deben darse cuenta que si ellos no son merecedores del respeto, tampoco lo serán su religión, sus normas morales, su país, ni nada de lo que ellos creen.** La "brecha entre las generaciones" se produce en el sector del respeto mutuo antes que en el sector de las comunicaciones. Los niños son observadores muy agudos. Por eso no es posible esperar que un hijo conceda a sus padres más respeto que el que ven que ellos le dan a sus propios padres (los abuelos del niño) o a otras personas.

Las lecciones más importantes aprendidas en casa no son la lectura, la escritura y la aritmética, como algunos suponen, sino el respeto, la obediencia, la reverencia y el control de sí mismo. Estos principios deben enseñarse paciente, cariñosa, amorosa y consistentemente cada día para que formen parte del carácter del niño por el resto de su vida.

2. Establezca límites. Mi ciudad natal, Tacoma, Washington, es famosa, entre otras cosas, por un funesto puente angosto, que se derrumbó hace algunos años. Mi padre llevó a su familia para contemplar las dos

Si el niño se siente respetado cuando sus padres lo corrigen, no perderá el respeto de sí mismo aunque haya cometido una falta muy grave.

torres y las secciones de carretera que quedaron colgando, después que sucumbieron toneladas de concreto debido a fuertes vendavales. Terminaron de construir un nuevo puente once años después.

Imaginemos que mi familia y yo quisiéramos regresar a Tacoma para tomar una vacación, y que uno de los lugares escénicos que quisiéramos visitar fuera ese nuevo puente. Al acercarnos, veríamos que está intacto, excepto que por alguna razón desconocida, las barandas de los lados han sido removidas. Sentiríamos miedo al atravesarlo en nuestro automóvil, aunque no tuviéramos intención alguna de acercarnos a la orilla, porque abajo se arremolinan las aguas de uno de los más agitados y traicioneros canales de navegación del mundo. La analogía referente a los niños y su comportamiento es sencilla: hay seguridad dentro de límites definidos.

Uno de los primeros investigadores en el campo del comportamiento infantil experimentó en este sentido con un grupo de niños en una guardería. Quería ver si los niños se sentían más libres si se les quitaba la cerca del patio donde jugaban. Se quitó la cerca, pero en vez de sentirse libres, los niños se mantenían juntos en el centro del lugar de juegos, y sentían temor de acercarse a los confines del patio. Ninguno de ellos intentó traspasar los límites.

Un hogar feliz tiene siempre algunos límites; para mantener relaciones amigables es necesario establecer fronteras bien definidas cuandoquiera que dos vidas se tocan. Su hijo necesita saber lo que usted le permitirá y lo que le prohibirá. Los límites específicos debieran ser tan definidos como sea posible, y deben ser razonables y rígidos. Los límites deben quitarse o modificarse a medida que crece el niño. Cuando un niño conoce sus límites, no se mete en problemas, a menos que deliberadamente los busque, y mientras se mantiene dentro de sus límites encuentra seguridad y aceptación.

3. Enseñe razonamiento y obediencia. El blanco primordial de los padres es el de enseñar al niño a controlar su propio comportamiento, a hacer buenas decisiones, a razonar claramente acerca de las posibilidades de elección, a resolver problemas por cuenta propia y a hacer planes para el futuro. Cuando un hijo entiende las consecuencias de su comportamiento, puede hacer mejores decisiones cuando sus padres no están presentes. **Un niño a quien se le ha enseñado a cumplir las reglas llegará a ser un niño más responsable. Al darle explicaciones, los padres le ayudan a razonar y a entender los resultados de su comportamiento.**

Éstos son los pasos necesarios para enseñar al niño a usar la razón:

a. *Dígale lo que ha hecho bien o por qué se lo castiga.* "Voy a darte una sorpresa, porque hiciste un trabajo excelente al limpiar tu cuarto". "No podrás ver televisión esta noche porque llegaste tarde de la escuela".

b. *Después de haber presentado a su hijo numerosos ejemplos de razones concernientes al comportamiento correcto y al castigo, comience a pedirle que diga cuáles son las razones.* "Voy a tener que castigarte. Dime lo que hiciste de malo". El niño siente que tiene el deber de saber las razones de su castigo. Si usted dedica tiempo para ayudarle a entender el razonamiento que respalda la recompensa o el castigo, estará más listo a aceptarlos y aprender. Cuando el niño contesta la pregunta, repita todo de nuevo. "Sí, tú has ganado algo especial, porque hiciste un trabajo excelente al limpiar tu cuarto". "Es cierto. Viniste tarde a casa de la escuela, así es que no podrás mirar televisión esta noche, de modo que no insistas".

c. *Cuando el niño ya es capaz de explicar su comportamiento especifico, comience a trabajar con las reglas generales del comportamiento.* "Ya que fregaste los platos a tiempo, podrás ver tu programa favorito en la televisión. Cuando haces las cosas que se te piden, muchas cosas buenas suceden". "Te caíste y te lastimaste porque, no mirabas por dónde corrías. Es peligroso no prestarle atención a lo que estás haciendo". Cuando explica cuidadosamente al niño lo que ha hecho mal, surte mayor efecto que cuando le dice: "Eres un niño malo; no lo hagas de nuevo". Esto le enseña a buscar principios generales y a percibir su propio comportamiento e intenciones dentro de ese marco de referencia.

d. *Cuando el niño ha aprendido ciertas reglas generales sobre el comportamiento, en adelante éstas pueden usarse para hacer planes sobre las acciones que se tomarán después.* Supongamos que lleva a sus hijos a un parque de entretenimientos, al circo, a la feria. Anteriormente estuvieron emocionados montando en todos los juegos y disfrutando de la comida. Pero usted no tiene dinero suficiente esta vez para que participen en más de tres juegos. Por lo tanto, le conviene comentar la situación con ellos antes de que los muchachos se entusiasmen. Días antes de la salida, el padre debe explicar la situación:

"Este domingo me gustaría llevar a la familia a la feria. Cada uno tendrá oportunidad de montar solamente en tres juegos de su elección. Cada uno tendrá también una comida. No estamos en condiciones de hacer más que esto. ¿Entienden?" Los muchachos están entusiasmados por la posibilidad de ir a la feria, pero se ha establecido una regla con tiempo, y así ellos pueden prepararse para lo que viene. Más tarde, cuando uno de ellos pida "una vuelta más", el padre sólo necesitará preguntar: "¿Cuántas veces acordamos?" Y mantenerse firme en lo que ha dicho.

Las reglas claras hacen más fácil la vida cotidiana. Proporcionan guías para los padres que están entrenando constantemente a sus hijos. Por medio de la obediencia a las reglas razonables aprende el niño a obedecer a sus padres. Las reglas también ayudan al niño a recordar lo que se espera de él.

Las reglas que se establecen deben ser cortas, fáciles de recordar y firmes y deben expresarse con firmeza. Los niños escuchan un exceso de "no hagas eso". Experimente con efectuar una corrección en forma positiva. "Puedes encender la televisión después que termines tu tarea". No diga: "Si no terminas tu tarea no podrás mirar televisión". Cada cosa que le pedimos al niño que haga lo debemos hacer en forma positiva. Las reglas deben especificar también exactamente lo que queremos que se haga, como también las consecuencias si no se respetan. "Haz la cama antes del desayuno". Y las reglas deben estipularse para que puedan cumplirse con facilidad. En otras palabras, hay que hablar en forma específica. "Debes limpiar tu cuarto antes de salir a jugar. Limpiar, significa recoger los juguetes, poner la ropa en el ropero, usar la aspiradora y desempolvar los muebles". Cuando las reglas especifican los detalles que deben realizarse, el niño no puede dar excusas por dejar el trabajo hecho a medias. Adapte las reglas a la edad del niño, a sus habilidades y a las condiciones de la vivienda; es improbable que pueda enseñar a un niño de dos años a que haga la cama o lave los platos. Finalmente, mantenga un mínimo de reglas. Un hogar con la mejor disciplina y pocos problemas disciplinarios, es un hogar con un número reducido de reglas sencillas y claras. Deje que el niño desarrolle su vida bajo estas reglas. Permita que haga sus propias decisiones en muchas cosas. Pero las pocas reglas que usted ha establecido, aplíquelas consistentemente.

4. Hable una vez; luego actúe. Una madre saca a su hijito de diez meses a la caja de arena para que reciba aire fresco y sol. El bebé introduce la mano en la arena y luego se la mete a la boca. La madre lo sorprende, le saca la arena de la boca y regresa a leer su libro. El niño lo hace de nuevo. La madre lo regaña y vuelve a ponerlo en la caja de arena. La escena se repite muchas veces en el curso de media hora. La madre lee muy poco y el niño recibe mucha atención, porque ha descubierto una forma agradable de mantener a su madre ocupada con él. Un poco de acción y menos regaño hubiera podido enseñarle al niño que no debiera meterse todo en la boca.

Otra madre maneja esta situación de una forma diferente. Cuando el niño se mete la arena en la boca, en seguida lo levanta y lo pone en su cochecito. Luego ignora el llanto y las protestas y continúa su lectura. Cuando está quieto, no antes, lo pone de nuevo en la caja de arena para que juegue. Tan pronto como se vuelve a meter arena en la boca, lo pone calladamente en el carrito. Al poco tiempo la criatura entiende el mensaje: tierra en la boca, regreso al carrito. No comprende las palabras de la madre, pero entiende sus acciones.

Julia dejó su triciclo en la puerta del garaje y no prestó atención a las peticiones de su madre de que lo entrara antes que llegara su papá a casa. Finalmente, la madre la arrastra hacia donde está el triciclo, lo agarra con una mano y con la otra carga a la niña. Luego explota: "Te dije que guardaras el triciclo, y eso es lo que vas a hacer ahora mismo".

Un método mejor hubiera sido guardar el triciclo donde la niña no lo pudiera alcanzar, y cuando Julia lo pidiera de nuevo, la madre le podría decir: "Lo siento mucho, Julia, pero no puedes jugar con el triciclo ahora. No lo guardaste la última vez cuando lo usaste, así es que no puedes usarlo ahora. Mañana, desde luego, puedes pedirlo de nuevo". Este último comentario deja abierto el camino para que Julia vuelva a pedirlo.

Otro método de enseñanza consiste en ponerse en retirada cuando el niño ocasiona algún trastorno. Esta técnica es particularmente útil en los conflictos que envuelven rivalidad entre los hermanos, antojos y rabietas temperamentales. La discordia puede resultar cuando los padres y el hijo no llegan a un acuerdo. Si el padre o la madre se apartan de la escena, el niño no puede continuar sus manifestaciones de desacuerdo, por lo menos por un buen tiempo. Si se retiran al baño, por lo general eso significa refugiarse en un lugar más privado. Tenga con tiempo una buena cantidad de revistas y libros para una ocasión como ésta, y tal vez una radio para ahogar cualquier protesta que pudiera surgir. Si la niña comienza con una rabieta, la madre se mete al baño. No necesita decir nada más. Al permitirle la rabieta, ha respetado los derechos de la niña de expresar lo que siente por dentro. Pero al retirarse, la madre no le da la atención que ella busca. **Una criatura aprende rápidamente que cuando va más allá de sus límites, el padre o la madre se alejan de ella.** A menudo el niño abandona su comportamiento e indica que está dispuesto a colaborar de nuevo.

A primera vista pareciera que usted está permitiendo que el niño haga lo que le plazca. Pero si examina la situación de cerca, encontrará que lo que él quiere es atención. Si usted se deja arrastrar hasta participar en esa situación, estará reforzando un comportamiento negativo. Debemos dirigir nuestro entrenamiento a la causa radical en vez de ocuparnos del problema que aparece en la superficie. Muy pocos padres se dan cuenta de lo que sucede por debajo de las superficie del mal comportamiento. Una vez que descubran sus conceptos erróneos y el significa-

Un hogar con la mejor disciplina y pocos problemas disciplinarios, es un hogar con un número reducido de reglas sencillas y claras.

do del comportamiento del niño, podrán guiarlo para que se porte mejor. Si el niño encuentra que su comportamiento no produce atencion alguna, buscará un nuevo método para alcanzar la atención de sus padres que tanto desea.

La acción de los padres al tratar un caso de mala conducta, no debiera consistir en mucho más que mantener los labios cerrados, aunque sientan que debieran decir algo y corregir la situación por medio de reproches. Pero el niño tiene un propósito detrás de su comportamiento y a menudo no tiene intención de cambiar. Descubre que las palabras son aburridoras y por eso llega a hacerse el sordo cuando le hablan. Los padres de tales niños a menudo suspiran; "Ese niño nunca escucha ninguna palabra mía". De esta manera redoblan sus esfuerzos y acumulan amenazas sobre amenazas.

Un buen consejo para los padres que se encuentran en esta situación difícil es: "En tiempo de conflicto, mantenga la boca cerrada y actúe". Conserve su serenidad y establezca su derecho de requerir obediencia. Sea firme, y eventualmente la acción producirá respeto. En efecto, la acción traerá el respeto más rápido que las palabras.

5. Establezca un equilibrio entre el amor y el control. Los extremos son raramente útiles, y esto es más que verdadero cuando se disciplina a un niño. Evite los cinco extremos siguientes:

EL PADRE AUTORITARIO. Algunos padres suponen que es su deber mandar, dictar y controlar al niño. El menor se encuentra completamente dominado bajo la regla de tales padres. Lo castigan repetidas veces, por lo que el niño vive en constante temor y zozobra. **Los niños que viven bajo un control extremo y autoritario, donde la disciplina es severa, a menudo son pendencieros, desobedientes, problemáticos en la escuela, nerviosos y temperamentales.** Debido a que los padres lo mantienen constantemente bajo su dominio, el niño no aprende nunca a hacer sus propias decisiones. Sentimientos profundos de amargura y resentimiento a menudo hincan sus raíces, los que brotarán después en el furor de una hostilidad abierta.

EL PADRE PERMISIVO. En este caso es el niño quien tiene el control, y los padres se doblegan ante sus caprichos. Como son incapaces de controlar el comportamiento del niño y como éste no ha aprendido a controlarse, la disciplina se convierte en un problema mayor. El comportamiento sin control permite que los padres se conviertan frecuentemente en el blanco de sus chistes. Mientras el hijo se jacta de su comportamiento, los padres sufren con vergüenza. Sus nervios se mantienen en tensión, y por eso a menudo prefieren quedarse en casa antes que escuchar sus charadas en público. El niño no respeta a sus padres, ni a otras personas, ni la propiedad de los demás. Con el tiempo, ese niño corre peligro de tener más problemas emocionales que el que ha sido criado bajo una regla autoritaria.

Una paternidad permisiva no convence a los hijos, porque les causa la impresión de que a sus padres no les importa lo que hagan ni lo que lleguen a ser. Desarrollan falta de respeto por unos padres a quienes les hace falta fuerza de carácter para hacer las decisiones morales necesarias en la vida cotidiana. Por eso los padres no deben creer que están ayudando a sus hijos al permitirles que hagan lo que les venga en gana.

EL PADRE SIN AMOR. Numerosos estudios realizados acerca de los niños confirman la importancia duradera del amor paternal y la atención de los padres durante los años tempranos de la vida. El Dr. René Spitz, psicoanalista que trabaja en Nueva York, pasó tres meses observando las reacciones de los bebés en un hogar para niños, donde los empleados estaban tan ocupados que cada niño "tenía sólo la décima parte de una madre". El Dr. Spitz estima que el 30 por ciento de los bebés de aquel lugar morían antes de cumplir el primer año. "Sin experimentar satisfacción emocional, los niños mueren", dice el Dr. Spitz. "El hambre emocional es tan peligrosa como el hambre física. Su efecto es más lento, pero más efectivo".

Casos extremos de un padre sin amor incluyen la negligencia total hacia el niño, el abandono y la crueldad. Las cortes juveniles comienzan a ocuparse cada vez más de estos casos. Pero lo que más preocupa a los sociólogos es una forma más común y sutil de rechazo manifestada por un gran número de padres, y que consiste en castigo severo, crítica constante, regaños, percepción únicamente de las imperfecciones, exigencia de que el niño se conforme a normas inadecuadas o imposibles de adquirir, o comparación desfavorable del hijo con otros niños.

EL PADRE POSESIVO. Algunos padres que tienen buenas intenciones, pero malas nor-

Hable una vez, luego actúe

Los padres con frecuencia hablan demasiado y amonestan en exceso a sus hijos. Una andanada constante de palabras hace que el niño ponga oídos sordos. Cuánto mejor es hablar una sola vez y luego entrar en acción cuando el niño no obedece. Primero lea el capítulo 4: "Las recompensas de la disciplina". Luego, para cada uno de los malos comportamientos descritos más abajo, describa el método de acción que considere apropiado.

Mal comportamiento	Acción
1. Su hijo tiene una rabieta.	
2. Pedrito, de 7 años, sigue mirando televisión después que usted le dijo que apagara el televisor y se preparara para salir de compras.	
3. Su hijo, que se encuentra jugando afuera, no viene cuando usted lo llama.	

mas, no permiten que sus hijos crezcan y se desarrollen en forma natural. Bajo el pretexto de amarlos y preocuparse por ellos, estos padres no permiten que sus hijos menores corran riesgos razonables ni que hagan cosas por ellos mismos. Su pretexto se basa en la "ayuda" constante que necesitan los niños. Quieren mantenerlos tan cerca como puedan y completamente dependientes. Hay otros que invierten todas sus fuerzas y todos sus sueños en el futuro de sus hijos. Esto sucede a menudo en una familia donde un padre no recibe la satisfacción emocional de otras fuentes, y por tal motivo depende del niño para funcionar como adulto. Un niño necesita un padre, pero un padre no debe necesitar un niño en el mismo sentido.

El deseo de ejercer dominio, la preocupación intensa y el amor maternal exagerado son una excusa o una compensación para un rechazo inconsciente. Una madre puede sentirse culpable por el rechazo que siente por su hijo. Pretende cubrirlo todo al mostrar una preocupación excesiva y una ansiedad extrema por él. No podemos proteger al niño de por vida, ni debemos intentarlo, pero estamos obligados a enseñarlo para que le haga frente a la vida con fuerza y valor.

EXTREMOS OPUESTOS. Uno de los problemas más frecuentes que surgen en nuestros seminarios para padres es lo que se debe hacer cuando el padre y la madre tienen ideas opuestas acerca de la forma de criar al niño y de disciplinarlo. El padre puede ser severo e imperioso. En cambio la madre puede ser una persona más balanceada, fácil de tratar y menos estricta.

Es difícil mantenerse neutral cuando se advierte que el otro no está resolviendo adecuadamente un problema de disciplina. Sin embargo, eso es precisamente lo que se debe hacer: mantenerse al margen. Se hace más daño al niño cuando éste observa que el padre y la madre están en desacuerdo acerca de la forma como él debe ser educado. Si usted no está de acuerdo con lo que su compañero o compañera dice o hace, manifiéstele sus sentimientos en privado, pero nunca frente al niño.

Aunque los padres difieran en temperamento, métodos y respuestas, el menor aprende rápidamente a responder a cada uno. El sabe cuál de los dos es el estricto y cuál es el suave, y ajustará su comportamiento de acuerdo con las respuestas de ambos. Aunque las tácticas relacionadas con la crianza del niño

Autoexamen sobre disciplina

Marque el puntaje que le corresponda:

1. Nunca	2. Ocasionalmente	3. Casi siempre	4. Siempre

1 2 3 4   1. Mi cónyuge y yo estamos de acuerdo en lo que se refiere a la disciplina.

1 2 3 4   2. Soy consecuente en la aplicación de las medidas de disciplina en el hogar.

1 2 3 4   3. Manejo correctamente el mal comportamiento en lugares públicos, sin avergonzarme ni humillar a mi hijo.

1 2 3 4   4. En mi hogar hemos establecido límites de conducta bien definidos.

1 2 3 4   5. Mi hijo comprende claramente las reglas establecidas y las razones que las respaldan.

1 2 3 4   6. Le ordeno algo una sola vez a mi hijo, y luego entro en acción si no obedece.

1 2 3 4   7. Trato con respeto a mi hijo, aunque esté irritado o en el proceso de corregir un mal comportamiento.

1 2 3 4   8. Puedo dejar que mi hijo experimente las consecuencias naturales de sus acciones, sin intervenir.

1 2 3 4   9. Tiendo a ser un padre o madre autoritario.

1 2 3 4   10. Creo que he encontrado el equilibrio debido entre amor y castigo.

1 2 3 4   11. He planeado un ambiente interesante y estimulador para mi hijo, juntamente con juguetes adecuados a cada etapa de desarrollo.

1 2 3 4   12. Puedo individualizar los métodos adecuados de disciplina que empleo para cada hijo, porque reconozco que no es posible aplicar las mismas reglas a todos los niños.

1 2 3 4   13. Proveo un ejemplo viviente de comportamiento positivo para mi hijo.

Analice sus respuestas con su cónyuge, un amigo u otro adulto.

sean diferentes, el menor adaptará su comportamiento y madurará en una forma normal cuando aprenda que sus padres se mantienen unidos en asuntos de gran importancia. Si se da cuenta de que es capaz de "dividir y conquistar", lo más probable es que use ese método contra los dos. Un niño necesita sentirse seguro, y esta seguridad se desarrolla con más fuerza en el jardín de los métodos constantes. Su seguridad quedará profundamente sacudida cuando se dé cuenta que uno de sus padres trata de disculpar la deficiencia del otro, o cuando ve que uno contradice al otro, combate sus argumentos o trata de acabar con el partido que el otro ha tomado. Cuando los padres trabajan conjuntamente deben recordar esta divisa: "Unidos venceremos, divididos perderemos".

Todo niño necesita disciplina en una atmósfera de amor, y los padres competentes evitan los extremos, ya sea en el amor como en el castigo. Si usted ama a su hijo con un afecto que alimenta la formación del carácter, lo podrá disciplinar con el equilibrio debido entre el amor y el control.

Estableciendo normas de confianza en sí mismo

Diversos métodos de enseñanza le ayudarán a su hijo a avanzar hacia la meta final de la obtención de confianza en sí mismo.

1. Control ambiental. Cuanto más adecuados sean sus planes y cuanto mejor arregle el ambiente donde su hijo juega, tanto menos problemas disciplinarios se presentarán. Supongamos que usted visite una escuela y no encuentre en ella libros, pizarrones, material de enseñanza ni artículos deportivos. Se preguntará cómo podrá el maestro educar a los niños, y al mismo tiempo pensará en los problemas disciplinarios que tendrá.

Procure tener en su casa equipos de juegos, tanto para dentro de la casa como para el patio, que sean adecuados a la edad del niño. La acción educativa del ambiente hogareño ejercerá una poderosa influencia sobre el niño, mucho antes de que comience

su educación formal en la escuela. Si su casa es un lugar de exhibición, lleno de cosas para adultos que el niño no puede tocar, con seguridad se presentarán muchos problemas. Al niño se le debe proveer un ambiente interesante y provechoso tanto en la casa como en el patio.

2. Se debe prestar atención individual a cada niño. Los niños no son iguales. Lo sabemos, pero a menudo procuramos usar los mismos métodos de control con todos los hijos. Debido a que la combinación de los genes y el ambiente hace que cada niño sea diferente, los padres deben usar métodos de control diferentes para cada niño. Un niño que es callado e impresionable debe tratarse de una manera diferente que otro turbulento y extrovertido.

3. Dé libertad al niño para que explore su ambiente. Cuando su hijo toma una cuchara y trata de comer por sí sólo, olvídese del desastre que hará y deje que lo haga. Está aprendiendo independencia. Si continúa alimentándolo, disminuirá el desarrollo de su autocontrol. Lo mismo sucede con todas las demas actividades. Tan pronto como pueda vestirse por sí mismo, abrir la puerta, o recoger sus juguetes, deje que haga estas cosas solo, aunque usted pueda hacerlas con más rapidez.

4. Ejemplo paternal. Los padres son modelos vivientes para sus retoños, que procuran constantemente imitarlos. Enseñamos rasgos negativos o positivos de carácter con el lenguaje silencioso de nuestro comportamiento. Si somos corteses y mostramos una disposición alegre, el niño será feliz y cortés. Si mostramos paciencia y determinación durante las dificultades, si respetamos sus derechos y pertenencias, él también respetará nuestros derechos y sentimientos.

5. Consecuencias naturales. Este es uno de los métodos más poderosos de enseñanza que poseen los padres, aunque muy pocos lo usan. Arturo, niño de once años de edad, dejó su guante de béisbol en el campo de juego, y cuando regresó a buscarlo había desaparecido. Le rogó a su padre que le comprara uno nuevo. Pero éste no estaba muy contento, ya que era el tercer guante que había perdido ese verano. Lo regañó y le dio un sermón bien largo acerca del dinero, sobre el valor de las cosas, sobre la responsabilidad y sobre la importancia de cuidar lo que uno tiene. Pero al final, le dijo: "Está bien, te compraré otro guante mañana, pero éste es el último que te compraré este verano. Ahora quiero que me prometas que no lo perderás". (Ya le había dicho lo mismo cuando perdió el segundo guante.)

El padre tuvo en ese momento la oportunidad dorada de permitir que obraran las consecuencias naturales, pero como sintió lástima por su hijo, que ya no podría participar en los juegos de béisbol por carecer de guante, lo protegió de las consecuencias de sus acciones. El padre le hubiera podido decir que debía comprar un guante nuevo con el dinero que le daba regularmente, y cuando el niño le dijera que no tenía suficiente dinero ahorrado para comprarlo, el padre le hubiera podido decir cariñosa, pero firmemente que esperara hasta cuando tuviera todo el dinero que necesitaba. Si las consecuencias naturales son placenteras, el niño continuará actuando de la misma manera.

Si las consecuencias naturales son desagradables, el niño se verá motivado a cambiar. **A menudo los padres no permiten que el niño experimente las consecuencias naturales de sus acciones, por lo que éste comienza a depender de ellos que lo protegen. Pero cuando lo privan de los resultados de sus acciones, éste pierde el valor educativo de la experiencia y no aprende a valerse por sí mismo.**

Una advertencia: obre con sentido común en esto. Los padres que permiten que sus pequeñuelos corran por la calle para que aprendan el efecto de las consecuencias naturales terminarán con un niño muerto. **En las actividades que pueden producir serios o fatales desenlaces, los padres deben prevenir**

las consecuencias naturales. Pero si éstas causan solamente momentos desagradables, deje que sigan su curso normal.

Técnicas modernas de castigo

Sería provechoso si se pudiera depender enteramente del respeto, de los límites establecidos, de las reglas y el razonamiento, de la acción y de las consecuencias naturales para disciplinar a los niños. Pero tales métodos no siempre bastan. El castigo a veces es necesario. Ningún niño (por lo menos los niños que yo conozco) se comporta con tanta perfección como para no necesitar castigo. Se necesita el castigo en tres situaciones.

La primera situación se relaciona con un mal comportamiento manifestado repetidas veces. Por ejemplo, usted le ha dicho a Andrea, niña de tres años, que no se vaya a la calle sino que juegue únicamente en el patio. Sin embargo, ella sigue cruzando la calle y jugando con sus amigas. Como todas las amonestaciones han fracasado, Andrea necesita ser castigada para aprender la lección.

La segunda situación es cuando el castigo es necesario porque la seguridad del niño está en peligro. Si usted encuentra a su hijo que trata de trepar la cerca para pasar al otro lado donde está la piscina, una simple declaración como ésta sería suficiente: "Puedes nadar sólo cuando tu papá y tu mamá están contigo; no debes ir a la piscina solo", seguida por una nalgada o dos para que no se olvide. Un procedimiento similar se puede usar cuando se trata de peligros potenciales tales como las pistolas, los cuchillos, los fósforos y los venenos.

En la tercera situación se hace necesario administrar el castigo cuando el niño desafía deliberadamente la autoridad de los padres. **Cada vez que su hijo le desobedece, usted debe averiguar cuáles son sus motivos.** Digamos que al niño se le olvida darle comida al perro o que dejó su bicicleta afuera o que perdió un libro de la biblioteca. Tales acciones, por lo general, no son desafíos directos a su autoridad; en cambio, son el resultado que viene por falta de experiencia y madurez.

No debemos castigar al niño por ser niño y demostrar características infantiles.

Sin embargo, si el menor lo desafía y le resiste, si manifiesta una rebelión intencional, es necesario que usted escoja un castigo arbitrario. Supongamos que le ha prohibido nadar cuando está solo, o le ha pedido que no se acerque a cierto lugar después de las clases, o le ha indicado que espere en cierto lugar hasta que usted regrese. Si el niño desobedece su pedido, está manifestando un abierto desafío a su autoridad de padre y madre.

Los niños comienzan a desafiar la autoridad a una edad bien temprana. Los padres pueden reconocer una actitud de desafío por cierto destello en la mirada del niño que pone a prueba a sus padres y los presiona hasta el límite. Cuando el niño responde de esta manera, en realidad está haciendo esta pregunta: "¿Quién controla esta casa, tú o yo?" **Los padres necesitan poner en claro esta pregunta cuando el niño está en una edad bien temprana, de otro modo su autoridad será puesta en jaque durante los años venideros.** Y por lo general estas pruebas se vuelven más "pesadas" con el correr del tiempo, y los niños llegan a ser más difíciles de controlar cuando procuran hacer las cosas a su antojo, más allá de los límites que usted ha establecido.

Hay tres métodos básicos de castigo. Si el mal comportamiento no representa un desafío directo a su autoridad, los primeros dos métodos tal vez sean los más satisfactorios.

Privación. La privación involucra la restricción o la separación del niño del ambiente normal, o quitarle algo que sea importante para él. Supongamos que su hijo de cinco años de edad pinta las paredes con crayón. Como escribir en la pared no produce consecuencias naturales, usted debe seleccionar un castigo arbitrario para corregir ese mal comportamiento. Le puede decir: "David, tienes suficiente edad para saber que no debes pintar las paredes. Voy a quitarte los crayones por unos cuantos días. Esto te hará recordar que los crayones se usan en el papel, no en las paredes. Aquí tienes un trapo mojado para que limpies las marcas que has dejado en la pared".

Aunque los padres difieran en temperamento, métodos y respuestas, el menor aprende rápidamente a responder a cada uno. El sabe cuál de los dos es el estricto y cuál es el suave, y ajustará su comportamiento de acuerdo con las respuestas de ambos.

Procure hacer que el castigo de privación tenga que ver directamente con el mal comportamiento. Si María insiste en dejar la bicicleta en la entrada del garaje, de modo que su padre no puede entrar el carro, quítele la bicicleta. Si se produce una pelea en el juego de los niños, prívelos del juego. Sin embargo, cuando priva al niño de algo que es importante para él, procure que el tiempo sea razonable. Si priva a un niño de cinco años que mire televisión durante un mes, esta actitud suya es irrazonable. El castigo no tendrá significado alguno para él y no tendrá mayor incentivo el decirle que no podrá mirar televisión de nuevo. Privarlo de mirar televisión por unos pocos días es razonable, y actuará como un incentivo para mejorar su comportamiento. El niño reconoce la seriedad y la justicia del castigo.

Aislamiento. Otro método arbitrario de castigo consiste en enviar al niño a su cuarto, pararlo en un rincón o sentarlo en una silla. Luis, niño de nueve años, interrumpe estrepitosamente un juego en el patio con unos amiguitos del vecindario. La madre podría decirle: "Veo que hoy no te puedes llevar bien con los demás. Me disgusta ver a los niños golpearse, gritarse y empujarse. Voy a enviarte a tu cuarto para que juegues solo hasta que me puedas probar que eres capaz de controlarte". Esa madre permitió que su castigo tuviera una "puerta de escape". Tan pronto como Luis demuestre buen comportamiento podrá reunirse con sus amiguitos. No le dé la impresión al niño de que debe quedarse en su cuarto para siempre. El propósito de enviarlo a su cuarto es para que se efectúe en él un cambio de comportamiento, y no aislarlo para siempre. Asegúrele que tan pronto como esté dispuesto a cambiar de actitud y jugar sin problemas con otros niños, podrá volver a jugar con ellos. El castigo físico es otro método arbitrario para

Es una experiencia difícil batallar con un niño que tiene una voluntad fuerte, pero se obtendrán grandes recompensas en los años venideros por los esfuerzos realizados hoy.

controlar el comportamiento cuando otros recursos han fracasado. **Muchos padres no quieren admitirlo, pero el propósito principal del castigo físico que aplican a sus hijos es aliviar sus sentimientos de frustración.** Y casi todo padre alguna vez se ha sentido frustrado debido al mal comportamiento, ha experimentado enojo y perdido la calma, y como resultado le ha dado una buena tunda a su hijo. Este castigo puede aliviar al padre de su frustración, ¿pero el niño? La hostilidad y la rebelión pueden intensificarse en el niño cuando los padres actúan violentamente. Si los padres gritan y dan voces, si dan golpes cuando están molestos o les pegan sin misericordia alguna cuando cometen accidentes o errores, están sirviendo de modelos para que los niños los imiten más tarde. Esta clase de violencia paternal no puede considerarse como un método adecuado para disciplinar a los hijos. Sin embargo, si el niño baja la cabeza, aprieta los puños y amenaza a sus padres, éstos deben actuar sin tardanza en forma apropiada. **Los padres, no deben permitir que el niño les gane ventaja en ningún momento.** Unas nalgadas proporcionadas con cariño pueden enseñarle una lección valiosa, pero los padres no pueden actuar racionalmente ni con amor en un momento de enojo. Tal vez sea necesario que vaya a otro cuarto para recobrar la compostura antes de administrar el castigo. Muy a menudo el castigo y la crítica van unidos. Regañamos, sermoneamos y calificamos al niño como "malo" en un esfuerzo por corregirlo. Tal castigo rara vez corrige el comportamiento. Sólo rebaja al niño.

Restringir la desobediencia es suficiente castigo, sin necesidad de decirle al niño que es malo o hacerle sentir que no sirve para nada. Cuando el niño indica que quiere cambiar su comportamiento, restablézcalo al aprecio de la familia sin cubrirlo de humillación y vergüenza.

A veces los padres confiesan que las nalgadas no surten el efecto deseado. Esto sucede por lo general debido a una o más de las siguientes razones:

1. Falta de firmeza y uniformidad. Este es el problema mayor de los padres. Un día toleran el mal comportamiento y al día siguiente lo castigan por lo que el niño hizo el día anterior. Esto hace que el niño no entienda, aunque le den algunas nalgadas, que un mal comportamiento no es permitido, cuando un día lo dejan libre y al día siguiente lo castigan.

2. El niño de voluntad fuerte. Algunos niños tienen una voluntad muy fuerte. En los seminarios para padres hemos preguntado a menudo cuántos padres tienen niños con esta característica, y a veces la mitad de la clase levanta la mano. El niño que tiene una voluntad fuerte suele repetir su mal comportamiento para asegurarse el control de los padres. Aunque se lo castigue físicamente una vez y otra, por el mismo mal comportamiento, continúa desafiando a sus padres. El niño se encuentra empeñado en una lucha por el poder contra sus padres. Estos necesitan estar preparados para afrontar una larga y agotadora batalla. Deben mantenerse fuertes, más consecuentes y pacientes, decididos a acabar con la terquedad del comportamiento del niño. Es una experiencia difícil batallar con un niño que tiene una voluntad fuerte, pero se obtendrán grandes recompensas en los años venideros por los esfuerzos realizados hoy.

3. Acción retardada. A menudo los padres permiten que ciertos malos comportamientos poco importantes pasen inadvertidos. Meses después se dan cuenta de que los pequeños problemas de ayer se han convertido en problemas monumentales. En un esfuerzo por corregir la situación, comienzan a apretar los tornillos. Dan nalgadas y más nalgadas sin resultado alguno. Tales padres necesitan recordar que los malos hábitos ya han hincado sus raíces. Estos hábitos probablemente puedan ser corregidos, pero con tiempo, firmeza y trabajo paciente. El niño tal vez podrá reconocer que sus padres no volverán a permitir este comportamiento.

4. Castigo físico que no duele. Algunos padres tienen miedo de dar nalgadas al niño por miedo a lastimarlo. Si las nalgadas no le duelen al niño, no las dé. El castigo físico debe doler y debe sentirse como castigo. Si no duele, no impedirá que el niño repita su mal comportamiento. El mensaje que deben llevar unas nalgadas debe percibirse y entenderse aun a través de los pañales y pantalones gruesos, o bien pueden ser palmaditas en la mano. Nunca debe castigar a un niño hasta la sumisión, pero éste debe comprender el mensaje del castigo.

Castigar físicamente o no castigar

Los padres no deben dar nalgadas con el objeto de curar todo tipo de mal comportamiento, porque al hacerlo éstas perderán su efectividad. Deben aprender a distinguir entre lo que el Dr. Dobson considera como irresponsabilidad infantil y desafío a la autoridad. Sin embargo, cuando un menor desafía directamente la autoridad del padre, cuando muestra actitudes de amenaza directa, o dice, ya sea con palabras o acciones: "No haré lo que usted quiere que haga", debe ser tratado con firmeza. Este es el momento de actuar y no de una discusión somera acerca de por qué es importante que escuche las opiniones de mami o de papi. No es tiempo de ponerlo en un rincón para que piense en lo que ha hecho. No es tiempo de mandarlo a tomar una siesta o enviarlo donde la abuela para que se encargue de él por unos días. Cuando el niño desafía la autoridad paternal por vez primera en forma abierta, los padres deben prestarle atención a la pregunta oculta o expresada verbalmente. Cuando el niño dice: "No lo haré, y no me puede obligar a hacerlo". ¿Cuál es el significado escondido? Probablemente está preguntando: "¿Quién controla esta casa? ¿Puedo yo ser más grande y mejor que usted? ¿Podré ganarle esta batalla?" Es importante que los padres reconozcan cuando el niño está desafiando su autoridad en tiempo oportuno para que puedan contestar definidamente la pregunta que el niño está haciendo. Si no lo hacen de esta manera, probablemente el niño seguirá desafiándolos y probándolos.

Por lo general, el niño resiste el control, pero lo desea y lo necesita. Usted debe ganar el derecho de administrar este control al mantenerse firme en el momento oportuno. Esto también incluye unas buenas nalgadas, cuando su hijo desafía su autoridad en forma deliberada.

Los padres con frecuencia preguntan si se le debe permitir al niño que llore después de castigarlo, o si hay un límite en este asunto. Conozco a un padre que castiga físicamente a su hijo y luego le exige que "deje de llorar al instante". Se para frente a él y lo amenaza con volver a castigarlo si sigue llorando.

El llanto y las lágrimas que acompañan al castigo son un alivio saludable de las emociones y deben ser permitidos. Sin embargo, el verdadero llanto puede cambiar rápidamente del dolor del momento a un arma que usa el niño contra el "enemigo". El verdadero llanto no debe durar más de dos a cinco minutos. El llanto que continúa durante más tiempo, por lo general cambia su intensidad y su tono y se convierte en un llanto de protesta. En este punto sería necesario ofrecer estas alternativas: dejar de llorar o recibir unas nalgadas más fuertes.

No se debe castigar físicamente a un adolescente. El joven puede desafiar abiertamente su autoridad y quebrantar todas las reglas, pero castigarlo dándole una tunda no es la respuesta adecuada. **¿Por qué no? El adolescente se encuentra en el pórtico del mundo adulto. El considera que el castigo físico es para los niños, de modo que si el padre se lo aplica podría provocar profundo resentimiento.**

Cuando nuestro hijo Rodney tenía catorce años de edad, no sólo me desobedecía en forma desafiante sino que además se excedía grandemente en su actitud desafiante. Yo me ponía furiosa al verlo tan desafiante. Recuerdo que lo veía tirado en la cama mientras mi mente procuraba encontrar el método adecuado para controlar su desobediencia.

En mi frustración sólo pensaba en administrarle una paliza, de modo que comencé a buscar una vara adecuada para remediar esa situación. Noté que había un palo roto en el piso de su cuarto. Cuando me acerqué para enseñarle una lección, me dijo algo que nunca olvidaré: "Mamá, si usted me da una paliza, nunca la perdonaré". Me quedé con la vara levantada. Había llegado el momento de la decisión y no dejé que pasara. La consistencia ha sido siempre mi palabra favorita.

Le dí una tunda, pero no tan severa como lo había pensado originalmente. Cuando terminé de castigarlo, dejé que llorara. Me sentí más que desdichada por la decisión que había tomado de darle una paliza. Había escogido un procedimiento equivocado, y me di cuenta de ello. Le pedí perdón, pero él rehusó perdonarme. Una hora o dos después logró hacerlo y los dos oramos juntos. Nunca se me olvidará la lección que aprendí ese día. **Recibir un castigo físico es un serio ultraje para los adolescentes; es un ataque que degrada su dignidad personal.** Cuando un adolescente desafía la autoridad se le debe tratar con firmeza; por ejemplo, se lo puede privar de algunos privilegios: hablar por teléfono, manejar el carro, recibir dinero semanal, salir con amigos, etc. Pero no se le debe administrar un castigo corporal.

Por lo general, tampoco se debe castigar físicamente a las criaturas menores de seis meses. Considero conveniente definir lo que es el castigo físico. No es dar un golpe leve en la mano o en las nalgas del niño que se revuelve con impaciencia o se porta mal.

Consiste en una serie de golpes rápidos con la mano o algún instrumento firme, con el propósito de enseñar al niño una lección para que mejore su comportamiento. Los niños menores de seis meses no deben ser castigados de esta manera, porque no poseen el entendimiento necesario para reconocer el mal comportamiento y corregirlo. Sin embargo, un suave golpe en la mano o en las nalgas puede hacerles cambiar rápidamente su comportamiento inaceptable; pero eso no se puede considerar como un castigo corporal.

El padre y la madre deben tener a su hijo tan bien controlado a la edad de los ocho o nueve años, que el castigo corporal ya no sea necesario después de esa edad.

Algunos padres prefieren usar las manos para administrar una tunda, pero otros prefieren una regla, una varilla o una correa. La mano puede ser suficiente en el caso de un niño pequeño, y el padre puede graduar la intensidad del castigo. Sin embargo, sería difícil enseñarle a un niño crecido de nueve años de edad una lección necesaria dándole una sola palmada. Es mejor tener en la casa un instrumento definido para usarlo con ese propósito. El hecho de ir el padre o la madre al lugar donde guarda el instrumento de castigo le ayudará a recobrar la calma. Nunca castigue a un niño con un palo astillado ni con un objeto que contenga metal.

Hay una región acolchonada de la anatomía del niño que se presta para recibir un castigo corporal. Como no hay vasos sanguíneos importantes en la superficie de las nalgas, las posibilidades de maltratar al niño son mínimas, si se aplica un castigo mesurado en esa región. Las piernas se prestan también para esta clase de castigo. Cuando tenga que castigar al niño en la mano, no lo golpee en los nudillos, porque podría lastimarle los vasos sanguíneos. Nunca golpee al niño en la cara ni en la cabeza, porque podría producirle un daño permanente en el cerebro o en los oídos.

Para administrar un castigo corporal, coloque el cuerpo del niño sobre sus piernas, en una silla o en la cama. Evite mantener al niño tomado de un brazo mientras lo castiga. La espalda necesita apoyo. **Enséñele bien temprano a aceptar el castigo cuando lo merece. No le permita escapar corriendo, de modo que usted tenga que perseguirlo para castigarlo.**

El Dr. Dobson piensa que el padre o la madre deben tener a su hijo tan bien controlado a la edad de los ocho o nueve años, que el castigo corporal deba dársele sólo en contadas ocasiones después de pasada esa edad. Este debe ser el blanco de los padres consecuentes: procurar que el niño sea capaz de controlar su comportamiento a la edad de ocho o nueve años para que no haya necesidad de amenazarlo con el castigo. Use el castigo físico sólo ocasionalmente entre los nueve u doce años.

Cuando tenga que administrarle una buena zurra, hágalo de tal manera que no dañe la dignidad personal de su hijo. **No lo castigue en presencia de otras personas. Los hermanos del niño castigado pueden mirar desde cierta distancia. El castigo en público hace que el niño albergue sentimientos de amargura y que pierda el respeto de sí mismo.**

Hay padres que castigan corporalmente muy a menudo. Si usted es uno de ellos, tal vez le conviene reevaluar todo su sistema de disciplina. Sin embargo, si se da cuenta que los castigos leves no resultan efectivos, debiera aplicar un castigo que permita que el niño entre en razón, pero debe administrarlo con amor. A veces una sola corrección de esta naturaleza puede ser suficiente para toda la vida.

Recuerde que rara vez es necesario pegarle al niño para enseñarle una lección. Cuando se trata de menores, el dolor produce efectos duraderos. Antes de aplicar un castigo corporal, asegúrese que el niño entiende claramente por qué lo castiga. Debe conocer las reglas que ha violado y saber que el castigo es el resultado de su desobediencia.

Cuando se han secado las lágrimas, el niño suele pedir que lo tomen en los brazos. Ese es el momento oportuno para tener con él una conversación de corazón a corazón. Le puede decir cuánto lo ama, lo que él significa para usted, cuánto lo ama Dios, y cuánto le duele a Dios ver que uno de sus hijos pequeños desobedece sus mandamientos. También le puede explicar lo que debe hacer para evitar meterse en dificultades. Esta clase de comunicación no se puede realizar con tanta eficacia cuando se utilizan otros métodos, como pedirle al niño que se vaya al cuarto o que se pare en una esquina, porque esos castigos tienen la tendencia de hacer germinar la hostilidad y el resentimiento, sin disipar los sentimientos negativos ni permitir el acceso al amor y a la seguridad una vez pasado el castigo.

Cuando los padres logran identificar al niño difícil tempranamente, le pueden proporcionar una cantidad mayor de ayuda, más paciencia y el ánimo que tanto necesita.

El niño difícil

¡La culpabilidad se encuentra en todas partes! Los padres se culpan a sí mismos por la conducta desviada de su hijo. Arlene Skolnick, en la revista *Psychology Today* (Psicología para hoy), se refiere a esta actitud impropia de esta manera: "La mayoría de los consejeros sobre el cuidado infantil aseguran que si los padres aplican las prescripciones apropiadas, el niño se desarrollará como los padres quieren. Este sistema implica una fe inquebrantable, no sólo en el perfeccionamiento de los niños y los padres, sino en la infalibilidad de la técnica aplicada a la crianza de los hijos".

He aprendido por experiencia que criar niños es más que el entrenamiento parental y el uso de los métodos apropiados. Invertí doce años de investigación personal en descubrir la dimensión que hacía falta. Cuán fácil es juzgar a la ligera a los padres cuando sabemos que tienen problemas con los hijos. Pero ¿qué sucede con la teoría cuando otros hijos de la misma familia se desarrollan como personas responsables y maduras?

Los investigadores nos dicen ahora que el temperamento individual del niño determina en gran medida la reacción que tendrá ante la vida. Las diferencias temperamentales que aparecen en la infancia son buenos indicadores del temperamento que el niño tendrá en los años futuros.

La doctora Carol Tomlinson-Keasey, en su libro *Child's Eye View* (Como el niño lo ve), identifica el ingrediente desconocido que yo no había podido encontrar. En él describe a la Maravillosa Margarita y a Darren el Difícil. Su punto de vista se basa en el trabajo de Thomas y Chess, quienes hicieron un experimento con 500 niños e identificaron tres patrones comunes de temperamento. La Maravillosa Margarita representa a la "niña contenta y fácil" que se adapta a todas las situaciones con facilidad y rapidez. Apenas se acuesta se queda profundamente dormida, sin molestar en toda la noche y rara vez llora para que satisfagan sus caprichos. Está dispuesta a sonreír, a granjearse el cariño, se lo pasa riendo y casi nunca escupe. Come cuando la madre tiene tiempo y energía para darle la comida, y nunca exige nada. Lamentablemente mi esposo y yo no tuvimos un hijo con este temperamento. Pero afortunadamente el 40 por ciento de los niños en el mundo encajan en este patrón.

En el extremo opuesto están los que tienen problemas con Darren el Difícil, que rehusa aceptar nuevas situaciones, que es irregular en su estilo de vida y se adapta lentamente a los cambios. Los hijos que siguen el modelo de Darren pueden categorizarse como personas de temperamento negativo y sensitivo. En otras palabras, son niños difíciles. Cerca de uno de cada diez niños puede ser considerado un Darren el Difícil.

La tercera categoría se refiere a los niños que se adaptan a la vida más despacio que Margarita, pero con más rapidez que Darren. Estos niños pueden representarse por el símbolo de Esteban el Despacioso. El niño de esta categoría afronta sus primeras experien-

cias con una fuerte reacción negativa, pero no tan intensa como Darren. Se retira fácilmente de las nuevas situaciones, pero se adapta a ellas con el correr del tiempo. Los padres no deben presionar a tal niño, sino más bien deben animarlo y tratarlo con mucha paciencia.

Thomas y Chess llevaron a cabo un experimento para descubrir si el temperamento manifestado en la infancia se podía usar como indicador del temperamento de la persona en la adultez. La Maravillosa Margarita o Darren el Difícil, ¿serán todavía maravillosos o difíciles diez o quince años después? Al examinar a 500 menores en un período de varios meses a diez años o más, Thomas y Chess llegaron a probar que el niño difícil tiende a seguir siendo difícil años después.

Cuando los padres logran identificar al niño difícil tempranamente, le pueden proporcionar una cantidad mayor de ayuda, más paciencia y el ánimo que tanto necesita. La doctora Keasey condena la futilidad de echarle la culpa a los padres porque el niño no quiere dormir durante la noche o grita cuando se queda con la niñera. Frecuentemente los padres de la Maravillosa Margarita no pueden entender a sus amigos que batallan con un Darren el Difícil. Razonan con mucha soltura: "Si siguieran las normas de la paternidad, su hijo no se comportaría de esa manera". Los padres de los niños de ambas categorías deben entender que será más difícil controlar a un Darren a pesar de la competencia de los padres y los métodos que usen.

Si usted batalla diariamente con un Darren, ¿cómo podría hacer un buen trabajo? Primero, tiene que reconocer que su hijo no está tratando deliberadamente de destruir su vida. Segundo, acepte que usted no es el causante de las dificultades del niño. Tercero, deje de comparar a Darren con Margarita. Luego comience a introducir cambios en la vida del niño tan suave y gradualmente como le sea posible. Su hijo necesitará poco a poco más amor y atención que otros niños. Procure dárselos. Atiéndalo de la misma manera en que atendería a un adulto difícil. Mantenga el tocadiscos más bajo, alimente al niño más a menudo si es necesario, guarde la calma cuando se pone irritable y diviértase con él cuando está de buen humor. Otra sugerencia: invierta en una mecedora. No menosprecie el efecto tranquilizador que una canción de cuna tendrá sobre Darren.

Si usted es el padre o la madre de Darren, debe liberarse de la pesada tarea de vez en cuando. Déjelo con la niñera por lo menos una vez a la semana mientras se dedica a alguna actividad creadora. Si usted es el padre o la madre de la Maravillosa Margarita, no tiene que prestar mayor atención a estas sugerencias; sin embargo éstas pueden resultar beneficiosas para Esteban el Despacioso.

PRECAUCION: Aunque el niño difícil desafíe su paciencia, ponga a prueba sus habilidades, ponga en tela de juicio sus conocimientos, y agote sus recursos creadores, no lo abandone. No se eche la culpa por los problemas del niño. Haga todo lo posible por aprender a criar a un niño tal, y luego apóyese en un Poder superior para recibir la fuerza y el valor necesarios para hacerle frente al próximo problema que se presentará.

La palabra clave aquí es obediencia

Lo ideal sería que el niño obedeciera inmediatamente, sin hacer preguntas, y si fuera necesario, sin tener que darle explicaciones. Si usted es un ciudadano respetuoso de las leyes del país, las obedecerá porque fueron puestas para ser cumplidas, y no para ser discutidas ni criticadas. De la misma manera, el niño que no responde inmediatamente, en realidad no está obedeciendo.

El niño aprende con rapidez cuántas veces repite el maestro un pedido antes de que el alumno obedezca, de modo que espera que lo vuelva a repetir hasta la última vez. Del mismo modo, aprende a obedecer la primera vez que el maestro ordena algo, si sabe que la orden no será repetida.

La obediencia ha de llevarse a cabo en seguida y sin argumento alguno. **No se debe permitir que el niño obedezca cuando esté listo o cuando le dé la gana.** Si el factor tiempo no es importante, por ejemplo si se trata de recoger un juguete, de decir "por favor" o "gracias", sería conveniente hacer el pedido en un momento determinado y darle la oportunidad al niño para que aprenda a obedecer. Los niños son inexpertos. A menudo no logran comprender la necesidad de hacer las cosas en el momento cuando se les ordena que las hagan. No alcanzan a establecer la relación entre causa y efecto. Trabaje con su hijo sabia, paciente y cariñosamente si el factor tiempo no tiene importancia en ese momento. Sin embargo, hay algunos pedidos de obediencia que el niño debe cumplir de inmediato; por ejemplo, cuando está por ocurrir un accidente, cuando usted tiene compromisos que cumplir, y otras situaciones.

Nunca permita que el niño discuta si una regla es "justa" o "razonable". **Si debe suspender una regla por ser injusta o irrazonable, hágalo después de analizar el asunto con la familia.** Cuando le da la razón al hijo que pone en tela de juicio la validez de una regla, seguirá usando los argumentos que consiguieron lo que deseaba. Tampoco caiga en la trampa de hacer una excepción tras otra. Manténgase serena, calmada y segura. Diga claramente al niño: "Eso es lo que debes hacer". Tome la actitud firme de que el niño deberá obedecer la regla aunque le lleve todo el día. El niño no seguirá protestando si comprende que usted no cederá y no hará excepciones.

Muchos padres siguen la línea de menor resistencia: toleran cualquier cosa con tal de evitar un espectáculo. "Está bien, te lo permito esta vez, pero es lo primero que tienes que hacer cuando lleguemos a casa". Por lo general no exigimos demasiado de nuestros hijos. Necesitamos apretar las clavijas, disciplinar e insistir en una mejor actuación. Aprenda a decirle al niño una cosa sólo una vez, y después de eso castíguelo en forma justa y adecuada si no obedece. Si su hijo se ha acostumbrado a lloriquear por cualquier cosa, sorpréndalo al limitar su pedido al principio de "sólo una vez".

Una advertencia provechosa: evite disci-

Cuando se le da la razón al hijo que pone en tela de juicio la validez de una regla, seguirá usando los argumentos que consiguieron lo que deseaba.

plinar al niño en aquellos asuntos que usted no puede hacer cumplir. Por esta razón es imprudente pedirle al niño: "Deja de llorar", "Anda al baño", "Duérmete". Al aprender a enseñarle al niño correctamente, seleccione con cuidado las primeras lecciones. Escoja temas que domina, aunque sea sólo porque usted es más grande. Cuando el niño acepta que sus lecciones son incontestables, evite los temas que podrían revelar su debilidad. Si en cierto punto pierde el control y le grita al niño: "¡Deja de llorar ahora mismo!", muérdase la lengua y cambie el tema. No ganará nada con insistir en una causa perdida.

Recuerde también que aun el estudiante más brillante puede aprender sólo unas pocas cosas nuevas a la vez. Un exceso de disciplina o de aprendizaje produce sólo confusión y fracaso, y hasta podría resultar en desinterés por el aprendizaje. Enséñele al niño unas cuatro o cinco cosas a la vez y continúe enseñándole hasta que las domine. Haga una pausa, luego deje que el niño disfrute de su éxito antes de seguir con otra lección de disciplina.

Los padres deben actuar con determinación al enseñar la obediencia, porque el niño no siempre está en armonía con las decisiones paternales. Pero los padres no pueden hacer una encuesta semanal para saber si están haciendo bien o mal ante la vista de sus hijos. No se están postulando a un puesto. Ya tienen un cargo y su obligación es cumplir ese cargo.

Por otra parte, debemos perdonar con cariño cuando el niño confiesa su desobediencia. Los piececitos fácilmente se pueden extraviar. Las lengüitas se pueden apartar de la verdad. Las manitas pueden encontrar muchas cosas que hacer. No olvidemos que al requerir obediencia, los padres amorosos al mismo tiempo enseñan misericordia y bondad.

La disciplina es un proyecto que dura casi veinte años. Los padres hacen su parte junto con la iglesia, la escuela, y la sociedad en general. Durante esos veinte años, los padres van aflojando lentamente el control, mientras el hijo va desarrollando sus fuerzas y recursos interiores. Finalmente, se hace plenamente responsable de sus acciones y entra en la sociedad como adulto maduro y responsable, capaz de realizar sus sueños sin entrar en desvíos interminables y callejones sin salida, para tratar de satisfacer impulsos de corta duración.

La formación del carácter de sus hijos

Existe una relación íntima entre el desarrollo del carácter del niño y sus actitudes personales. Cuando se le dice repetidamente que es "malo" o "bueno", esta actitud influirá grandemente en su carácter.

5

Durante los tempranos años de la vida, el desarrollo del carácter se muestra más rápido.

sumen del Capítulo

EL CARÁCTER: este vocablo evoca una miríada de matices y diversos significados. La *personalidad:* esta palabra denota otra compleja dimensión del ser humano. Pero, ¿sabemos lo que significan realmente?

Cuando decimos que un niño tiene una personalidad agradable, tal vez nos referimos a su actitud placentera, a que es atractivo, simpático y de buen corazón. Las cualidades positivas ganan nuestro cariño; pero hay que tener en cuenta que el carácter no se refiere únicamente a las cosas externas. La personalidad agradable se refiere sólo al comportamiento exterior, pero el carácter se basa en la excelencia moral. Se relaciona con la honradez, el dominio de sí mismo, la consideración hacia los demás, la lealtad religiosa, los ideales altruistas, la conciencia y la habilidad para inhibir los impulsos negativos. La palabra *carácter* proviene de un vocablo griego que significa "grabar". Es, por lo tanto, la marca característica del estilo de vida de una persona.

El recién nacido no posee carácter alguno. Sin embargo, tiene el potencial o los materiales básicos para desarrollar su carácter desde el nacimiento mismo. Los atributos que forman el carácter han de desarrollarse durante esta etapa de su vida.

Las actitudes y las características que contribuyen a la formación del carácter del niño han de ser aprendidas. Por lo tanto, todo lo que sabemos acerca del proceso de aprendizaje debiera aplicarse en el desarrollo del carácter. De esta manera la responsabilidad del desarrollo del carácter descansa mayormente en los hombros de los padres. Excusas tales como los "malos genes", no tienen fundamento alguno. Cuando el carácter del niño es defectuoso, los padres tienen la culpa, o tal vez se deba al ambiente donde haya crecido el niño.

Como los resultados de la formación del carácter no se muestran inmediatamente (muchos padres consideran los resultados únicamente si los niños obedecen o no), con frecuencia los progenitores descuidan (o actúan en forma inconsciente o arbitraria) la formación del carácter de sus hijos, sin tomar en cuenta el valor a largo plazo y no el alcance inmediato de los resultados que debieran tomarse en consideración.

Durante los tempranos años de vida, el desarrollo del carácter se muestra más rápido y más inherentemente susceptible a la conducción. Horacio Bushnell hace la siguiente amonestación: "Que cada padre y madre cristianos se den cuenta que cuando su hijo alcanza los primeros años de vida, ya han realizado más de la mitad de todo lo que pudieran hacer por su carácter". Los estudios indican que los primeros cinco o seis años representan la etapa de formación más importante en la vida del niño. Hay algunos padres, sin embargo, que interpretan esta declaración como si se tratara de un medio para forzar el desarrollo intelectual del niño.

Los padres que desean que sus hijos se destaquen entre los demás niños con beneficio personal, procuran estimular el cerebro del niño en diversas maneras. Tal vez intenten enseñarle a leer antes de cumplir los dos años, a escribir a máquina a los tres años y a hablar una lengua extranjera a los cuatro. El estímulo relacionado con los intereses particulares puede ser plausible, pero cuando se lleva un ritmo acelerado, tal ejecución forzada puede ocasionar frustración en vez de lle-

gar a ser un desarrollo genuino en el aprendizaje. Los padres pueden tener la seguridad de que los comienzos del desarrollo del carácter se encuentran en acción en sus hijos pequeños, y que numerosas influencias están haciendo su obra. Hay madres que caen en la trampa de pensar: "Mi hijito no me necesita durante esta etapa de su vida, porque es muy pequeño. Ni siquiera distingue entre otras personas y yo". Sin embargo, las criaturas absorben los estímulos ambientales.

La atmósfera del hogar es de suma importancia en el desarrollo del carácter del niño. Si los padres no se respetan entre sí, si se lo pasan peleando o son celosos y desconfiados, si pelean también con sus hijos, los hijos sufrirán distorsiones en el desarrollo, no importa cuán cuidadosamente procuren esconder sus problemas.

El ingrediente principal para el desarrollo del carácter del niño consiste, por lo tanto, en la forma como los padres se tratan mutuamente: con amor, respeto y consideración. Tal como un espejo, el niño reflejará los mismos rasgos de carácter a los cuales ha sido expuesto.

El respeto de sí mismo y el desarrollo del carácter

Existe una relación íntima entre el desarrollo del carácter del niño y sus actitudes personales. Cuando se le dice repetidamente que es "malo" o "bueno", esta actitud influirá grandemente en su carácter. Las amonestaciones positivas o negativas que haya escuchado el niño, comienzan a influir en la formulación de los ideales y las aspiraciones que más tarde le servirán de guía para su vida. De esta manera, todas las indicaciones de las normas de comportamiento del niño son alimentadas a través del refuerzo positivo que logre dársele. Solamente los cómicos y los payasos son capaces de sacar ventaja de las pérdidas.

Puede ser que el niño tenga muchas características admirables, pero si carece de respeto de sí mismo, tendrá poco interés para manifestar sus cualidades admirables, o

Enseñando responsabilidad

Marque su respuesta a las declaraciones que siguen trazando un circulo alrededor del número que, según la escala, describa mejor su trato actual con su hijo.

1. Todo el tiempo   2. Casi siempre   3. A veces   4. Infrecuentemente   5. Nunca

1 2 3 4 5   1. Doy a mi hijo responsabilidades adecuadas que están a su alcance, para demostrarle que confío en él.

1 2 3 4 5   2. Le concedo a mi hijo el privilegio de elegir en asuntos apropiados a su edad, cuando es posible.

1 2 3 4 5   3. Felicito a mi hijo por el trabajo bien hecho.

1 2 3 4 5   4. Estimulo el amor propio de mi hijo dándole responsabilidades especiales.

1 2 3 4 5   5. Dejo que mi hijo me ayude a hacer ciertas cosas.

1 2 3 4 5   6. No empujo a mi hijo más allá de su capacidad.

1 2 3 4 5   7. He revisado fielmente las tareas hogareñas encomendadas a mi hijo.

1 2 3 4 5   8. A veces ayudo a mi hijo a terminar algún trabajo.

1 2 3 4 5   9. Tengo una actitud positiva hacia el trabajo, con lo que ayudo a mi hijo a tener la misma actitud.

1 2 3 4 5   10. He aprovechado toda ocasión posible para enseñarle responsabilidad.

1 2 3 4 5   11. He procurado enseñarle hábitos de laboriosidad haciendo que el trabajo le resulte entretenido.

1 2 3 4 5   12. A veces trabajo con mi hijo para animarlo.

1 2 3 4 5   13. Si mi hijo se aburre con un trabajo, le pido que haga otro.

1 2 3 4 5   14. Le he inculcado a mi hijo que el trabajo es noble y que es una parte importante en el desarrollo de una mente y un cuerpo sanos.

Analice sus respuestas con su cónyuge, un amigo u otro adulto.

Los padres deben enseñar al niño a amarlos, para que a su debido tiempo puedan amar a otros. Se les debe enseñar gradualmente que la transgresión de las reglas perjudica a otras personas.

tal vez las muestre en forma esporádica. Es, por lo tanto, el respeto de sí mismo el factor determinante en el desarrollo del carácter. Aunque la suma total de los principios morales de una persona es la que determina las cualidades del carácter y la conducta que el niño posee, el respeto de sí mismo le da constancia al comportamiento.

Dos cosas son esenciales en el desarrollo del carácter: (1) las cualidades admirables que formulan el carácter y (2) el sentido vigoroso del respeto de sí mismo, que le ayudará a la persona a ejercer control sobre su conducta.

Cómo enseñar al niño a distinguir lo bueno de lo malo

Ningún recién nacido tiene la habilidad de escoger entre el bien y el mal, y ningún niño desarrollará dicha habilidad por cuenta propia. Por eso, estas normas se deben enseñar a través de un proceso largo y lento que se extiende hasta la adolescencia.

Como el niño es incapaz de controlar completamente su conducta, los padres deben controlar su comportamiento mediante diversas restricciones. Tales restricciones son impuestas primeramente por la familia y después por la escuela, la iglesia y la sociedad. La primera cosa que debe ser considerada en el desarrollo del carácter es, desde luego, conocer lo que la familia espera de cada miembro.

Los padres deben enseñar al niño a amarlos, para que a su debido tiempo puedan amar a otros. Se les debe enseñar gradualmente que la transgresión de las reglas perjudica a otras personas. El niño aprenderá estos principios por medio de las normas y reglas que se hayan establecido en el círculo familiar. El niño pequeño, por ejemplo, aprenderá a no apropiarse de lo ajeno. Si el padre o la madre lo castigan a tiempo, le irán enseñando gradualmente a conformarse con las normas establecidas en la familia.

Los padres, desde luego, no deben esperar que sus hijos pongan en práctica estas reglas de la misma manera que lo hacen los mayores, pero cuando el niño llega a la edad escolar, ya debiera haber aprendido a obedecer los principios de sobrevivencia general para ser capaz de acatar las normas escolares. El niño debe también saber cómo trabajar y jugar en forma cooperativa con sus compañeros de estudios. Antes que el menor abandone su niñez, ya debiera haber desarrollado sus controles internos que le ayuden a realizar decisiones adecuadas. Mientras el niño crece, los padres deben aflojar gradualmente los controles externos para que el niño pueda dirigirse por medio de sus controles internos. Cuando el joven llega a la adolescencia, debiera ser capaz de controlar la mayor parte de su conducta. Cuando alcance su madurez legal, la transición ya debiera ser completa.

Cómo se desarrolla la conciencia

Ningún niño posee una conciencia en el

momento de su nacimiento. Y de la misma manera como un niño no puede desarrollar el carácter por su propia cuenta, tampoco puede desarrollar una conciencia tierna por sí mismo.

¿Qué papel desempeñan los padres en la aparición de la conciencia del niño y cómo se realiza este desarrollo? Primeramente se le ha enseñado al niño a amar a sus padres y al prójimo. Después se le ha enseñado gradualmente que si transgrede las leyes de la sociedad, podría perjudicar a otros. Cuando el niño aprende a amar y a respetar los derechos y los privilegios de los demás, experimentará culpabilidad cuando perjudica a otros. Tales sentimientos señalan el comienzo de una conciencia sensible. El niño aprende que ciertas acciones no son aceptadas, porque si las comete seguramente vendrá el castigo. La ansiedad viene después del castigo. Y para reducir la ansiedad el niño aprende a no repetir el mismo comportamiento.

Cuando la conciencia ya se ha formado, puede usarse como guía para el comportamiento. Si la conducta de un niño no alcanza la norma establecida, éste se sentirá culpable o tal vez avergonzado. **La culpabilidad es un sentimiento negativo que se experimenta cuando la persona no vive en armonía con las normas enseñadas anteriormente.** Cuando el niño se siente culpable, se da cuenta que su comportamiento se halla por debajo de la norma que se ha establecido para él.

Antes de que el niño experimente un sentimiento de culpabilidad, sin embargo, debe relacionarse con ciertas normas que establezcan una diferencia entre lo bueno y lo malo. El niño debe manifestar también el deseo de acatar estas normas y ser responsable de sus acciones si no las alcanza. También debe tener la habilidad de reconocer cuando no ha alcanzado las normas.

Durante este proceso es importante que los padres no enseñen a sus hijos a temer sólo al castigo que su mal comportamiento les traerá. Dichos temores neutralizan su habilidad para apreciar las consecuencias que tales acciones tienen sobre otras personas. Los padres firmes y cariñosos dedican tiempo a enseñar a sus hijos acerca de los resultados de su comportamiento, y son estos padres los que crían hijos con caracteres robustos y maduros.

Cómo se desarrolla el dominio de sí mismo

Por lo general, el mal comportamiento y el castigo ocurren primeramente en presencia de los padres. De esta manera el niño aprende a no repetir el mismo comportamiento objetable cuando sus padres están presentes. Pero, ¿qué debiera hacerse cuando el niño se porta mal cuando sus padres están ausentes? Consideremos por ejemplo, cuando el niño dice malas palabras. En casa, los padres lo castigan cuando dice malas palabras. Pero en el patio de la escuela, cuando no están sus padres ni hay adultos presentes, el niño aprende que no se le castigará y que tal vez su comportamiento llegará a cautivar la atención de sus compañeros de juego. El niño, entonces, aprende que no debe temer cuando usa tal lenguaje, excepto cuando sus padres se encuentran presentes.

Desde luego, la conciencia de este niño no se ha desarrollado completamente. No queremos que nuestros hijos adquieran buenos hábitos sólo por temor al castigo. El temor y la ansiedad no son suficientes. Queremos que el niño desarrolle controles internos para que cuando sus padres no estén presentes y aun cuando el castigo no constituya el resultado final, pueda seleccionar su propio curso de acción.

Como es completamente imposible castigar al niño cuando el padre no está presente, ¿cuál sería, entonces, la solución? Frecuentemente se descubre la mala conducta del niño después de ocurrida la acción, ya sea que se lo comunique el maestro o que encuentre objetos rotos o algunas otras huellas de culpabilidad. En este momento, cualquier medida punitiva que usted imponga, llegará a ser un "castigo retardado". Sin embargo, cuanto más se demore, mayor será la posibilidad de que el niño no recuerde ni

¿Está usted enseñando a su hijo a ser odioso?

En el ejercicio que sigue, emplee la escala para marcar el puntaje que le corresponda, si es que está reforzando un comportamiento odioso en su hijo.

1. Definidamente si	2. Probablemente si	3. No estoy seguro
4. Probablemente no	5. Definidamente no	

1 2 3 4 5   1. Su hijo llora porque quiere una galletita antes de la hora de comer. Cuando usted no soporta el llanto, le dice: "Está bien, pero solamente esta vez".

1 2 3 4 5   2. Su hijo ofrece espontáneamente ayudar a lavar la loza después de la cena. Usted le dice: "Te lo agradezco, pero esta noche estoy muy apurada y yo puedo hacerlo más rápido".

1 2 3 4 5   3. Usted está de compras con su hijo. El se queda atrás, de modo que usted le pide que se ponga a su lado, a veces lo lleva en brazos y otras lo atrae ofreciéndole cosas o amenazándolo.

1 2 3 4 5   4. Su hija se demora mientras se prepara para la escuela. Usted le ha pedido que se apresure para no perder el ómnibus escolar. Pero cuando lo pierde, usted misma la lleva a la escuela.

1 2 3 4 5   5. Su hijo llora cuando lo acuesta. En una ocasión en que sus amigos están de visita, usted se avergüenza cuando el niño grita más fuerte. No pudiendo soportar el llanto, lo levanta y le permite que siga jugando.

1 2 3 4 5   6. Su hija ha formado el hábito de contestarle en forma insolente. Usted la amonesta continuamente diciéndole: "¡No me contestes en esa forma!" Pero ella sigue haciéndolo.

1 2 3 4 5   7. Su hijo viene cuando lo llama solamente después de haberlo amenazado, de haberse enojado y de haberle gritado.

Busque en la pág ina 240 las instrucciones para calcular su puntaje.

entienda por qué se lo está castigando.

La capacidad de controlar sus propias acciones, permitirá que el niño seleccione cuidadosamente lo que desea hacer. Una enorme cantidad de decisiones racionales e irracionales rodearán al niño, pero si éste ha sido educado para que sea capaz de controlar sus impulsos íntimos, no se inclinará hacia sus intereses personales. No actuará impulsivamente, sino que deliberada y sabiamente escogerá lo que es mejor.

Como padres y educadores, no debemos esperar demasiado de nuestros hijos, ni tampoco que actúen con rapidez. Una acción insensata del niño no lo califica como criminal. Sin embargo, a menos que el niño desarrolle su propio control, a menudo seguirá imitando el control de los demás. Como un niño tal carece de habilidad para hacer decisiones por cuenta propia, sus selecciones llegarán a ser casi impulsivas o dependerán de la influencia que sus compañeros ejerzan sobre él, lo que constituye una fuente indigna de confianza.

Las reglas: ¿saben los niños que existen?

Se requiere cierto tiempo para que el niño adquiera la capacidad necesaria para aprender y comprender los principios que diferencian lo bueno de lo malo. Por lo tanto, el padre debe esperar hasta que el niño haya desarrollado la capacidad mental para aplicar los principios aprendidos de una situación particular a otras situaciones. Cualquier intento que se haga para forzar tal aprendizaje en una edad temprana, llegará a ser completamente infructuoso. El niño aprende primeramente a relacionar cierta norma específica con una situación particular. **Cuando su habilidad de comprensión realza la capacidad de distinguir entre lo bueno y lo malo en diferentes situaciones relacionadas entre sí, aprenderá a aplicar los principios aprendidos a una variedad de situaciones.** Pero esto no sucede con el niño que no asiste todavía a la escuela. **Para el menor, el buen comportamiento consiste en obedecerle a su madre,** **ayudar a otros y acudir prestamente cuando se lo llama.** El mal comportamiento consiste en no hacer estas cosas.

De acuerdo con el distinguido educador suizo, Piaget, pionero en los estudios acerca del establecimiento del aprendizaje moral en el niño, se estima que los niños de dos a cinco años de edad juegan con las canicas sin conocer las reglas. Los niños de esta edad no procuran ganar. Sin embargo, se divierten tirando las bolitas de un lugar a otro, aunque jueguen solos. Cuando llegan a los cinco años, sin embargo, comienzan a darse cuenta de las reglas al observar e imitar a los muchachos mayores. Aunque comienzan a conocer las reglas del juego, no saben cómo participar en el juego cooperativamente siguiendo esas reglas y los principios establecidos.

Entre los años cinco al diez se desarrollan en el niño ciertas actitudes y normas de comportamiento con relación a los juegos. Los niños llegan a ser conscientes de las reglas. Sus inquietudes son diversas, y es por eso que se preguntan: "¿Juega siempre la gente de esa manera?" "¿Por qué?" "¿Puede el juego realizarse de otro modo?"

A los diez años, a menudo comienzan los niños a inventar sus propias reglas de juego. ¿Por qué existe una gran diferencia en el juego entre los niños de siete y doce años? Los menores acatan las reglas como algo sagrado e intocable. Creen que las reglas vienen en forma inalterable de parte de sus padres, las autoridades y Dios mismo. Como las reglas duran para siempre, éstas no han de ser investigadas ni cambiadas. Quebrantar una regla sería inconcebible e injusto para el juego, y esto representaría algo digno de reproche bajo cualquier punto de vista. Piensan sólo en las cosas absolutas e ignoran las intenciones.

Mientras los niños van madurando, su manera de pensar comienza a cambiar. En adelante ya no consideran las reglas como cosas sagradas e inalterables. Si los jugadores están de acuerdo, las reglas pueden ser cambiadas. Ya no juzgan el bien y el mal de acuerdo con la autoridad absoluta; ahora consideran que obrar correctamente es proceder de acuerdo con lo que su grupo espera. Los niños en esta etapa ven la ley como algo que proviene, no tanto de los padres y de Dios, sino de parte de los integrantes del grupo al que pertenecen, que están dispuestos a ponerla en práctica.

¿Cómo afectarán estas perspectivas cambiables el carácter en desarrollo del niño? Todo padre normal se alterará cuando su hijo rompe accidentalmente un costoso florero, pero no se molestará mucho si se trata de un vaso insignificante. En la mayoría de los casos, cuanto más costoso sea el objeto perdido o dañado, tanto mayor será el castigo. De esta manera, el niño llega a la conclusión de que es el resultado de la acción lo que diferencia lo bueno de lo malo y no la intención.

Cuando el niño pasa de los siete años, sin embargo, puede diferenciar entre una mentira deliberada o un error cometido. El menor considera toda declaración falsa como una mentira, ya sea ésta intencional o involuntaria. Para el niño de cinco años, robar es siempre una cosa mala. Pero cuando llega a los ocho o nueve años, comienza a racionalizar las cosas hasta cierto grado. Puede concluir, por ejemplo, que mentir es algo malo, en vez de pensar que "es incorrecto decir mentiras a su mamá". Después que pasa los diez años, el niño es capaz de considerar la intención con que se realiza una acción. Comienza luego a considerar que un muchacho con hambre que se roba una manzana comete una ofensa menos condenable que si roba sólo por robar. Un niño de esta edad puede tomar en consideración las diversas circunstancias que influyeron en tal acción. Ahora, el niño está en condición de considerar los problemas desde otro punto de vista y de usar diversas opciones para tratar de resolverlos.

La habilidad limitada del niño para razonar de esta manera, se puso de manifiesto el verano pasado cuando estuve visitando a mi hermana. Una tarde me quedé completamente perpleja cuando Cyndy, la amiga de

nuestro hijo Rodney, condujo un experimento tomando a mi sobrinito Brent como conejo de laboratorio. Cyndy colocó frente a este muchachito despierto de ocho años de edad dos frascos idénticos, los cuales contenían exactamente la misma cantidad de agua. Mientras Brent observaba cautelosamente, vació Cyndy el contenido de uno de ellos en una bolsa plástica y luego lo echó en un frasco alto y estrecho. Con una sonrisa maliciosa Cyndy le pidió a Brent que mirara cuidadosamente mientras tomaba el segundo frasco y lo vaciaba en la bolsa plástica y después en un recipiente más extendido. Luego le pidió Cyndy al niño que señalara cuál recipiente tenía más agua. Y a pesar de que el niño se había dado cuenta de que ambos frascos contenían la misma cantidad de agua, señaló el más alto, porque parecía que tenía más agua.

Cyndy estaba conduciendo este experimento como parte de un proyecto para su maestría. Estaba procurando demostrar la teoría de Piaget según la cual los niños menores no pueden anticipar los resultados de su conducta. Sus mentes simplemente no son capaces de razonar y no tienen la habilidad para establecer juicios. Los niños que cursan los primeros grados elementales establecen sus conclusiones relacionadas con el experimento del agua bajo la percepción de que el nivel del agua en el frasco alto y delgado es más elevado que el nivel del otro recipiente más extenso. El niño llega a esta conclusión aunque pueda ver claramente que se han puesto cantidades iguales en ambos frascos. El niño tiene la información adecuada, pero la percepción de la realidad lo insta a llegar a una conclusión equivocada.

Este es sólo un ejemplo de la habilidad limitada del niño para razonar de la causa al efecto. Por medio de la práctica y las equivocaciones (ensayo y error) es como el niño aprende a distinguir entre lo bueno y lo malo. **Mientras pasan los años, y el niño va madurando y adquiriendo experiencia en los resultados naturales de su comportamiento, va aprendiendo gradualmente a hacer decisiones**

apropiadas. Con frecuencia los padres se olvidan de este proceso gradual, que es un elemento esencial en la formación del carácter del niño. Piensan que como le han enseñado al niño una vez, éste va a recordarlo siempre.

La gente versus el carácter

Como ya se mencionó, los niños aprenden lo bueno y lo malo de parte de los padres, los hermanos y otros miembros de la familia. Cuando el niño crece, se van ampliando sus horizontes sociales a través de la gente del vecindario, la escuela, la iglesia y sus amistades. Ahora el niño reconoce que las normas establecidas dentro del círculo familiar no son obedecidas todo el tiempo por todo el mundo. Por ejemplo, en casa la madre puede elogiar al niño o recompensarlo cuando le lleve quejas de sus hermanitos, pero en el círculo social este comportamiento puede causarle un reproche inaceptable.

Cuanto más frecuentes sean las oportunidades que tiene el niño para relacionarse con el círculo social, tanto más influencia recibirá de parte de sus compañeros. **Cuando las normas del hogar entran en conflicto con las normas establecidas por sus compañeros, por lo general la presión de las amistades lleva siempre la delantera.** En la escuela, el comportamiento del niño es controlado por las normas de la escuela y el aula de clases. Si el niño no cumple los reglamentos, su desobediencia ocasionará desaprobación de parte de los maestros y recibirá el castigo, aunque tenga el consentimiento de sus compañeros de clase. Aunque el robo se considere un acto reprochable en el hogar, el copiarse en los exámenes puede llegar a considerarse como una cosa común y corriente que recibe la aprobación de todo el mundo.

A través de la interacción social, el niño va aprendiendo acerca de ciertas pautas de comportamiento normales a las cuales puede atenerse. De esta misma manera tiene la oportunidad de aprender acerca de la forma como los demás perciben su comportamiento. Si su comportamiento recibe aceptación favorable, se verá motivado a continuar con

El niño que es rechazado o apenas tolerado por parte de sus compañeros, no tendrá la oportunidad de llegar a aprender las normas establecidas por el grupo al cual quiere pertenecer.

la misma manera de comportarse. Si por ejemplo, su comportamiento recibe "vibraciones" negativas, lo más probable será que cambie sus métodos y acepte las normas que le ayuden a aumentar la popularidad entre sus compañeros. El niño que es rechazado o apenas tolerado por parte de sus compañeros, no tendrá la oportunidad de llegar a aprender las normas establecidas por el círculo del grupo al cual quiere pertenecer. El niño que es rechazado socialmente, puede llegar a tener la motivación de ser aceptado nuevamente en el grupo, pero sus intentos de volver a ingresar al círculo de compañeros pueden fracasar repetidas veces porque no entiende el código del comportamiento que tiene el grupo al cual quiere pertenecer. ¿Qué pueden los padres hacer en un caso tal?

Como la influencia del grupo afecta

La orientación adecuada tiene éxito cuando el niño logra asociar las reacciones placenteras con lo que es correcto y las reacciones desagradables con lo que es incorrecto.

grandemente el desarrollo del carácter del niño, es importante que el grupo con el cual está identificado el niño tenga normas elevadas como las que se mantienen en el hogar. Cuando el código moral del grupo está en conformidad con las normas establecidas en el hogar, la escuela y la iglesia, se está poniendo un fundamento sólido en el carácter del niño y se están elaborando ajustes sociales que redundarán en su futura personalidad. Pero si los miembros del grupo practican la cleptomanía o destruyen la propiedad ajena, el niño que acepte tales normas como su código moral llegará a ser un delincuente. Por lo tanto, la clase de amigos que el niño escoja será de más importancia que la cantidad de amigos que tenga.

Cómo establecer hábitos adecuados

Tomasito, niño de cuatro años, comienza a tener rabietas porque su madre no le compra un helado cuando él quiere. ¿Se habrá arruinado su carácter? Luisito dice una mentira cuando le preguntan dónde consiguió el guante de béisbol que tiene escondido en el clóset. ¿Se habrá arruinado su carácter? La malcriada de Elena contesta de mal modo cuando se le informa que no podrá salir con sus amigas. ¿Se le habrá arruinado su carácter? Ricardo trae quejas de su hermanito. ¿Se habrá arruinado su carácter?

Un incidente aislado no arruinará el carácter del niño. Claro está que tal comportamiento preocupa a los padres, pero ellos deben darse cuenta que es la repetición de una misma cosa lo que hace que se forme el hábito, lo cual afecta el carácter. Toda vez que se le permita al niño portarse mal, se establece un hábito que puede llegar a constituirse en un grave peligro en el desarrollo del carácter. **Pero cada vez que el niño repite una acción positiva, fortalece el desarrollo de su carácter.** Los pensamientos forman acciones. Las acciones forman hábitos. Los hábitos forman el carácter. Si se siembra un buen carácter se cosechará un buen destino.

¿Cómo podrán los padres ayudar al niño para que desarrolle pautas consecuentes de comportamiento en una dirección positiva? El capítulo sobre la disciplina trató acerca de la manera correcta como los padres deben tratar a un hijo que manifiesta un comportamiento desafiante; pero se presentan numerosas situaciones en las que el niño no desafía directamente la autoridad paterna, que los padres pueden utilizar para ayudar a sus hijos a desarrollar mejores hábitos. ¿Cómo pueden los padres hacer que sus hijos se laven los dientes con regularidad, hagan su cama y recojan la ropa que dejaron tirada? ¿Cómo pueden enseñarles responsabilidad en el manejo del dinero, en el desarrollo de buenos modales y en la práctica de la cortesía? ¿Qué pueden hacer en caso de lloriqueos, malos gestos, trabajos chapuceros y holgazanería?

La orientación adecuada tiene éxito cuando el niño logra asociar las reacciones placenteras con lo que es correcto y las reacciones desagradables con lo que es incorrecto. Por ejemplo, el niño aprenderá a repetir una acción cuando recibe recompensa. **Se ha llegado a comprobar claramente que la recompensa es un elemento determinante en el comportamiento del niño.**

Si la recompensa logra influir en el comportamiento del niño, mediante el recurso de controlar la recompensa, se puede orientar al niño para que forme mejores hábitos y tenga un comportamiento responsable. Hay padres, sin embargo, que reaccionan de esta manera: "En nuestra casa no se permitirá soborno de ninguna clase". El caso es que recompensamos y castigamos el comportamiento en nuestro hogar, ya sea que nos demos cuenta de ello o no. El niño recibe atención especial cuando está enfermo, o pretende estarlo para obtener mayor solicitud. El niño que consigue lo que quiere por medio de gritos y berrinches seguirá gritando más hasta que se satisfagan sus deseos.

Desgraciadamente, muchos adultos ignoran cuáles son las técnicas del refuerzo positivo, porque consideran la recompensa como soborno, sin darse cuenta que nuestra sociedad se halla en su totalidad establecida sobre este principio. Cuando se trabaja, se recibe el pago. Si se realiza un hecho de heroísmo, la sociedad recompensa al héroe con una medalla u otro premio por su valentía. Después de cincuenta años de trabajar en la misma compañía, el empleado espera recibir un reloj de oro. Las recompensas permiten que los esfuerzos personales sean valiosos, a pesar de que muchos padres ignoran los beneficios que éstas contribuyen a la formación del carácter de los niños.

La línea divisoria entre el soborno y el refuerzo positivo muchas veces es demasiado fina, pero puede distinguirse. **Cuando se le ofrecen al niño mayores y mejores recompensas después de haberse negado a hacer algo que usted le pidió, esto sí llega a ser reprochable, porque es un acto de soborno.** Si la madre le dice a su hija: "Ven acá, María", y ésta responde negativamente, no debe ofrecerle un chocolate si la niña finalmente obedece. Los padres no deben usar la recompensa cuando el niño desafía la autoridad paterna, porque con eso reforzará su actitud desafiante. No es soborno, sin embargo, hacer planes de antemano para recompensar el buen comportamiento, *si el niño no desafía la autoridad paterna*. Cuando se reconoce el poder de los incentivos y las recompensas, los padres pueden llegar a determinar mejor cuáles comportamientos llegarán a tener éxito y cuáles fracasarán.

La ley del refuerzo

El método más eficaz para controlar el comportamiento mantiene una relación estrecha con la ley del refuerzo. El comportamiento que logra resultados agradables volverá a repetirse. En otras palabras, si al niño le gusta lo que pasa como resultado de su comportamiento, se verá inclinado a repetir la misma acción. Si Linda se hace un nuevo estilo de peinado que causa gran revuelo entre sus compañeros, continuará peinándose de la misma manera. Si Carlos prueba un nuevo método en el juego de béisbol y consigue pegar un cuadrangular, continuará aplicando la misma técnica.

Lamentablemente hay muchas madres y

padres que inadvertidamente usan mal la ley del refuerzo, y como resultado crían hijos que se comportan mal y se tornan desagradables. Por ejemplo, una madre va de compras con su hijito Luis, se encuentra con una amiga y comienza a conversar con ella. Luisito le pide algo en voz baja, pero como la señora habla con su amiga, no le presta atención. Luisito se pone inquieto, se queja y grita, hasta que la señora no puede soportar más. Entonces la madre interrumpe la conversación para escuchar a su hijo. Al hacerlo, refuerza la actitud de queja y gritos.

Acudamos a un aula de clases donde se encuentran 48 niños en el primer grado. Hay dos maestras que se preparan para conducir la clase de lectura en pequeños grupos. En la parte posterior del cuarto se encuentran dos jóvenes universitarios, quienes durante seis días tomarán nota en forma silenciosa sobre la frecuencia con que estas maestras les dicen a los niños que se sienten en sus puestos, y cuántos niños se levantan cada diez segundos durante un período de 20 minutos.

En los primeros seis días, tres niños se hallan fuera de sus asientos cada diez segundos. Las maestras les piden que se sienten unas siete veces cada 20 minutos. Cuando se indicó a las maestras que pidieran más a menudo a los niños que se sentaran, la frecuencia aumentó de siete a 27 veces cada 20 minutos. Aunque parezca extraño, los niños se paran más. Ahora un promedio de cuatro chicos y medio se paran cada diez segundos. Este procedimiento se alternó varias veces. *Los niños se paraban más cuando las maestras les decían más a menudo que se sentaran.*

Finalmente se pidió a las maestras que no les dijeran más a los niños que se sentaran. En cambio se felicitaba al niño que estuviera sentado y trabajando. En este caso, menos de dos niños se paraban cada diez segundos. El hecho de pedírseles que se sentaran se había convertido en un refuerzo para hacerlos parar. Las maestras pensaron que pedir a los niños que se sentaran había surtido efecto, porque al fin se sentaron, *pero éste fue tan sólo el efecto inmediato.* Las maestras no captaron el efecto a largo plazo, hasta que lo pudieron comprobar por sus propios ojos.

Esta telaraña oculta enreda a veces también a los padres. Cuanto más critica, regaña y castiga el padre a su hijo, tanto peor se comporta. Debemos aprender cuál es el comportamiento que debemos recompensar y cuál es el que debemos ignorar.

Resultados del refuerzo bien aplicado

Una madre tenía problema con su hijo Patricio, de cuatro años de edad. Este niño se lo pasaba dando puntapiés a todo lo que encontraba, incluyendo a las personas, otras veces se quitaba la ropa y la rompía, contestaba con rudeza, molestaba a su hermanita, amenazaba a la gente, se golpeaba él mismo, se ponía de mal genio y exigía constante atención. Finalmente su madre lo llevó a una clínica, en donde se diagnosticó que era un niño hiperactivo y que tal vez tenía daño cerebral y falta de habilidad para expresarse verbalmente.

Se le asignó un especialista a Patricio para que observara su comportamiento en casa por una hora al día durante seis días. En una hora Patricio hizo de 25 a 112 cosas que merecían el reproche de su madre. Cuando cometía estas acciones, su madre le respondía por lo general pacientemente y le explicaba por qué no debía hacer tales cosas. A veces procuraba interesarlo en otras actividades. Otras veces lo castigaba por cometer cualquier falta, pero el niño volvía a repetir lo que estaba haciendo mal casi inmediatamente. En otras ocasiones lo sentaba en una silla para castigarlo. El niño seguía con sus rabietas, mientras la madre procuraba persuadirlo que dejara de hacer tales cosas.

Patricio cambió su comportamiento cuando se le aplicó un método especial, que consistía en lo siguiente: un observador en casa le daría a la madre la clave de lo que debía hacer levantando uno, dos o tres dedos. Un dedo indicaba que el niño había cometido una acción que merecía ser reprochada por la madre. Si Patricio no obedecía inmediata-

Cuanto más critica, regaña y castiga el padre a su hijo, tanto peor se comporta. Debemos aprender cuál es el comportamiento que debemos recompensar y cuál es el que debemos ignorar.

mente, el observador levantaba dos dedos. Esta señal indicaba que la madre debería llevar al niño a su cuarto y dejarlo encerrado como castigo. Tenía que permanecer en su cuarto hasta que se quedara callado. Si Patricio se portaba correctamente, el observador levantaba tres dedos. Esta señal le indicaba a la madre que debería prestarle atención al niño, mostrarle afecto físico y reforzar en la criatura el deseo de comportarse de la misma manera.

Las acciones reprochables de Patricio comenzaron a reducirse hasta llegar a cero en cuestión de unas pocas semanas, y comenzaron a producirse buenas relaciones entre la madre y el hijo, que cambió su comportamiento en forma positiva. Ahora recibía más afecto de parte de su madre y de esta manera el niño le respondía en forma también afectuosa. La madre de Patricio aprendió que

al responder al buen comportamiento de su hijo con cariño y afecto y al reprocharle sus malas acciones con castigos ligeros, podía lograr que su comportamiento se transformara de negativo a positivo. Todos los padres pueden hacer lo mismo mediante la aplicación de este método que coloca a los padres en el círculo de los ganadores y proporciona al niño una actitud mental positiva y feliz.

¿De dónde viene el refuerzo y el castigo?

De acuerdo con las investigaciones realizadas, se ha demostrado que las consecuencias que siguen a un comportamiento pueden debilitar o robustecer ese comportamiento. Las consecuencias que robustecen el comportamiento se conocen como *refuerzos, y las que lo debilitan se llaman castigos.*

Hay tres clases de refuerzos que son de suma importancia para los padres, y éstos son: el refuerzo social, las actividades y las recompensas. **Los refuerzos sociales involucran el comportamiento de los padres: el tono de voz, las palabras de encomio, las atenciones, la sonrisa, las caricias y la proximidad. Hay padres que usan este refuerzo instintivamente, pero otros lo aprenden con la práctica.**

Hay principios básicos que revisten gran importancia en el uso apropiado del refuerzo social. Cuando el niño lleva a cabo un comportamiento correcto, el padre o la madre debe: (1) reaccionar inmediatamente, (2) reaccionar con entusiasmo y (3) repetir el mismo proceso centenares de veces. Notemos cómo un padre usa el refuerzo social para enseñarle a su hijo Esteban un nuevo juego.

El padre: "El objetivo principal de este juego consiste en mover al hombre que se te ha asignado alrededor del tablero para que llegue primero a casa. Debes tirar el dado hasta que te salga el número dos para poder comenzar. ¿Qué número tienes que conseguir para comenzar?"

Esteban: "¡Un dos!"

El padre: "Muy bien. Cada vez que sacas dobles tienes otro turno. Si sacas un seis puedes mover hacia atrás sin tener que ir

Dar al niño la oportunidad de hacer una selección constituye un paso de suma importancia; de esta manera, se le permitirá al niño hacer sus propias decisiones que le ayudarán en el desarrollo del carácter.

alrededor del tablero. Dime entonces, ¿cómo puedes tener dos turnos?"

Esteban: "Sacando dobles".

El padre: "¡Muy bien! Parece que estás poniendo atención para conocer las reglas del juego. También puedes enviar a otro jugador al punto de partida si logras llegar al mismo sitio donde el jugador está. Sin embargo, si está en un cuadro azul, eso significa que está en un lugar seguro. Puedes ponerte al lado de él si ambos están en un cuadro azul. ¿Cómo puedes enviar a otro jugador al punto de partida?"

Esteban: "Llegando a una zona azul".

El padre: "Recuerda que los cuadros azules son lugares seguros. Puedes hacer regresar a otro jugador cuando llegas al mismo sitio donde él está, pero únicamente si está en cuadro blanco. Estás prestando cuidadosa atención para aprender las reglas de este juego, lo cual es de suma importancia. Estás aprendiendo rápidamente. Creo que vas a ser un jugador muy listo".

¿Notaron cómo encaró el padre la enseñanza de estas reglas, estructurándolas en pequeños pasos, objetivos, números y colores? Después de explicar cada regla a Esteban, le pidió que la repitiera. De esta manera el padre reforzó con entusiasmo cada respuesta correcta en el instante mismo. El niño descubrió que éste era un excelente método de aprendizaje. Aun cuando el niño se equivocaba, el padre no lo regañaba, no lo castigaba ni se burlaba de él. Más bien, encomiaba todo esfuerzo realizado por el niño.

Veamos otros ejemplos cuando los padres usaron el refuerzo para recompensar ciertos comportamientos de sus hijos, en cuanto realizaron éstos una acción digna de encomio:

La madre: "Gracias por poner la mesa, Alicia. No tuve ni siquiera que pedirte que lo hicieras".

El padre: "Toño, ésta es una de las mejores composiciones que has escrito. Estoy orgulloso de tu trabajo".

La madre: "Alicia, tu nuevo vestido te queda muy bien. Me siento orgullosa al ver la habilidad que tienes para la costura".

El padre: "Gracias por sacar la basura, Toño. No sabes cuánto agradezco cuando haces cosas sin tener que pedirte que las hagas".

En cada uno de los ejemplos mencionados, tanto el padre como la madre elogiaron el esfuerzo de sus hijos, en vez de elogiarlos a ellos mismos. Muchas veces el niño no responde a lo que sus padres consideran como elogio. Por ejemplo, si se llama a la niña "un ángel", lo más seguro es que este apelativo no le cause mucha alegría. Tal vez se acuerde de los momentos cuando no se portó a la altura de un ángel. Si el elogio no está en armonía con sus sentimientos, probablemente lo rechazará. Sin embargo, si el niño ha estado trabajando fuertemente en un trabajo que se le ha asignado, y se le reconocen sus méritos, ese refuerzo será de gran provecho para él. "Arturo, te he estado observando por algún tiempo, y me he dado cuenta de lo mucho que has trabajado en tu tarea de matemáticas. He visto que tus respuestas son correctas. Tu trabajo es prolijo. Estás haciendo muy bien y por eso me siento orgulloso de ti". El niño aceptará este encomio. Por lo general, es mucho mejor prestarle atención al comportamiento del niño, antes que elogiar al niño mismo.

Tal vez parezca sencillo emplear los refuerzos sociales, pero pueden presentarse problemas. Hay niños, sin embargo, que no pueden soportar comentarios positivos acerca de ellos mismos. Cuando los padres utilizan un refuerzo, los niños lo neutralizan con algún concepto negativo. Veamos unos ejemplos.

La madre: "Clarita, tu nuevo vestido te queda muy bien. Me siento orgullosa por tus habilidades para la costura".

Clarita: "Me parece horrible. Esta costura me quedó muy mala; además, estoy demasiado gorda".

El padre: "Pedro, ésta es una de las mejores composiciones que has escrito. Me siento orgulloso de ti".

Pedro: "¡qué va! Pudiera haber escrito algo mejor".

En estos casos, el hijo castiga al padre o a la madre por reconocer sus esfuerzos. Como resultado, tal vez los padres lleguen a desanimarse y no sigan elogiando al niño cuando hace algo bueno. Una buena manera de enfrentarse con tales respuestas es hacerle ver al hijo que su respuesta no es justa ni apropiada y que por lo tanto no debe contestar en esa forma. Hay que reconocer también que los comentarios de desprecio personal indican que la persona tiene una estimación muy baja de sí misma, y es por lo tanto conveniente ayudarle a establecer un concepto mejor de su persona.

Otro error muy común es el que se conoce como "el doble mensaje", es decir, cuando se utiliza un refuerzo y un castigo al mismo tiempo. Tal método produce resultados negativos. Los que utilizan este método recurren

primero al elogio y luego aplican la disciplina. Lo malo de este método es que la "víctima" no puede quejarse, porque recibió el refuerzo al comienzo. Pero el castigo hace olvidar cualquier alabanza recibida, no importa cuán maravillosa haya sido. Veamos algunos casos.

La madre: "Miguel, has estado jugando con tus carritos muy calladamente. Realmente aprecio tener un poco de tranquilidad y de sosiego de vez en cuando".

El padre: "Gracias por venir a cenar a tiempo, Andrés. Ha sido una buena acción. Pero, ¿no crees que sería mejor si vinieras con las manos y la cara limpias la próxima vez?"

La madre: "Tu tarjeta de calificaciones no está del todo mal, Andrés. Pero podrías hacer mejor si pusieras más de tu parte. ¿Has visto la tarjeta de Clarita? Sacó una 'A' en todas sus materias".

El padre: "Gracias por tratar de limpiar el taller, pero la próxima vez que lo hagas, hazlo bien. Mira todo el desorden que dejaste por todas partes. Tuve que limpiar todo de nuevo".

Muchos padres envían mensajes dobles sin pensarlo, y no se dan cuenta que los mensajes dobles son elementos negativos en el proceso del desarrollo del carácter. Sería conveniente que cada padre llevara un registro exacto de los comentarios de elogio que les dicen a sus hijos. ¿Es usted uno de esos padres que envían mensajes dobles, con una paliza al final?

El refuerzo en forma de actividades

Los refuerzos sociales son los más fáciles de practicar. Estos refuerzos están siempre disponibles y requieren pocas palabras. Los refuerzos en forma de actividades ocupan el segundo lugar desde el punto de vista de su facilidad de aplicación. Ejemplos de esta clase de refuerzo son los juegos, las lecturas, mirar televisión, las fiestas, jugar al aire libre, hornear galletas, ayudar en la preparación de la cena, contar un chiste, ser el primero en hacer algo y muchas otras actividades que se pueden utilizar como refuerzos con excelentes resultados. Estas actividades constituyen herramientas poderosas de motivación, aunque no todos reconozcan ni aprecien sus méritos.

Nuestro mayor objetivo es el de enseñar a los niños que el buen comportamiento trae mejores recompensas que el mal comportamiento. Se puede alcanzar esta meta al dar constantemente oportunidad para que el niño aprenda esta regla general. Veamos algunos ejemplos:

La madre: "Elba, tú eres la primera en llegar a la mesa, ¿por qué no me ayudas a servir el postre?"

El padre: "José, has terminado tus tareas bien rápido esta noche, ¿por qué no te encargas tú de leer la historia en el culto vesper tino?"

Cuando se usa un refuerzo en forma de actividad, debe requerirse siempre que se lleve a cabo la actividad menos preferida antes de permitir que se realice como recompensa la más preferida. Consideremos estos ejemplos:

La madre: "Juan, tan pronto como termines de practicar el piano por 15 minutos, nos pondremos a hacer esas galletas que tanto te gustan. ¿Te parece bien?"

El padre: "Manuel, tan pronto como termines de limpiar las malezas del jardín nos pondremos a jugar a la pelota".

Cuando al niño se le da la oportunidad de escoger, el refuerzo produce mejor resultado. Por ejemplo: Paco, niño de ocho años, está mirando un nuevo programa de televisión, pero ha llegado la hora de acostarse. La madre se siente tentada a pedirle que vaya a la cama de todos modos, lo que ocasionará repetidas objeciones de parte del niño. Lo más probable es que la madre siga exigiendo lo mismo y que los dos terminen frustrados. Pero veamos la forma como una madre sabia maneja tal situación.

La madre: "Alberto, lamento mucho que no me di cuenta que se aproximaba la hora de acostarte y tú comenzaste a ver ese programa. No es muy divertido cuando se interrumpe a una persona en medio de un programa. Hagamos una cosa. Anda y te pones el piya-ma y cuando regreses podrás decidir si quieres continuar viendo el resto del programa o leernos una historia de tu nuevo libro. La decisión es tuya, pero recuerda que debes irte a dormir no más tarde de las ocho y media".

Al darle al niño la oportunidad de escoger, la madre resolvió dos problemas al mismo tiempo. Alberto pudo seguir mirando televisión (lo que se constituyó en un refuerzo) y la madre logró que el niño fuera a la cama a tiempo. Dar al niño la oportunidad de hacer una selección constituye un paso de suma importancia, porque de esa manera el refuerzo funciona sin contratiempo alguno. Si se le permite al niño hacer sus propias decisiones eso le ayudará en el desarrollo del carácter.

El refuerzo en forma de recompensa

Cosas tales como puntos, estampillas, cuadros y dinero entran en la categoría de los refuerzos en forma de recompensa. El niño acumula esas recompensas, las cuales cambia por un premio que recibirá después de un período estipulado. Cuando se usan los refuerzos sociales con recompensas, los padres pueden presenciar ciertos cambios que ocurren en los niños en muy corto tiempo. Este es un elemento positivo para los progenitores que se sienten desanimados porque no ven los resultados inmediatos en el comportamiento de sus hijos.

¿Cómo funciona este proceso? Supongamos que usted tiene un niño de diez años que obedece lentamente, que descuida a menudo sus responsabilidades caseras, y a quien a cada momento hay que pedirle que practique el piano. Cuando se utilizan las recompensas como refuerzo, y se lleva un registro exacto de las tareas realizadas, este método puede hacer cambiar el comportamiento del niño. Para alcanzar resultados positivos se necesita dar los siguientes pasos:

1. Hacer una lista de las responsabilidades que se necesita cumplir. De diez a quince responsabilidades son apropiadas para la mayoría de los niños –menos responsabilidades para los más pequeños y más para los mayores. Incluir en la lista algunas cosas que el niño hace bien para animarlo a que gane más puntos. Al pie de esta página aparece una lista sugerente.

2. El niño mismo debe actualizar el registro antes de acostarse, ya sea pegando estampillas, estrellas o colores por cada acción cumplida satisfactoriamente. Debe recibir más puntos al realizar las tareas más difíciles. Se le debe dar el privilegio de pegar las estampillas o las estrellas, sumar los puntos o colorear los cuadros. Un método alternativo es el de entregarle cierta cantidad de dinero por cada trabajo bien hecho. Se le puede descontar puntos o dinero por cada trabajo mal hecho o por mal comportamiento. Si el niño no cumple tres obligaciones en un día, no se le dará reconocimiento ni dinero alguno. Si se usa dinero como refuerzo, se tiene la ventaja de que se le enseña a entender su valor. De esta manera aprenderá a ahorrar dinero, a saber cómo gastarlo y a dar para Dios. La porción que queda, la puede ir ahorrando en una cuenta o utilizarla para hacer compras necesarias para el niño, ya sea algún juguete, una prenda de vestir, un guante de béisbol o cualquiera otra cosa. Se le puede pedir al niño que pegue o pinte en la tabla de puntajes el objeto que desea adquirir mediante las recompensas obtenidas.

3. Al final de cada semana se deben sumar los puntos, las estrellas o el dinero para ver el progreso del niño.

4. La lista de responsabilidades no debe **cambiarse por un período de cuatro a seis semanas, porque se necesita ese tiempo para establecerse un nuevo hábito.**

Después de cumplidas cuatro o seis semanas, ponga la tabla de puntajes a un lado. Podrá volver a usarla más tarde y conseguir excelentes resultados. Estas tablas se deben adaptar de acuerdo con la edad del niño. Su eficacia se ha comprobado en edades que van desde los tres años hasta la adolescencia. (En el próximo capítulo se explicará cómo desarrollar una tabla para los adolescentes.)

Si usted descubre que su hijo o su hija tienen todavía problema para desempeñar las tareas estipuladas en la tabla, tal vez necesita aumentar el refuerzo. Por ejemplo, puede doblar la cantidad de puntos o de dinero. El sistema funcionará si se usan correctamente el refuerzo inmediato y el blanco a largo plazo, y si éstos despiertan interés suficiente. Una madre me confesó cierta vez que este sistema había fracasado en su hogar. Usó dinero como refuerzo, y según ella "no funcionó el plan". Pero después de hacer las investigaciones necesarias descubrí que su hijo era miembro activo de un club de niños ganaderos, que criaba terneros y ovejas que luego vendía. Cuando cumplió los nueve años de edad, ya tenía mil dólares ahorrados. ¡El dinero era un refuerzo equivocado para este niño! Le sugerí a la señora que dedicara un fin de semana para salir a acampar con su hijo, y el plan resultó maravilloso.

MIS DEBERES	1	2	3	4	5	6	7
1. Me cepillé los dientes sin que me lo dijeran.							
2. Me cambié de ropa al volver de la escuela.							
3. Hice la cama sin que me dijeran.							
4. Le dí comida al perro antes del desayuno.							
5. Guardé mis juguetes antes de acostarme.							
6. Obedecí la primera vez que me ordenaron algo.							
7. Hoy hice mis deberes con alegría.							
TOTALES DIARIOS							
TOTAL SEMANAL							
LA RECOMPENSA POR 180 ESTRELLAS: UN PASEO AL ZOOLÓGICO							

Un ejemplo práctico:

La madre: "Lupe, ya eres una niña grandecita y mamá quiere que aprendas a compartir tus cosas con los demás. Cada vez que te vea compartiendo algo en forma amistosa con otros niños te daré un punto. Cuando consigas tres puntos podrás sacar algo de la caja de las sorpresas". (La madre le muestra la caja.)

Lupe: "¿Puedo sacar algo ahora?"

La madre: "Ahora no; podrás hacerlo cuando hayas obtenido puntos. Dime entonces, ¿cómo podrás conseguir una sorpresa?"

Lupe: "Cuando comparta algo con los demás".

La madre: "Exacto. Cuando compartas tres veces tus juguetes con otros, podrás tener una sorpresa".

Una variación que se puede introducir en este programa es tener una caja donde el niño pueda meter la mano y sacar algo. No es necesario comprar juguetes caros para llenar la caja. Cuando el niño cumple con cierta obligación, la primera recompensa será un refuerzo social y luego se le permitirá meter la mano en la caja y sacar uno de los juguetes. Este método surte gran efecto cuando se está entrenando al niño a controlar la eliminación.

Algunos padres nos informan que la semana después de aplicarse el refuerzo es la semana más apacible para ellos. ¿Por qué? Sencillamente porque la presión que tiene el niño para cumplir sus tareas en forma responsable descansa ahora sobre sus propios hombros, donde debe estar. Hay padres, sin embargo, que desempeñan las responsabilidades de sus hijos, como repartir los periódicos, hacerles las tareas, llamarlos numerosas veces para que se despierten y llevarlos a la escuela porque se marean en el autobús.

¿Por qué hay tantos padres que no entienden que el comportamiento responsable no es tratar de proteger al niño para que no cumpla con sus obligaciones sino para que sienta el peso de la responsabilidad y las consecuencias de sus acciones? **Cuando el niño falla en el desempeño de sus obligaciones,** los padres deben rehusar ayudarlo, en vez de actuar como "buenos" padres. Los padres deben permitir que las consecuencias naturales se cumplan. Además de sufrir las consecuencias naturales, el niño debe sentirse estimulado por una motivación que le ayude a hacer lo recto, evitando de esta manera la irresponsabilidad y los trabajos chapuceros. Probemos este método, el cual nos resultará agradable.

Hay que ignorar el comportamiento negativo

Mientras usted trabaja para que el niño mejore su comportamiento, conviene no prestarle mayor atención a lo que el niño hace y que usted no quiere que haga. Nuestro hijo Marcos escribió una composición para su clase de inglés que llevaba por título: "Dos hombres en el monte Everest". Su maestra le dio una nota excelente, y al margen escribió el siguiente comentario: "Marcos, yo creo que ésta es la mejor composición que has escrito. Te expresaste clara y lógicamente. Tu monografía es clara, está bien organizada y es atractiva. Creo que tienes talento para la redacción, y estoy muy satisfecha por el trabajo realizado". La maestra, sin embargo, hizo cinco correcciones en rojo en la primera página y siete en la segunda. Y como algo interesante, no mencionó nada acerca de las correcciones, más bien en la nota que le escribió al margen elogió sólo la composición, y pasó por alto los errores. Esta maestra comprendía el valor de reforzar el buen comportamiento sin mencionar lo malo que había hecho.

En otra ocasión esta misma maestra nos envió una nota en un formulario titulado: "Progreso Insatisfactorio", referente a la clase de mecanografía de nuestro hijo. Esta vez tampoco escribió un informe negativo acerca del alumno, sino más bien algo positivo. "Marcos está realizando un gran progreso. Me siento orgullosa de él". Luego tachó las dos primeras letras de la palabra "insatisfactorio" con lo que el título del formulario se convirtió en: "Progreso satisfactorio"; lo cual

Los comentarios negativos traen por lo general resultados de la misma naturaleza. Si se aprende a recompensar el comportamiento en forma positiva, el mal comportamiento desaparecerá por su propio peso.

constituyó un estímulo tanto para los padres como para el alumno.

Cada persona puede aprender a hacer también lo mismo, ignorando lo negativo y reemplazándolo con algo positivo. Los comentarios negativos traen por lo general resultados de la misma naturaleza. Si se aprende a recompensar el comportamiento en forma positiva, el mal comportamiento desaparecerá por su propio peso.

Una palabra con mamá y papá

El hecho de enseñarle a los niños nuevos hábitos mientras se procura eliminar los hábitos malos, puede llegar a ser un proceso lento y difícil, aun bajo las mejores circunstancias. Ambos padres, naturalmente, deben participar en este programa para que el proceso se desarrolle con rapidez. Ambos padres deben establecer el programa de refuerzos que usarán, y ponerse de acuerdo de antemano en cuanto a los refuerzos y los castigos que emplearán para obtener mejores resultados. Si no trabajan de esta mane-

ra, uno de ellos procurará afirmar un comportamiento específico, mientras que el otro trabajará en la formación de un comportamiento opuesto. Se debe comenzar este programa de refuerzo hablando de los métodos y las tácticas que se usarán. Sería algo como sigue:

El padre: "El comportamiento de Darío va de mal en peor; yo creo que debemos hacer algo para mejorarlo. ¿No piensas lo mismo?"

La madre: "He estado haciendo algo para remediarlo. Cuando me enojo, él me obedece".

El padre: "Eso es lo que has estado haciendo, pero no has tenido éxito. A cada rato escucho gritos y chillidos, cosa que me disgusta. Si se pudiera reforzar el buen comportamiento de nuestro hijo, en vez de condenar lo malo que hace, esto daría mejores resultados".

La madre: "No creo en el sistema según el cual los padres han de dar puntos, estrellas y besos a sus hijos cuando éstos hacen lo que debieran hacer naturalmente. El mundo real no se comporta de esa manera. ¿Cuándo fue la última vez que alguien te pagó porque hiciste algo bueno?"

El padre: "Sé razonable, mujer. Hay que reconocer que el niño se portará mejor si se le recompensa cada vez que se porta bien, en vez de gritarle cuando hace algo malo. Preparemos una tabla con sus deberes y recompensas. Le daremos recompensas por todo lo bueno que haga. Estoy seguro que no le disgustará este método. El programa en sí te evitará dolores de cabeza, después que él comience a hacer las cosas que debe hacer".

La madre: "Perdona que me muestre un poco negativa, pero no confío en este método porque me encuentro chasqueada con su comportamiento. Pero intentémoslo. Hagamos la prueba durante las próximas cuatro semanas".

Un buen lema para los padres puede ser éste: Cuando adviertan que el niño ha hecho algo bueno, dénle alguno recompensa. Procuren no estar a la expectativa en busca de malas acciones para castigarlo en seguida. Más bien, descubran las buenas acciones para reforzarlas con comentarios positivos.

Si usted cumple con los principios expresados en este capítulo, se dará cuenta que su hijo avanzará con mayor rapidez hacia el desarrollo de una autoimagen positiva y de un comportamiento responsable. Todo esto llegará a ser beneficioso en el logro del blanco que se ha propuesto, es decir, ayudarle al niño en su completo desarrollo.

Haga que el trabajo sea entretenido

El asumir responsabilidades debe ser algo placentero, porque produce un sentimiento de satisfacción y realización. Hace que la persona se sienta importante y servicial. Los buenos sentimientos llegan a ser una recompensa en sí, porque proveen un fundamento sólido en el desarrollo del respeto personal. **El niño entre los dos y siete años de edad, puede divertirse haciendo tareas útiles y realizándolas bien, si aprende a aceptar el traba-**

El niño trabaja con más gozo y diligencia si los padres lo hacen de buena gana y con alegría.

jo como parte de la vida. Por lo tanto, es conveniente que éste llegue a ser una actividad divertida para él.

Los niños de dos años de edad pueden recoger sus juguetes. Los de tres años pueden tirar la basura y hasta ayudar a fregar los platos. Los de cuatro años pueden ayudar a poner la mesa y a colgar su propia ropa (si los ganchos no están demasiado altos). Los de cinco años pueden ayudar a cuidar a sus hermanitos menores, a atender a los animales y hasta ayudar a sacudir los muebles. La importancia de la enseñanza en la edad preescolar no consiste tanto en el trabajo mismo sino en la constancia con que se realiza.

Los niños que van a la escuela pueden hacer su propia cama, ir a la tienda, regar las plantas, cortar el césped, cuidar de los animalitos, lavar el automóvil, repartir periódicos, poner la mesa, lavar platos, planchar, limpiar la casa, lavar su propia ropa y aprender a cocinar recetas sencillas.

Si el niño muestra señal de aburrimiento, se le debe dar otra tarea que le sirva de estímulo. Elena, niña de ocho años de edad, estaba muy entusiasmada por la responsabilidad que tenía de poner la mesa para el desayuno del domingo. A ella le tocaba planear y cocinar la comida del desayuno, pero no le tocaba la limpieza después. Este trabajo le parecía más interesante que poner sólo la mesa.

El niño trabaja mejor si alguien le ayuda

A menudo, los padres se mantienen tan ocupados que desperdician las oportunidades de trabajar mano a mano con sus hijos. La familia puede trabajar en la huerta o en el jardín con sus hijos, dándole a cada uno una responsabilidad distinta. Estos momentos pueden llegar a ser ratos de unión, de comunicación, de enseñanza, de solaz y de diversión. La misma táctica se puede usar en la limpieza del garaje, del sótano o en la limpieza de la casa en general. Cuando se canta al mismo tiempo, se silba o se juega, el niño puede llegar a convencerse de que el trabajo es una actividad entretenida.

El niño trabaja con más gozo y diligencia si los padres lo hacen de buena gana y con alegría. Por otra parte, si los padres se lo pasan haciendo comentarios negativos, tales como: "Estoy hastiado de tener que limpiar nuevamente la casa", u "Odio trabajar en el patio", no ayudarán al niño a que tenga una actitud alegre y responsable en la parte del trabajo que le toca realizar.

Se le debe permitir al niño que exprese cuáles son sus preferencias y las cosas que no le gusta hacer. Una madre, al asignar las responsabilidades entre sus cuatro hijos, mantiene una lista de las cosas que les gusta y les disgusta hacer. Este método funciona a las milmaravillas, con la excepción de que hay trabajos que a ningún niño le gusta hacer y

otros que todos quieren hacerlos. Se debe mantener, por lo tanto, un plan rotativo para que eventualmente todos los niños tengan la oportunidad de realizar los trabajos hogareños y que nadie se disguste.

Otro método es el de hacer una lista de todos los trabajos que se han de realizar durante el día, permitiendo que los niños escojan el trabajo de su preferencia. Este método permite la buena disposición y la cooperación entre los niños, porque, de todos modos cada uno ha escogido el trabajo de su preferencia.

Conviene revisar con regularidad el trabajo del niño para que éste vuelva a hacer inmediatamente el trabajo mal hecho. Los padres no deben aceptar un trabajo a medias, porque de esta manera privarían al pequeño de la oportunidad de aprender a hacer las cosas bien hechas y a obtener la satisfacción que se experimenta cuando se realiza un trabajo a conciencia.

Cuando el niño tiene numerosas tareas escolares que cumplir o cuando se presentan acontecimientos sociales inesperados, los padres tienen la oportunidad de ayudarle a cumplir sus responsabilidades hogareñas. De esta manera el niño aprenderá que es importante ayudar a los demás y respetar los derechos de todos los miembros de la familia.

El trabajo es la mejor disciplina que puede tener un niño, pero no debe usarse como castigo. Los padres deben impresionar las mentes de sus hijos para que éstos comprendan la nobleza del trabajo, el cual desempeña una parte esencial en el desarrollo de su salud física y mental. Si no se encauzan las mentes y las manos activas de los jóvenes en actividades útiles y beneficiosas, éstas se ocuparán en realizar cosas malas que con el tiempo llegarán a perjudicar para siempre el desarrollo del carácter.

El efecto de la televisión en el carácter

Toda actividad que absorba una gran porción del tiempo del niño llegará a ejercer una influencia poderosa en su carácter. Como el niño promedio mira unas tres horas

Los padres deben impresionar las mentes de sus hijos para que comprendan la nobleza del trabajo, el cual desempeña una parte esencial en el desarrollo de su salud física y mental.

de televisión cada día, esto influye grandemente en su carácter. El tema de la televisión impresiona a la mayoría de los padres en sentido favorable y también desfavorable porque reconocen que puede servir para entretener a sus hijos. Pero muchos se preocupan por el contenido de los programas que se presentan en la pantalla. Un estudio sobre este asunto, ha demostrado que en los últimos años el número de programas relacionados con el crimen ha aumentado en 90 por ciento. Algunos investigadores creen que la televisión es una "escuela de violencia" que, entre otras cosas, le enseña al niño que el crimen no es una actividad reprochable, sino que es más bien una gran aventura. **Los investigadores también han descubierto que la mayor parte de lo que el niño contempla en la televisión lo pondrá en práctica más tarde en el juego. El menor es susceptible a tales influencias porque no puede diferenciar entre la fantasía y la realidad, de la misma manera como lo hacen los muchachos mayores y las personas adultas.**

La mayoría de los padres consideran los dibujos animados como programas inofensivos, pero si los examinan cuidadosamente, podrán descubrir que en medio del humorismo hay grandes elementos de violencia. Un investigador midió durante una semana la frecuencia y la duración de los episodios violentos en los dibujos cómicos. (La violencia se definió como intentos efectuados para causar dolor o daño corporal, aturdir, sujetar por la fuerza, incapacitar o matar, fuera en defensa propia o en forma intencional y maliciosa.) Y entre otras cosas descubrió que algunos de los dibujos animados que son más populares entre los niños, como "Bugs Bunny" y "Tom y Jerry" tienen más violencia que los que presentan aventuras con monstruos.

Se puede asegurar con toda confianza que las representaciones gráficas del crimen y la violencia suelen generar actitudes violentas en los niños, muestran la forma de llevar a cabo actos de violencia y hacen que los niños consideren los delitos como una cosa común y corriente que no merece la reprobación social. Si el niño continúa presenciando esta clase de programas, con el tiempo perderá de vista el resultado de la violencia en la vida real, y aceptará la agresión como una solución apropiada para hacer frente a los conflictos de la vida.

A menudo la televisión defiende ciertos valores mediocres (y a veces menos que mediocres). Algunos piensan que estos programas son considerados como un entretenimiento para la familia, a pesar de que se relacionan con la deshonestidad, el sexo ilícito, el divorcio, la delincuencia juvenil y la homosexualidad. Cada vez que el niño contempla programas de esta naturaleza, su mente recibe una impresión que, cuando se repite varias veces, llegará a convertirse en un hábito, y sabido es que los hábitos determinan el carácter.

Además de enseñar la televisión valores mediocres, interrumpe la comunicación familiar, le ofrece al niño una disculpa para alejarse de la interacción con la familia; además produce cierta insensibilidad al sufrimiento humano, le hace perder el tiempo y reduce su participación en juegos y actividades deportivas.

Sin embargo, a pesar de que los padres conocen algunos estudios acerca de la televisión y sus efectos nocivos en la personalidad del niño, la mayoría de ellos no hace ningún esfuerzo para supervisar los programas que se miran en casa. Los estudios indican que menos de la mitad de las madres ejercen control alguno en los programas que miran sus hijos, y aquellas que lo hacen, se preocupan más por el tiempo que los niños pasan frente al televisor que del contenido de los programas. La mayoría de los padres más educados regulan hasta cierto grado, el tiempo que sus bijos dedican a mirar televisión, pero lo hacen mayormente para evitar la interrupción de la rutina familiar, en vez de proteger al niño de los efectos adversos de esa actividad. Sólo un número reducido de madres prohíben a sus hijos que vean ciertos programas objetables y perjudiciales.

Independientemente de lo que usted opine acerca de la televisión, ésta inconscientemente está afectando el carácter de sus hijos, como también el suyo. No necesitamos organizar una cruzada para acabar con este medio de comunicación, pero sí debemos ejercer el control adecuado para que los programas de televisión no constituyan una dieta cotidiana en nuestros hogares.

El medio más efectivo que un padre consciente puede emplear para controlar los programas que el niño mira, es invitarlo a participar en el "Proyecto Televisión". Este proyecto incluye al niño en el proceso de analizar los programas y decidir cuáles conviene ver. Primeramente se estudia cuánto tiempo pasa el niño frente al aparato, y luego se le pide que lleve un registro, si el niño es capaz de hacerlo, que incluya la fecha, el nombre del programa y el tiempo que pasó mirándolo. Este registro se lleva por una semana.

Durante la semana usted, como padre, ha de tomar nota acerca del contenido de cada programa; esto significa que tendrá que ver todos los programas durante este período de tiempo. Pida la cooperación de la persona que cuida a los niños si fuere necesario. Cuando reúna los datos informativos, busque patrones que le indiquen qué es lo que más le interesa al niño. ¿Mira sólo dibujos animados? ¿Sólo comedias? ¿Ciencia-ficción? ¿Qué programas considera usted como positivos? ¿Negativos? ¿Beneficiosos en todo tiempo? ¿Qué valores didácticos tienen estos programas? ¿Qué clase de vocabulario está escuchando su hijo? ¿Cuánta violencia ha contemplado? Al final de la semana, analice con su hijo los resultados del registro que cuidadosamente ha llevado. Investigue exactamente cuánto tiempo ha pasado el niño frente a la pantalla. Luego pídale a su hijo que haga una lista de los programas que desea mirar, desde el más favorito hasta el menos favorito. Si los programas que usted considera más censurables son los favoritos del niño, tendrá que recurrir a su autoridad y volverse un poco arbitrario. En algunos casos le convendría llegar a un acuerdo acerca del límite de horas que se le permitirá al niño mirar televisión durante la semana. Si se escribe luego un contrato bien hecho y lo firman usted y su hijo, esto traerá buenos resultados. Mantenga este contrato a la vista durante el tiempo de duración. Esto llegará a ser su más valiosa garantía.

Hay otras formas de entretenimiento que, lo mismo que la televisión, pueden destruir los elementos del carácter que se hallan dentro del niño. Por ejemplo, algunas películas, libros, revistas, grabaciones musicales, y numerosos lugares de entretenimiento. La solución no se halla en acabar con estos elementos, sino en buscar otros sustitutos positivos para el niño. "Nunca le prohíba nada al niño sin proveerle otra cosa" es el consejo de un ministro religioso, teniendo en cuenta que la cosa más valiosa que un padre puede compartir con su hijo es él mismo.

Entrenamiento espiritual en el hogar

Las actitudes que el niño aprende durante los primeros cinco a siete años llegarán a ser permanentes. Cuando se desperdician las oportunidades proporcionadas por esos años, se pierden para siempre. Si el padre y la madre quieren que su hijo obedezca, que sea bueno, honrado, fiel, desinteresado, paciente y que tenga el temor de Dios en su corazón, deben acentuar estos valores durante los tempranos años de su infancia. La herencia no equipa al niño con un buen carácter, y los padres no deben esperar que el buen carácter aparezca por arte de magia; por eso deben ellos mismos realizar su tarea oportunamente.

1. Comience temprano. Cuando un patito sale de su cascarón, se graba en su memoria el primer objeto que ve moverse y se identifica con él. Por lo general, desde luego, el patito busca a la madre, pero si la madre no está, busca cualquier cosa que se mueva. En experimentos realizados, un patito recién nacido se ha identificado con una pelota azul tirada por una cuerda. Una semana después de comenzado el proceso, el patito seguirá tras la pelota cada vez que ésta pasa por donde él está. El tiempo desempeña un papel de suma importancia. El patito es susceptible de identificarse con la madre, sólo durante unos pocos segundos después de salir del cascarón. Si se pierde esta oportunidad, no podrá hacerlo posteriormente.

De la misma manera el niño, desde la edad de un año hasta los siete, es más susceptible para recibir entrenamiento religioso. Su concepto acerca de lo bueno y lo malo se forma durante este tiempo, y las ideas acerca del Dios de los cielos se forjan durante esta etapa de su vida. Tal como en el caso del patito, las oportunidades que se presentan durante este temprano período deben aprovecharse cuando el niño está listo, no cuando los padres lo están.

Lamentablemente, muchas veces sucede lo contrario. Cuando se priva al niño del entrenamiento espiritual durante su tierna infancia, eso puede llegar a limitar su capacidad de alcanzar madurez espiritual. Cuando los padres dicen que prefieren esperar hasta que el niño tenga suficiente edad para decidir por su propia cuenta si prefiere la religión o no, pueden estar casi seguros que se opondrá a los principios religiosos. El adolescente se resiente cuando se le dice lo que debe creer, pero si los padres han realizado su tarea tempranamente, el joven tendrá un fundamento sólido al cual atenerse.

2. Mantenga un comportamiento cristiano en todo tiempo. Las experiencias cotidianas influyen grandemente en la experiencia religiosa del niño. Los padres que dan instrucción religiosa a sus hijos deben tener en cuenta este factor tan importante. Si queremos que nuestros hijos lleguen a adquirir valores espirituales en sus vidas, debemos darles un buen ejemplo con nuestras propias vidas. La visualización que el niño haga de la imagen de Dios puede ser una combinación de los cuadros que ha contemplado acerca de él y de las historias que ha escuchado. Su concepto de Dios puede llegar a variar, desde un ser compasivo hasta uno vengativo. El concepto de Dios como Padre llegará a ser de suma influencia en su vida y lo relacionará con su padre terrenal. La idea de lo que el pecado es se afianzará en la experiencia sobre la culpabilidad y el remordimiento; cuando el niño ha perjudicado a otra persona tendrá el sentimiento de que su conducta merece castigo. Su concepto acerca del perdón será afectado por la forma como sus padres tienen la habilidad de perdonarlo. **Una mente joven tiene dificultad para aprender a perdonar si los padres no lo perdonan. Hasta cierto punto, los padres toman el lugar de Dios en la mentalidad del niño.**

Los padres no tienen que ser perfectos para mantener el respeto y la asociación con sus hijos. Pero su familia perderá el respeto si usted es una persona pía en la iglesia o en presencia de sus amistades y lo opuesto cuando se encuentra solo o con otros miembros de la familia. Tal comportamiento anula el respeto que pudieran tenerle sus hijos. Un ministro notó, después de mucha observación, que lo mejor de la juventud de su iglesia provenía de hogares consagrados al cristianismo o de hogares no cristianos. Los hogares de categoría religiosa mediocre no producen jóvenes cristianos dedicados, debido a la inconstancia del ejemplo que ven entre sus familiares. Se les puede predicar mucho a los jóvenes, pero estos sermones no tienen valor alguno cuando no se da un buen ejemplo. Unos pocos minutos al día dedicados al estudio de la Biblia y a meditar en temas espirituales serán de gran provecho en el mantenimiento de una vida cristiana consecuente.

3. Enseñe sin sermonear. El niño comienza a hacer preguntas desde su tierna infancia, y mientras los padres obedecen las leyes de la comunicación, pueden tener la oportunidad de enseñar a sus hijos, de instruirlos y de llenar su mente con los mejores materiales que tengan a su alcance para ayudarles en la formación de sus caracteres.

¿Cómo se puede lograr este cometido? Leyéndoles historias, especialmente cuyo tema central sea el amor. Esto tiene dos ventajas. En primer lugar, cuando las respuestas que se le dan al niño son tomadas de buenos libros, se le está enseñando sin sermonearlo.

Si los padres obedecen las leyes de la comunicación, pueden tener la oportunidad de enseñar a sus hijos, de instruirlos y de llenar su mente con los mejores materiales que tengan a su alcance para ayudarles en la formación de su carácter.

En segundo lugar, le da la oportunidad de disfrutar de momentos de compañerismo y comunión con usted. No hay cosa que comunique mejor su amor por su hijo, que los momentos que le ha dedicado con paciencia e interés para atender sus preguntas e inquietudes.

Durante la temprana niñez y los años escolares, muchas de las enseñanzas religiosas tienen poco significado para los niños. Por eso los padres deben aprender a comunicar esos conceptos en términos sencillos, para que sus hijos los puedan captar. Por ejemplo, los niños pueden preguntar acerca de "Jesús y sus doce discípulos" (en lugar de "Jesús y sus doce discípulos") y muchas otras cosas que pueden confundirlos. Muchas veces tienen un concepto de Jesús generado por los cuadros que miran de él: un niño en un establo en los brazos de su madre, junto a unos señores con una indumentaria extraña que le han llevado regalos raros que no interesan a ninguna criatura. Estas cosas fascinan al niño, pero a veces lo confunden. Nosotros, como padres, debemos enseñar mejores conceptos a nuestros hijos.

De acuerdo con investigaciones realizadas, se ha llegado a la conclusión que cuando los niños llegan a la edad de los ocho y nueve años, se interesan mucho en las historias acerca de Jesús y otros personajes bíblicos tales como Moisés, Samuel, José, David y Daniel. De los nueve a los trece o catorce años se interesan en porciones históricas del Antiguo Testamento. De los catorce a los 20 años de edad muestran un interés individual en los Evangelios. En todo tiempo los niños expresan más interés en las personas que en los demás aspectos de la Biblia.

¿Dónde se pueden encontrar libros que suplan estas necesidades de los niños?

Hay dos colecciones de libros que ofrecen un material excelente para los niños. La primera es *Las bellas historias de la Biblia*, del escritor Arturo S. Maxwell. Esta colección de diez volúmenes contiene muchas historias relatadas en un lenguaje moderno, el cual combinado con las ilustraciones artísticas, hace vívidos los relatos. La segunda colección, Cuéntame una historia, es una serie de 5 volúmenes con abundantes historias formadoras del carácter. En las librerías evangélicas es posible encontrar otros libros con historias interesantes y elevadoras.

4. *El culto familiar.* La familia que se reúne diariamente para tener el culto familiar, ya conoce los valores y los beneficios de esta costumbre. Hay muchos, sin embargo que arguyen: "No podemos hacerlo porque no nos queda tiempo". Sin lugar a duda, esto es asunto de prioridades, y cuando algunos dicen: "No tenemos tiempo para reunirnos todos", se trata de un problema de programación. La mayoría de las personas desea una religión cómoda y conveniente,

pero el cristianismo tiene su precio. Si se le quita ese valor no quedará nada. Otros dicen: "Nuestra familia no necesita el culto familiar porque vamos a la iglesia una vez por semana, y eso es suficiente". Esto es encerrar el cristianismo en un pequeño compartimento para usarlo solamente una vez por semana.

Toda persona encuentra tiempo para hacer lo que más le place. Meditemos en este asunto. ¿Ocupa Dios el primer lugar en nuestras vidas? Unicamente entonces nuestros hijos considerarán a Dios como lo primero y lo más esencial de sus vidas.

Es menester tener un tiempo definido para el culto familiar, sin excepciones de ninguna clase. Se debe decidir acerca de la hora apropiada, ya sea por la mañana o por la noche, o en ambas ocasiones. Debemos practicar esta costumbre sin importarnos las visitas que tengamos en nuestro hogar. Leamos pasajes de la Biblia. **Hagamos el estudio devocional interesante para los niños. Seamos breves, pero sin apresurarnos. Tengamos un lugar para la música durante el culto. Hay niños que tararean himnos antes de poder hablar. Oremos juntos y permitamos que todos participen. Aun los niños más pequeños pueden repetir algunas palabras con los adultos.** Es conveniente arrodillarse, y si es posible tomarse de la mano.

La mayoría de los padres cristianos comienzan a enseñarle a orar al niño, pero al hacerlo encuentran muchos escollos. A menudo les enseñan a allegarse a Dios como si él fuera un mago distraído que realiza milagros para cualquier niño que le pida algo. Los niños aceptan la idea de rogar a ese ser todopoderoso. Pero con frecuencia tales oraciones incluyen expresiones como: "Te ruego que me dés", lo que tal vez significa: "Yo quiero" o "Si sólo tuviera". Estas oraciones con pedidos son las más fáciles de hacer, pero a veces al niño le resulta difícil entender por qué muchas veces Dios no le envía las cosas que pide. Los padres deben enseñar a sus hijos a reconocer que la oración no consiste solamente en la expresión

Los Años Formativos

Los días de la juventud pasan tan veloces Y los hijos cambian tan rápido; Pronto se endurecen en el molde Y los años formativos se han ido.

Entonces, formad sus vidas cuando son tiernos. Que éste sea nuestro objetivo y oración: Que cada niño que encontramos pueda llevar el sello de Su nombre.

–Autor Desconocido

de deseos y sentimientos, sino que principalmente es un medio de confesión, arrepentimiento, agradecimiento y alabanza. Se pueden confesar cosas y descargar pesos por medio de la oración, en una forma como no se podría realizar con ninguna otra persona, ni aun con los miembros de la propia familia. Finalmente, no es la cantidad de oraciones hechas lo que hace la diferencia. Los niños deben ver en las vidas de sus padres que existe poder para vivir antes de saber que ese poder también está a su alcance.

5. Asista a la iglesia con regularidad. La iglesia existe con el propósito de ayudar a las personas en el crecimiento cristiano, al darles la oportunidad de estudiar la Biblia, al animarlas a leerla y a orar cotidianamente y al proporcionarles la oportunidad de servir y ayudar a otros. Cada persona debe pensar cuidadosamente lo que espera dar a la iglesia y recibir de ella.

Hace algunos años, Richard Baxter, ministro de una iglesia rica y sofisticada de Inglaterra, predicó durante tres años con todas las fuerzas de su alma, sin obtener resultado alguno. En medio de una agonía mental, se tiró al suelo de su oficina y le imploró a Dios: "Señor, tienes que hacer algo por esta gente, o si no me muero..." Dios contestó aquella plegaria, porque claramente escuchó unas palabras que decían: "Baxter, has estado trabajando en un lugar equivocado. Si quieres que el reavivamiento provenga de la iglesia, comienza con los hogares". De modo que aquel ministro comenzó a visitar a los miembros de la iglesia en sus hogares. A veces pasó mucho tiempo procurando establecer el culto familiar. Fue de casa en casa, hasta que por fin el Espíritu Santo se hizo sentir en los hogares y en la iglesia misma.

Charles J. Crawford una vez escribió: "Ninguna persona se atrevería a construir una chimenea de ladrillos sin tener ladrillos, ni hornear un pastel de manzanas sin manzanas. Hay muchos, sin embargo, que pretenden construir hogares cristianos sin tener a Cristo. Intentan mantener los principios cristianos, usando tal vez la terminología cristiana', pero sin la presencia de Cristo no se puede establecer un hogar cristiano. Para tener un hogar cristiano se necesita que el Dios santo more en el hogar, y que viva en los corazones de los miembros de la familia".

Los griegos tenían razón al decir que el carácter es como un grabado. ¿Qué clase de inscripción indeleble se está grabando profundamente en los corazones y en las conciencias de nuestros hijos? **No debemos olvidar que el carácter es lo único que llevaremos al cielo y constituye nuestra posesión más preciada.**

Cómo evitar la ruptura de las relaciones entre padres e hijos

El adolescente clama por el reconocimiento de su individualidad mediante su actitud rebelde.

Los hijos necesitan a sus padres, porque las relaciones afectivas que desde su nacimiento han mantenido con ellos les ayudarán a desarrollar los rasgos de un carácter noble.

sumen del Capítulo

EL NUEVO *Diccionario Internacional de Webster* define la adolescencia como "los años que median entre los 13 y los 19 de la vida de una persona". Esta declaración no es muy explicativa, ¿verdad? En inglés estos años se conocen como los *teens*, y su origen se deriva de un vocablo antiguo conocido como *teona*, que significa agravio, enojo y aflicción. Sí, estos años pueden ser dolorosos tanto para los padres como para los adolescentes.

Aunque el adolescente no ha ganado todavía la libertad de la adultez, sin embargo ha perdido los privilegios de la niñez. Como resultado, se puede decir, que durante siete años se encuentra suspendido entre las garras del tiempo. Por lo general, a la edad de 15 años el jovencito siente que todo se le prohibe. No puede conducir el carro, casarse, pedir prestado dinero, hacer sus propias decisiones, votar ni entrar al ejército. Pero debe ir a la escuela, quiéralo o no. Todas estas negativas ponen tirante la relación entre los adultos y los adolescentes, y esa tirantez prevalece hasta que el adolescente logra emanciparse financieramente.

La radio, la televisión y los otros medios de comunicación presentan numerosas estadísticas referentes a la delincuencia juvenil, el crimen, las muchachas solteras que resultan embarazadas y la drogadicción. ¿Son los ado-

127

lescentes de nuestro tiempo peores que cuando nosotros éramos jóvenes? Tal vez no son peores, pero se puede decir que el adolescente de hoy es muy diferente del adolescente de hace veinte o treinta años. Aunque los adolescentes de la actualidad hacen casi las mismas cosas que nosotros hicimos en el pasado, las están haciendo a una edad más temprana. Los sociólogos han confirmado que los niños crecen más rápido en nuestros días. Salen en citas amorosas a una edad más temprana y conocen aspectos de la vida propios de los adultos con indebida anticipación. Los adolescentes de nuestros días tienen más dinero, más medios de transporte, más tiempo libre y menos supervisión que nunca antes. También maduran sexualmente tres años más temprano que la generación anterior.

Los problemas del mundo adulto complican más la situación. El divorcio, la inflación, la crisis de energía y la corrupción política que existen en la actualidad, no son cuadros halagüeños. Los adultos que no pueden hacer frente a sus propias dificultades, no están capacitados para enfrentarse con los problemas que surgen en la vida del miembro adolescente de la familia. **Durante el difícil tiempo del crecimiento, el adolescente necesita padres que puedan reconocer que en él se están efectuando cambios que lo llevan hacia la adultez, padres que comprendan con paciencia en vez de reaccionar contra sus actitudes y el comportamiento.**

Hasta el comienzo de la adolescencia, el hijo ha aceptado más o menos el gobierno paterno, sin necesidad de gran persuasión. Ahora, sin embargo, usted comienza a darse cuenta de que el adolescente quiere verificar todo lo que usted le dice. El mismo niño que anteriormente parecía estar contento bajo su cuidado, ahora comienza a causar problemas, se muestra inquieto y se enoja con facilidad.

El método de disciplinar que usted usaba anteriormente, ahora ha perdido su eficacia. La estimación de sí mismo del adolescente comienza a adquirir gran importancia. La responsabilidad llega a convertirse en una cosa del pasado. El compañerismo y la amistad

Hasta el comienzo de la adolescencia, el hijo ha aceptado más o menos el gobierno paterno, sin necesidad de gran persuasión.

que usted soñaba mantener con su hijo adolescente pareciera haberse esfumado. Los momentos de conversación seria que usted planeaba tener con su hijo, no han llegado a ser la realidad esperada. Ahora el adolescente no desea quedarse en casa con la familia. Cuando se queda, su mente divaga y no presta atención. Actúa como si fuera un delito ser visto en compañía de sus padres. Sus altibajos emocionales, sus ataques temperamentales y sus períodos de indolencia empiezan a causar confusión en usted.

Y usted se pregunta si tal vez está perdiendo su competencia como padre y el contacto con su hijo. Se siente confundido y decide buscar ayuda para entenderse mejor usted mismo y también a su hijo. El padre procura acordarse de lo que sucedía en su juventud, pero los años transcurridos opacan sus recuerdos. Los lamentables fracasos de sus amigos en la crianza de sus hijos le causan confusión. Fortalecido el padre o la madre con la esperanza de tener cierta medida de éxito en la crianza del adolescente, le hace frente a la tormenta y sale lo mejor que puede; pero pronto descubre que nuevos nubarrones anuncian otra tormenta.

Si esta situación describe parcialmente su relación con sus hijos, cálmese, porque está dentro de lo que ocurre normalmente. **Usted no necesita sentir que ha fracasado como padre, debido a que de vez en cuando tiene problemas de comunicación con el adolescente. Todos los hijos, en una forma u otra, expresan su rebelión contra los padres.**

Los puntos en favor y en contra de la rebelión

Cuando mi esposo y yo llevamos a cabo seminarios para padres de adolescentes, a veces preguntamos si los padres perciben la rebelión como una experiencia positiva o negativa en sus vidas. Por lo general, la respuesta es que la rebelión es una experiencia negativa. La rebelión es la resistencia o el rechazo de la autoridad. Pero pensemos por un momento, en lo que sucedería si el niño no resistiera o rechazara nunca el control paterno. Se mantendría siempre bajo su autoridad, y tal vez bajo su techo.

Durante los años de adolescencia, el joven que se aproxima a la adultez; comienza a emanciparse de algunos valores de sus padres, de sus ideas y controles, y empieza a establecer sus propios límites. Este es un procedimiento positivo, el procedimiento de establecer su propia individualidad, sus principios éticos, sus valores, sus ideas y sus creencias. Para algunos jóvenes este proceso ocurre en los primeros años de la adolescencia; en cambio, para otros llega más tarde. Para algunos es una transición difícil, pero para otros resulta bastante fácil. Los padres con hijos que manifiestan un grado leve de rebelión se sorprenden cuando escuchan historias de otros padres que han fracasado en su trato con sus hijos, y como resultado han experimentado gran angustia, sinsabores y enfrentamientos directos con sus hijos.

El proceso de establecer su propia identidad es un paso necesario para todo adolescente. Si no se lleva a cabo durante los años de la adolescencia, cuando debe ocurrir, lo más probable es que ocurra en un tiempo futuro. Tal vez durante la edad adulta. En efecto, muchas situaciones críticas de la adultez pueden en realidad considerarse como períodos de rebelión en estado latente. Es mucho más saludable cuando esta experiencia se presenta naturalmente.

El adolescente mediante su actitud rebelde, clama por el reconocimiento de su individualidad. No quiere que sus padres lo sigan considerando como un objeto de su propiedad, a pesar de que sigue estando bajo la responsabilidad de ellos. Intenta descubrir lo que en realidad es, lo que cree y los principios que defiende. Tanto la identidad suya como el respeto de sí mismo se encuentran en juego. En su afán de buscar la respuesta para estas inquietudes, puede ser que reaccione agresivamente contra la autoridad paterna, como no lo había hecho antes. Es por eso que usted, como padre o madre, debe tener la sabiduría necesaria en ese momento para reconocer que la reacción de su hijo no es una actitud personal contra usted, sino parte de un proceso normal que se está desarrollando en su interior.

La rebelión normal llevará al adolescente a una vida adulta madura. Este período constructivo le ayudará a librarse de sus rasgos infantiles y a desarrollar su propia independencia. Puede ser que a los padres les resulte difícil mantener abiertas las líneas de comunicación con sus hijos. Pero especialmente en los períodos de dificultad, tanto el padre como el adolescente, deben mantenerse en comunicación con el propósito de explorar los problemas persistentes. Recuerde que el adolescente aun no puede controlar sus emociones en forma racional, ni tampoco está bien equipado para enfrentarse con las emociones intensas de sus padres.

Tal vez los altibajos en la disposición de ánimo del adolescente frustre a sus padres. Puede ser que a veces se comporte como "el rey de la montaña" desde donde contempla la belleza y el esplendor de la vida. Pero antes que usted pueda adaptarse a ese estado de ánimo tan optimista, tal vez su hijo habrá caído en el abismo de la desesperación y el desánimo. Todos los aspectos de la vida parecen magnificarse en gran manera o exagerarse en forma descomunal. Todas las cosas llegan a ser grandes u horripilantes, calientes o frías, lo más maravilloso o lo más detestable. La madurez de las acciones y reacciones de los padres ayudarán al adolescente a reconocer que la vida es 10 por ciento lo que le sucede a una persona y 90 por ciento la forma como ésta reacciona a lo que le sucede.

Aunque el adolescente escudriña todas las cosas, no hace una pausa suficientemente larga para detenerse en algo en particular. Un día puede desviarse de su camino una cuadra para ver a Julia; pero a las pocas semanas puede ser que camine dos cuadras para evitarla. Hoy no logra hartarse comiendo pizza, pero dentro de unos días no entiende qué tiene la pizza que sea tan delicioso.

Durante las fases normales de rebelión, usted puede esperar que su hijo adolescente desafíe su autoridad en varios aspectos: al responderle, al argumentar, al discutir las reglas y limitaciones, al cuestionar su religión y al rechazar los valores que por tanto tiempo había practicado la familia. **También puede demostrar claramente el mismo desafío de su autoridad por medio de las ropas que usa y la música que escucha. Muchos adolescentes demuestran lo mismo por medio del alcohol, las drogas y el sexo.**

El que el periodo de rebelión del adolescente se mantenga dentro de los confines de lo "normal" o que llegue a ser una cosa anormal, depende en gran medida de la intensidad y la dirección de la reacción de sus padres. Si usted redobla sus esfuerzos para controlar la situación sin tomar en cuenta a su hijo, las semillas de la insurrección echarán fuertes raíces en él. Tal vez pueda controlarlo por algún tiempo, pero lo más probable es que él se proponga que algún día se desquitará en la forma que pueda. Sin embargo, si

usted puede mostrar paciencia mientras su hijo procura conocerse a sí mismo, su relación con él se mantendrá dentro de límites saludables y constructivos, lo cual tiene gran importancia. ¿No le parece?

La rebelión anormal

Tal vez usted diga: "Si todo esto es normal, ¿qué será lo anormal?" La rebelión anormal molesta a la familia cuando se libran batallas constantes sobre el automóvil, las citas amorosas, las amistades, las reglas, las limitaciones o el dinero. La guerra fría se establece en el hogar donde los miembros de la familia tienen miedo de hablar para no inmiscuirse en las actitudes de rebeldía.

La rebelión anormal saca al joven del camino principal de la vida, y lo fuerza a transitar por un desvío estrecho que lo lleva a una vida empapada de amargura y odio. La rebelión anormal se puede medir a veces a través del grado de intensidad y la frecuencia con que ocurre. Por ejemplo, cierta vez algunos muchachos condujeron sus carros deportivos por el césped de las casas, destruyeron plantas y flores, martillaron el alumbrado y derrumbaron paredes con hachas. El padre de uno de estos adolescentes frustrados, aburridos y ricos dijo: "Solo están dando salida a su vapor". ¡Y qué vapor! El daño causado costó unos 400.000 dólares.

La rebelión de los adolescentes, cuya gravedad se trata de disimular, constituye un problema que cuesta mucho dinero al pueblo norteamericano. Por ejemplo, la cleptomanía es una de sus manifestaciones. Más de la mitad de los cleptómanos de hoy en día son adolescentes, y la mayoría pertenece a la clase media. No roban porque tengan necesidad, sino por la emoción que causa esta experiencia, la cual se conoce como "ganarle al sistema". Un par de jovencitas en Beverly Hills intentaron robar unas blusas costosas. Cuando fueron aprehendidas, le lloraron a la policía para que las dejaran poner de nuevo la mercancía en los estantes con tal de que les dieran la libertad. Su travesura demostraba ser otra forma de rebelión al declarar que "no obedecerían las reglas". A menudo estos adolescentes procuran desesperadamente decirles a sus padres: "Tal vez pueda ser que ahora me presten atención".

La rebelión llega a ser anormal cuando el adolescente se niega a obedecer, por cualquier razón, las reglas del hogar; ignora las horas cuando debe regresar a casa; experimenta con las bebidas alcohólicas, las drogas o el sexo; suele transgredir las leyes; y se viste con modas extravagantes. En pocas palabras, se puede decir que la rebelión anormal conlleva un rechazo total de las normas establecidas por la familia o las responsabilidades sociales. Cuanto más joven sea el adolescente cuando entra en este estado de rebelión anormal, tanto más difícil será para la familia controlar la situación, especialmente si los niños menores se dan cuenta de lo que está pasando y si procuran imitar dicho comportamiento. A veces tal vez usted se pregunte hasta cuándo puede permitir tal comportamiento en su hijo.

Es posible que usted nunca tenga que hacerle frente a una rebelión anormal. Sin embargo, si tiene dos o más hijos, las posibilidades de enfrentarse a una situación tal son mayores, a pesar de lo que haya dicho en años pasados acerca de otros adolescentes: "Cuando mis hijos lleguen a ser adolescentes, no se comportarán de esa manera, porque yo no se lo permitiré". Es difícil para un padre de niños pequeños visualizar lo que le espera en pocos años. El padre puede decirle a un hijo pequeño que se siente en una silla hasta que él regrese, y espera encontrarlo sentado al volver. Tal cosa no funciona con el adolescente. **El adolescente tiene su manera de pensar, su individualidad y su propia personalidad. Y a pesar de que se intente hacerlo, su mentalidad y su personalidad no pueden ser controladas todo el tiempo.** Yo también me sentí inclinada a apuntar con el dedo y echarle la culpa a los padres y a los métodos inadecuados de disciplina, hasta que experimenté una rebelión anormal de parte de uno de mis tres hijos.

Como madre joven fui amiga íntima de

La rebelión anormal se puede medir a veces a través del grado de intensidad y la frecuencia con que ocurre.

una madre que tenía cuatro hijos. Yo pensaba que si alguien podía producir hijos perfectos, sería ella. Ella y el esposo eran devotos cristianos, y la familia entera participaba regularmente en los cultos familiares. En ese hogar no se practicaban normas de doble sentido. La unión familiar ocupaba una prioridad bien elevada. Sin embargo, estos padres tuvieron dificultades serias con uno de sus hijos durante los años de adolescencia.

Aquella madre, desesperada, me escribió en esa ocasión: "Las cosas han mejorado un poco en lo que se refiere a mi hijo Tim. Va a la iglesia regularmente y rompió las relaciones amorosas que tenía con una joven que no le convenía. Trabaja por las tardes y estudia por las mañanas. En su tiempo libre se lo pasa arreglando su automóvil. Todavía tiene muchas cosas que mejorar, pero la situación ha cambiado mucho.

Si le resulta cada vez más difícil controlar a su hijo de catorce años, que desobedece las reglas a diestra y a siniestra, si cada vez tiene una actitud más desafiante y trata de vivir de acuerdo con sus propios principios éticos, es imperativo que usted reaccione pronto, porque de otro modo perderá por completo.

"Esta ha sido una experiencia muy dura para mí, pero he aprendido algo bueno. Por fin he podido hacer una distinción entre mis responsabilidades y las de mi hijo. De una u otra forma, yo había cometido el error de pensar que si criaba a mis hijos de acuerdo con la Biblia, automáticamente se volverían buenos. Pero me olvidé de considerar la voluntad humana. Sólo podemos hacer nuestra parte, y el hijo debe decidir si le conviene seguir nuestro ejemplo y adoptar nuestras enseñanzas, Le pido a Dios que en tu caso nunca pases por la misma experiencia".

Mi amiga mencionó varios puntos de interés. Para comenzar, llega el día cuando nosotros, los padres, no podemos sentirnos responsables por las decisiones irresponsables de nuestros hijos adolescentes. **Si ellos prefieren hacer decisiones irresponsables, a pesar de nuestras amonestaciones y consejos, deben entonces experimentar las consecuencias de sus decisiones.** En segundo lugar, los niños no se vuelven buenos automáticamente cuando les leemos la Biblia, cuando tenemos culto familiar y procuramos lo "mejor" para ellos. El estudio de la Biblia, el culto familiar, las escuelas cristianas, la asistencia regular a la iglesia, el ejemplo paternal y la consistencia en la disciplina, son valores esenciales en la crianza de los niños, *pero estos valores no nos garantizan que nuestros hijos llegarán a ser buenos.* **Ningún padre debiera intentar mantener el control absoluto del destino de su hijo adolescente.** Tal como Dios nos deja en libertad para hacer decisiones, de la misma manera debemos permitir que nuestros adolescentes tengan la libertad de hacer sus propias decisiones.

Dios siempre nos da la bienvenida cuando nos arrepentimos y pedimos perdón. De la misma manera debemos estar siempre dispuestos a darle la bienvenida al hijo que ha cometido un error. Uno de nuestros hijos manifestó un alto grado de rebelión en nuestro hogar. Durante esos años críticos, desafió los valores religiosos que le habíamos enseñado y rechazó los principios que servían de dirección a nuestra vida. Se sentaba con nosotros durante el culto familiar, pero nos daba a entender que prefería no estar allí. Los viernes por la noche era nuestra "noche familiar". Leíamos historias inspiradoras, cantábamos himnos de alabanza a Dios, y durante el invierno nos sentábamos junto al fuego que ardía en el hogar, para disfrutar de aquel ambiente familiar. Eran momentos destinados a unir a la familia, después de una semana de constante agitación. Al terminar aquella amena velada, nos arrodillábamos en círculo y nos abrazábamos unos con otros mientras orábamos. Esto simbolizaba nuestra unidad y una relación estrecha reinaba entre los miembros de la familia.

Durante la semana es posible que tuviéramos dificultades con nuestro hijo rebelde, pero los viernes por la noche siempre lo abrazábamos. Queríamos darle a entender que lo amábamos y que era parte de la familia, a pesar de los desacuerdos que solían presentarse. En esos años críticos, durante un tiempo nos permitía que lo abrazáramos, pero se mantenía rígido como un soldado de madera. Su mensaje silencioso lo entendíamos muy bien: "Si no me permiten hacer lo que yo quiero, les demostraré que me desquitaré de alguna manera". Nunca le mencionamos que debía devolvernos nuestro cariño. Pero lo seguíamos amando.

Dios nunca nos deja de amar. Y como nosotros, los padres, representamos a Dios ante nuestros hijos, debemos demostrar esta clase de amor incondicional e indestructible hacia el adolescente rebelde, no importa cuán difícil sea.

Algunos amplios principios podrán servir de guía para atender al adolescente durante este exigente período. El primero es el siguiente: aprenda a comunicarse. Abandone las batallas verbales interminables que lo dejan agotado y desanimado. Los gritos sólo debilitan la autoridad y le hacen ganar ventaja al adolescente. Si le resulta cada vez más difícil controlar a su hijo de catorce años, que desobedece las reglas a diestra y a siniestra, si cada vez tiene una actitud más desafiante y trata de vivir de acuerdo con sus propios prin-

cipios éticos, es imperativo que usted reaccione pronto, porque de otro modo perderá por completo el control y tendrá que hacer frente a la posibilidad de perder para siempre a su hijo o a su hija.

Tal situación exige que hable seriamente con el adolescente. Podría hacerlo en un lugar público, ya sea un restaurante, donde se pueda controlar mejor la situación emocional. Durante la conversación le conviene señalar, sin acusar ni juzgar, la seriedad de lo que sucede. **Explíquele al hijo que lo que le sucede también lo experimentan otros muchachos. Es parte del proceso necesario para establecer los valores y la identidad del individuo.** Sin embargo, aunque el joven desee más libertad, no debe soltarle las riendas para que haga lo que quiera. Como padre o madre, tiene la responsabilidad sagrada de proteger a su hijo aunque se halle en la adolescencia, y no debe descuidar esa obligación, porque Dios lo ha hecho responsable de cada hijo que ha traído al mundo.

Tal vez usted desee pedirle disculpas por no haber reaccionado siempre de manera positiva. Los padres sinceros que piden disculpas llevan las de ganar con sus hijos adolescentes. Esta actitud puede robustecer su respeto hacia usted y estrechar los lazos que se habían debilitado. Tal vez usted perdió la calma, reaccionó precipitadamente o actuó en forma descomedida. Demuéstrele al hijo sus intenciones de corregir su comportamiento como padre para que haya mejor entendimiento en el futuro.

Después, establezca los límites. Dígale a su hijo que aunque esté creciendo y pronto correrá por cuenta propia, eso no significa que ahora pueda hacer lo que le plazca en la casa. **Todos deben cumplir las reglas generales de la familia, necesarias para que existan la paz y la armonía. Exprésele cuáles son las reglas en las que no está dispuesto a transigir.** Manifiéstele calmadamente que si escoge desobedecer deliberadamente, usted tendrá que recurrir a tomar algunas medidas drásticas. (No tiene que enumerar las medidas que piensa adoptar si sigue la desobediencia.)

Háblele con amor. Manifiéstele cuánta es su preocupación y cuánto lo ama. Dígale que desea tener un hogar feliz durante los pocos años que todavía quedan para permanecer juntos como familia. Ínstelo a pasar ese tiempo en paz y no en guerra. Exíjale su cooperación para que reine la armonía en el hogar, y pídale que ayude a sobrellevar las responsabilidades hogareñas. Si usted respeta a su hijo, éste tendrá más respeto por sí mismo y por usted.

Si después de adoptar estas medidas su hijo adolescente sigue manifestando hostilidad, desafío y desobediencia, tal vez tendrá que adoptar medidas más severas dictadas por el amor. En los Estados Unidos existe una organización llamada *"Tough Love"* (Amor Firme). Se trata de una cadena internacional formada por grupos de padres que apoyan a los padres que usan medidas severas para controlar a los hijos problemáticos. Los miembros de dicha organización les dicen a sus hijos que si no se portan bien les irá mal, y tal vez eso signifique echarlos del hogar. Los fundadores de esta organización, los consejeros familiares David y Phyllis York, declaran: "Tienen que decirle al joven: 'Debes escoger entre vivir en el seno familiar como persona decente o irte de la casa'. Hacer una decisión tal es muy difícil" (*Diario Bee*, de Fresno, California.) En ese caso, los padres le dan al hijo rebelde la oportunidad de vivir con amigos, familiares o algún miembro de dicha organización que sea padre de familia. En los Estados Unidos se puede conseguir información acerca de esta organización escribiendo a: Tough Love Community Service Foundation, 118 N. Main Street, Sellerville, PA 18960. Teléfono (215) 257-0421).

Recomiendo esta organización como medida extrema para padres que son incapaces de hacer frente a problemas tales como las drogas, el alcohol, la promiscuidad, la cleptomanía, el robo y otras situaciones serias. Este es un paso muy radical pero a veces efectivo. Produce buenos resultados en la mayoría de los casos.

¿Protegiendo, predicando o inoculando?

¿Cómo pueden los padres ayudar a los adolescentes a conseguir una independencia segura? El método más común usado por los padres cristianos consiste en controlar completamente el ambiente que rodea al joven. Estos padres hacen las decisiones cuando se trata del entretenimiento, las amistades, la ropa, la música, el material de lectura, los programas de televisión y las películas que miran sus hijos. Estos padres ponen a sus hijos en colegios cristianos con la esperanza de aislarlos de las influencias mundanas y de afianzar sus principios cristianos.

Sin embargo, tratar de controlar el ambiente del adolescente es algo que no produce ningún resultado positivo. Usted no puede aislar completamente a su hijo adolescente de la influencia de una sociedad mundana. Los mismos problemas que existen en las escuelas públicas se pueden encontrar en las escuelas privadas, en cierto grado. Intentar aislar al adolescente de las influencias mundanales es un método ineficaz de control. Puesto que el adolescente tendrá que abandonar ese ambiente hogareño controlado y protegido, no estará bien preparado para hacerle frente a las realidades de la vida fuera del hogar.

Otro error muy común ocurre cuando los padres reaccionan exageradamente a las influencias negativas. **Estos padres piensan que al reaccionar con una crítica dura y negativa contra las normas y las actividades reprochables, el adolescente las evitará en el futuro.** Por ejemplo, en un esfuerzo para evitar que su hijo escuche y se aficione a la música "rock", el padre comienza a hacer comentarios difamantes sobre aquella música.

Por lo general, este método resulta contraproducente. Muchos adolescentes no se impresionan ni hacen caso a los padres que reaccionan en forma drástica. Tal vez escuchen con respeto, o con indiferencia, cuando están en casa; pero fuera de casa se vuelven en contra de lo que sus padres les habían "predicado". Los hijos pueden mantener actividades clandestinas aun dentro de su propia casa, mientras aparentan un comportamiento

Los mismos problemas que existen en las escuelas públicas se pueden encontrar en las escuelas privadas, en cierto grado. Intentar aislar al adolescente de las influencias mundanales es un método ineficaz de control.

distinto cuando están con sus padres. Cuando por fin los padres descubren la verdad, se llenan de culpabilidad y de congoja. Se preguntan una vez y otra: ¿Cómo es posible que mi hijo siga las costumbres del mundo, cuando nosotros hemos enseñado definidamente lo contrario?

El recurso más efectivo de enseñar valores y normas al adolescente se conoce como el "método de inoculación". Cuando los padres le brindan la oportunidad a sus hijos de recibir pequeñas dosis de elementos infectados para adquirir inmunidad contra la plaga, los van preparando eficazmente aun desde los primeros años de vida para resistir el mal. En vez de predicar contra las influencias negativas o aislar a los hijos de las mismas, estos padres enseñan los valores por medio del ejemplo y comentando con claridad acerca de las cosas que merecen censura, a las que sus hijos han sido expuestos.

Cuando surge algún problema, juntos analizan los puntos en favor y en contra. El joven es expuesto a puntos de vista claros y lógicos y orientado sutilmente. Estos padres, tan frecuentemente como les sea posible, permiten que el hijo haga sus propias decisiones, *aunque la decisión tomada no sea la mejor.* Desde luego, es preferible que el joven aprenda tempranamente a evitar las decisiones deficientes, en vez de hacerlo más tarde, cuando los resultados sean más graves. Pocos padres son capaces de tolerar esta atmósfera de franqueza, y sin embargo es la forma más efectiva de hacer frente a la situación que nos ha venido ocupando. La mayoría de los padres se sienten comprometidos a hacer las decisiones en todas las cosas de sus hijos adolescentes. Cuando su hijo realiza una decisión mal hecha, ellos experimentan mucha culpabilidad y sentimientos de fracaso. Sin embargo, la capacidad de realizar decisiones sabias es algo que se puede adquirir y desarrollar. Es como un músculo que se usa repetidamente para que se desarrolle.

Los padres informados que desean complementar el "método de la inoculación", incluirán al dolescente en el establecimiento de las normas del hogar relativas a ciertas actividades antes que esas actividades se realicen. Algunas actividades importantes, como conducir el automóvil de la familia, salir con jóvenes del sexo opuesto en citas amorosas, y el comportamiento sexual, se pueden regimentar con éxito si se tiene la precaución mencionada. **Antes que se le permita al adolescente ejercer el privilegio de andar en citas o manejar, se le debe animar a que considere que hay normas que debe obedecer cuando use el carro o salga en citas con alguien del sexo opuesto. Los padres deben participar en el establecimiento del convenio, el cual deberá registrarse por escrito.**

Este método es muy eficaz, porque cuando un joven formula una regla y decide respetarla, lo hace con más fidelidad que si se lo demandaran sus padres. Es importante que usted reciba toda la comunicación que pueda de parte del adolescente, y que le ofrezca un mínimo de orientación parental. Este enfoque requiere tiempo, esfuerzo y paciencia, pero proporciona grandes y ricos dividendos. El adolescente que ha sido animado a efectuar sus propias decisiones, tiene la tendencia de colaborar con los reglamentos de la familia y a desarrollar una independencia saludable y un positivo respeto propio, dos características indispensables.

"Todo el mundo lo hace"

Una trampa común en la cual los padres caen a menudo es el argumento presentado por los hijos: "Todo el mundo lo hace". En este caso los padres deben explicar que no todo el mundo hace las cosas en la misma forma, y por lo tanto no necesitan saber lo que otros padres están haciendo. Los padres deben hacer lo posible por ser indulgentes y darle al adolescente, hasta donde sea razonable, la libertad que desea. Sin embargo, es muy importante que los padres cristianos establezcan temprano en la vida del niño que ellos, en general, hacen cosas diferentes que los padres no cristianos, porque su sistema de valores es diferente.

Con esto en mente, es a menudo un error decir "no" inmediatamente cuando el hijo adolescente pide permiso para hacer algo. Los padres sienten que están sobre terreno seguro cuando postergan las cosas para otro día. Por eso comienzan diciendo "no", pero después de escuchar los argumentos del hijo en favor de un "sí", con frecuencia cambian de opinión y dicen "sí". Esta actitud le enseña al joven que vale la pena insistir y discutir, y que un "no" significa en realidad: "Tal vez;... lo pensaré". Un plan más sabio sería éste: "Explica cuáles son los hechos y después haré la decisión". Cuando le presente los hechos, dígale: "Todavía no he hecho una decisión. Dame tiempo para pensarlo. Quiero hablar con tu madre (padre), y ya te avisaremos lo que decidamos". A continuación haga una decisión tan racional como sea posible, y una vez hecha, cúmplala a todo costo.

Castigo a los adolescentes

Como habíamos dicho antes, los padres

no deben castigar físicamente al adolescente. **El adolescente se considera adulto y cree que los golpes son para "los niños". No se debe sacrificar su amor propio en el altar del resentimiento.**

Esto no quiere decir que se debe abandonar el control. Por lo contrario. El adolescente necesita una supervisión firme y constante. Pero no se debe recurrir a castigos específicos con la misma frecuencia que en años anteriores. Numerosos errores y faltas del adolescente se pueden corregir si se razona con él dentro de un ambiente de amor y consideración. Si fracasa este método, puede ser conveniente quitarle al adolescente algunos de sus privilegios: una velada con sus amigos, un viaje, el uso del automóvil y cosas parecidas. **Retenerle el dinero que le da semanalmente puede controlar algunos tipos de mal comportamiento; pero no use este método para que el joven mejore sus calificaciones en la escuela.**

Las medidas disciplinarias funcionan en forma más efectiva entre los adolescentes cuando ellos han participado con sus padres en el establecimiento de las reglas y del castigo por su desobediencia. Una madre, cuando su hijo regresó una noche catorce minutos después de la hora acordada, le dijo: "Aplícate tú mismo el castigo que mereces, y hazlo ahora".

"Soy un estúpido –se dijo el joven en voz alta–. Si vuelvo a llegar tarde, perderé el privilegio de salir de noche, cosa que no quiero". Y con una sonrisa bonachona continuó con todo lujo de detalles recitando el ritual que sus padres empleaban para regañarlo cuando desobedecía, incluyendo las razones; y hasta hizo la resolución de regresar a casa antes de la hora prevista. Su actitud ayudó a su madre a mantener la calma en un momento cuando se encontraba demasiado cansada para actuar con justicia. Además, se gozó al escuchar las expresiones de aquel joven que crecía en responsabilidad. A propósito, desde aquella noche el joven ha llegado siempre temprano, nunca tarde.

¿Cómo maneja usted a los adolescentes?

Trace un circulo alrededor del número de la escala que corresponda con su manera de pensar con respecto a cada declaración.

| 1. Definidamente de acuerdo | 2. Levemente de acuerdo | 3. No estoy seguro |
| 4. Levemente en desacuerdo | 5. Definidamente en desacuerdo | |

1 2 3 4 5   1. Creo que los adolescentes de hoy son peores que los de mi generación.

1 2 3 4 5   2. Considero como algo negativo tanto la rebelión de los hijos como el proceso de su independización de los padres.

1 2 3 4 5   3. Durante las fases normales de la rebelión, espero que mi adolescente desafie mi autoridad, me conteste, ponga a prueba las reglas y los limites, y dude de la religión y los valores tradicionales.

1 2 3 4 5   4. A veces me siento muy culpable y fracasado cuando mi hijo adolescente realiza una elección inadecuada, como si yo fuera personalmente responsable.

1 2 3 4 5   5. Si la actitud de desafío de mi hijo adolescente se generalizara e intensificara, le diria que debe corregirse o bien irse de la casa.

1 2 3 4 5   6. Cuando surge un problema, lo analizo francamente y guio con suavidad a mi adolescente para ayudarle a elegir lo que es correcto.

1 2 3 4 5   7. Puedo permitir que mi adolescente haga sus propias decisiones, aunque no sean adecuadas y estén diametralmente opuestas a las normas y valores de la familia.

1 2 3 4 5   8. He animado a mi adolescente a participar en el establecimiento de guías para el comportamiento, en asuntos importantes, como manejar el carro y las citas con personas del sexo opuesto.

1 2 3 4 5   9. Aunque mi adolescente pueda manifestar hostilidad en ciertos momentos, o pueda mostrarse rebelde, de mal talante o irresponsable, creo que puedo mantener abiertas las puertas de la aceptación, el amor y la comunicación.

1 2 3 4 5   10. Puedo ver a mi adolescente como una persona digna y valiosa, aunque elija valores diferentes de los que yo desearia que eligiera.

Analice sus respuestas con su cónyuge, un amigo u otro adulto.

Responsabilidades de trabajo para el adolescente

Antes que un astronauta esté capacitado para tripular un vehículo espacial recibe instrucciones muy cuidadosas sobre la forma como debe operarlo. Cuanto más aprenda y practique, tanto mejor astronauta será. Igualmente, antes que un adolescente pueda asumir las responsabilidades de la adultez, necesita aprender acerca de la vida y cómo vivirla. Por lo tanto, los padres sabios harán de sus hogares laboratorios donde cada adolescente pueda practicar el arte de vivir y atender el hogar. Los adolescentes de ambos sexos deben aprender a cocinar, a lavar, a limpiar la casa, a hacer reparaciones sencillas, a comprar en el mercado, a equilibrar el presupuesto, a cuidar el césped y a hacer planes para eventos sociales. Las jóvenes deben ayudar en la preparación de la comida, y ocasionalmente pueden preparar una comida completa; deben confeccionar prendas de vestir y ayudar en la limpieza de la casa. Los

jóvenes mayores pueden trabajar en el patio, atender el jardín, ayudar en la reparación de los carros y arreglar algunas cosas en la casa que se encuentren en mal estado.

Es muy importante que los adolescentes mayores tengan responsabilidades hogareñas que sean de importancia para ellos y los mantengan activos. A un joven de 16 años, por ejemplo, no solamente se le debe dejar que lave el carro, sino también se le debe permitir expresar sus opiniones acerca de la compra de un nuevo automóvil o al hacerle una reparación mayor al vehículo de la familia. A una adolescente no sólo se le debe pedir que limpie las ventanas y la casa, sino también que tenga voz y voto en la elección de los materiales y los colores que deben usarse en la decoración de la casa.

Aunque los adolescentes deban mantenerse ocupados en los quehaceres cotidianos, los padres deben permitirles que tengan tiempo libre para realizar sus propias actividades. Si Juan tiene práctica de baloncesto los martes por la noche, no es justo que se le niegue este privilegio porque esa noche le toca lavar los platos. Es menester hacer un programa adecuado. Si el papá y la mamá le ayudan a Juan a lavar los platos, el joven también aprenderá a ayudarle a otros cuando se encuentren en necesidad. Los padres deben ser considerados con los adolescentes y sus intereses, especialmente si ellos cumplen con sus obligaciones hogareñas.

Los padres deben darle prioridad al adolescente que trabaja afuera parte de su tiempo. Las tareas hogareñas no debieran interponerse, a menos que la situación en el hogar así lo requiera. El trabajo de medio tiempo le ofrece al adolescente un sentido de prestigio, una fuente de entrada, y hasta puede ayudarle a definir su vocación. Se le debe permitir gradualmente a un adolescente dedicarle más tiempo al trabajo y menos tiempo a las actividades del hogar, si así lo desea.

Durante los años de la adolescencia el

tiempo ocupa un papel de suma importancia en la enseñanza de la responsabilidad. Y de nuevo recalcamos que el tiempo más favorable para enseñarle responsabilidad al joven es cuando éste demuestra interés definido por cierta actividad. Un joven llegó a su casa lleno de entusiasmo cuando aprendió a hacer un ojo eléctrico en la clase de electricidad. Pensó que sería capaz de hacer uno que abriera la puerta del garaje. El padre lo animó para que realizara el proyecto, y ambos consiguieron los materiales necesarios y comenzaron a trabajar en el garaje durante su tiempo libre. Como el ojo eléctrico fue un verdadero éxito, pensaron en nuevos proyectos que se podían realizar con las herramientas del padre, y de esta manera el hijo, que nunca antes se había preocupado por los planes del futuro, comenzó a considerar la carrera de electricista como su preferida.

Un estudio realizado recientemente entre adolescentes reveló que alrededor del 88 por ciento de los jóvenes que estaban en problemas con la ley, contestaron en forma negativa cuando se les preguntó si realizaban alguna actividad durante su tiempo libre. El trabajo casero, especialmente la limpieza activa de las paredes y los pisos, ayuda a desarrollar buenas formas a las jóvenes y adquirir músculos a los muchachos. Cocinar, hornear y coser son oficios que ayudan a la joven a prepararse para realizar los trabajos del hogar. **El trabajo en el jardín, en la mecánica y en la construcción le enseñan al joven a desarrollar destreza masculina. El trabajo es la mejor disciplina que un adolescente pueda tener.** El trabajo enseña las virtudes de la laboriosidad y la paciencia. También orienta hacia la profesión que elegirá para los años venideros. **El trabajo mantiene activo al joven y lo libra de la ociosidad y del mal comportamiento; también le da integridad, confianza y respeto de sí mismo. Además, le ayuda a encauzar las energías propias de los años jóvenes y de la vitalidad de un cuerpo en desarrollo.**

Cómo motivar a un adolescente

Tal vez usted, haya hecho lo mejor para enseñarle al adolescente el sentido de la responsabilidad, pero a veces puede ser difícil hacer que se levante y vaya en la dirección correcta. Como éste es un período cuando predomina una actitud egocéntrica en la vida del joven y cuando la recompensa es apetecida, los principios del refuerzo psicológico son especialmente útiles. Si siente que su adolescente necesita motivación, la información que sigue será de mucho valor:

1 *Escoja una motivación que sea importante para el joven.* Cederle el automóvil durante un par de horas algunas noches puede llegar a ser un gran incentivo para él. Una joven tal vez se interese en artículos de vestir. Si se ponen al alcance del adolescente los recursos para adquirir sus propias cosas, se dispone de una feliz alternativa para evitar los ruegos, el lloriqueo, los gritos, las quejas y los lamentos que podrían producirse de otra manera. Podría decirle: "Estoy dispuesta a comprarte el suéter que quieres, pero tienes que ganártelo". Una vez que se pongan de acuerdo en cuanto al incentivo o la motivación, será necesario dar el segundo paso.

2 *Formalice el acuerdo.* Una manera excelente de alcanzar este objetivo es por medio de un contrato escrito que tanto el adolescente como el padre o la madre hayan firmado. Mi esposo y yo hicimos un contrato con nuestro hijo Marcos antes que cumpliera los 15 años de edad, según el cual podía conseguir de las autoridades un permiso para aprender a manejar en nuestro carro. Sí, él podría conseguirlo pero tendría que ganar este privilegio comportándose correctamente. Manejar un carro requiere responsabilidad, y si Marcos se mostraba responsable en otras áreas de la vida, entonces le permitiríamos manejar.

Insistimos en que Marcos debía acumular 25.000 puntos en un período de seis semanas, porque en caso contrario el contrato quedaría anulado.

Nuestro hijo también comprendió que su

comportamiento inadecuado podía hacerle perder puntos. (Ver la tabla que aparece en la pág. 143.) Junto con la deducción de puntos por mal comportamiento, se puede incluir puntos adicionales por un buen comportamiento en áreas no incluidas en el contrato.

3 *Establezca un método para proporcionar recompensas inmediatas.* La mayoría de nosotros necesita algo tangible para mantener nuestro interés mientras luchamos por alcanzar un objetivo. En el caso de Marcos, adoptamos el sistema sugerido en la tabla en la preparación del contrato. Cada noche anotamos los puntos, y al final de cada semana obteníamos el total. En la primera semana ganó 750 puntos solamente. Comprendió que no podría alcanzar los 25.000 que necesitaba en seis semanas si seguía a ese paso. Resulta interesante decir que en la segunda semana obtuvo 7.500 puntos

El sistema de contrato se puede adaptar a una diversidad de situaciones. El principio es eficaz, pero tal vez usted tendrá que introducir algunas adaptaciones. Es importante que el adolescente no reciba el premio sin antes haberlo ganado. De la misma manera, los padres no deben demorar o negarle la recompensa cuando la haya ganado.

La tarea para los padres

Los padres pueden ayudar al adolescente cuando hacen lo siguiente:

1. Respetan sus asuntos privados. Un adolescente necesita mantener un lugar de retiro o aislamiento y los padres no se deben sentir rechazados si el hijo cierra la puerta de su cuarto. La necesidad de mantener sus cosas privadas incluye sus cartas, su diario personal y sus llamadas telefónicas. Aquellos padres que buscan cosas en el cuarto del adolescente, que escarban sus efectos personales tratando de encontrar evidencias de actividades clandestinas, están violando el derecho a la vida privada del joven o la señorita. Si sospecha que su hijo está usando drogas, la necesidad de buscar y decomisar los estupefacientes es otro asunto, pero confiscar diarios personales y correspondencia, o buscar cosas en los bolsillos, las carteras, las gavetas, no es una prerrogativa de los padres.

2. Haga atractivo el hogar. Algunas consideraciones insignificantes, como una apariencia personal bien cuidada, hacer las camas, y mantener la cocina limpia pueden salvar al adolescente de sentirse avergonzado cuando sus amigos lo visitan. Un adolescente es muy sensible a la opinión que sus compañeros puedan tener de sus padres, aunque él mismo ande desaliñado.

Nunca deje de hacer cosas en compañía de los demás miembros de la familia. Muchos jóvenes tienen padres espléndidos, pero no los conocen en realidad, porque la única vez que los ven es cuando los están corrigiendo, criticando, o diciéndoles lo que deben o no deben hacer. Uno de los elementos que más influye en la felicidad de la familia es el sentimiento de compañerismo y comprensión. Debido a que muchos de los contactos de los padres con sus hijos adolescentes son de necesidad, de rutina y con fines de control, es importante que también haya contactos menos serios, que resulten mutuamente satisfactorios. Los juegos familiares, los viajes al campo, las vacaciones, las caminatas por el bosque, los proyectos de construcción y los debates amigables crean una atmósfera placentera que atrae a los hijos.

3. Supervise sutilmente. El adolescente no responde cuando se enfrenta con un rosario de negativas y sin embargo, desea que lo dirijan. Se siente oprimido entre fuerzas opuestas. Por un lado, el joven prefiere padres que manifiesten firmeza, pero por otro lado se rebela cuando tratan de negarle la libertad a que tiene derecho, especialmente cuando sus padres se vuelven arbitrarios en relación con asuntos que él piensa que puede controlar. En este caso el adolescente puede exclamar: "Dénme libertad, o me voy de la casa". Sin embargo, la disciplina no se suspende durante los años de la adolescencia. El ado-

Comente con su hijo o hija adolescente los cambios que ocurren durante la adolescencia, los cambios en las reglas hogareñas y las presiones con las cuales se enfrentará en el futuro.

pendiente, no llega a ser más sabio por recordársele ese hecho a cada momento. Cuando el adolescente le pide más libertad, permítale hacer sus propias decisiones, pero hágalo responsable de los resultados de sus propias acciones. Por lo general, cuando el joven no está listo para hacerle frente a esa nueva libertad, lo más seguro es que vuelva a usted en busca de orientación.

5. Mantenga un sentido de humor. Para manejar a un adolescente satisfactoriamente se necesita que haya equilibrio entre el amor y la disciplina en la escala del buen humor. Un adolescente, y hasta un adulto, haría cualquier cosa razonable cuando se le pide o se le sugiere en forma placentera. El sentido de humor es un antídoto contra la tendencia de considerar los años de la adolescencia con exceso de seriedad. Los padres deben recordar que aunque los adolescentes los consideren anticuados, dentro de pocos años reconocerán que eran personas sensatas que vivían plenamente ubicados en su época. La risa produce una atmósfera de aceptación y regocijo en el hogar, y el adolescente necesita aprender a disfrutar de la vida familiar y reír con los demás y consigo mismo.

6. Discuta los cambios que tendrán lugar. Comente con el hijo o hija adolescente los cambios que ocurren durante la adolescencia, los cambios en las reglas hogareñas y las presiones con las cuales se enfrentará en el futuro. Es demasiado tarde para comenzar la educación sexual, pero ésta debe continuar durante los años de la adolescencia. Por supuesto, usted ya habrá conversado con él o ella sobre los cambios que se efectuarán en su cuerpo, pero ahora es el momento oportuno para repasar esas cosas; cuando se trata el tema del desarrollo sexual hay que hacerlo con claridad y sin vacilaciones.

7. Promueva el entendimiento entre los hermanos. Puede ayudar a promover el buen entendimiento entre los hermanos si usted habla en privado con los miembros más

lescente necesita que el ancla de la disciplina paternal lo sostenga durante este período de la vida. La disciplina, como bien se sabe, debe ser justa y sin división. No se le debe permitir a ningún hijo que trate de indisponer al padre contra la madre; cuando se necesite hacer una decisión, el padre, como jefe de la unidad familiar, debe asumir tal responsabilidad.

4. Respételo cuando reclama su independencia. El adolescente necesita los lazos familiares, pero no quiere estar atado, y los padres deben reconocer esta diferencia. Todo lo que los padres hagan desde la infancia permite que el adolescente llegue a ser más dependiente o independiente. A menudo los padres temen darle la independencia al adolescente, porque piensan que no tiene edad suficiente para recibirla; y usarla en forma responsable. El adolescente que aspira a ser libre, pero no está listo para ser inde-

Contrato para permiso de manejar

Gana puntos por lo siguiente:

100 pts. por cada media hora de trabajo realizado sin pedírselo
50 por cada tarea escolar con la nota máxima
50 por levantarse en cuanto es despertado
50 por decir "lo haré con gusto" cuando se le pide algo
50 por hacer la cama y ordenar el cuarto cada mañana
50 por dejar bien limpio el baño
100 por cada media hora pasada escuchando música clásica
150 por cada seis versículos de la Biblia memorizados
100 por cada día que estudie su lección bíblica
50 por terminar rápidamente los deberes asignados
200 por cada hora de estudio en el hogar
100 por cada hora de lectura de temas no escolares

Pierde puntos por lo siguiente:

100 por perder la calma (palabras descomedidas, portazos, etc.)
50 por llegar tarde al colegio
50 por llegar tarde a las citas y compromisos
100 por amonestaciones recibidas en el colegio
50 por discutir

Los Adolescentes y la Disciplina

Trace un circulo alrededor de la letra que indica la medida disciplinaria apropiada a cada situación. Vea las respuestas en la pág. 240.

1. Un adolescente de 14 años se expresa con ira, molestia y desesperación.
a. Consecuencias naturales.
b. Ignorarlo.
c. Escuchar en forma activa.
d. Declaración en primera persona.
e. Aislamiento temporario.

2. Un adolescente de 16 años quiere mirar la última película todas las noches.
a. Restringir sus privilegios.
b. Consecuencias naturales.
c. Escuchar en forma activa.
d. Razonar con él.
e. Prohibirselo.

3. Un adolescente de 17 años elige compañeros de carácter dudoso.
a. Escuchar en forma activa.
b. Sermonearlo.
c. Restringir sus privilegios.
d. Prohibirle que se junte con ellos.
e. Invitar los amigos dudosos al hogar.

4. Un adolescente de 16 años se desentiende de los reglamentos que gobiernan el uso del carro de la familia.
a. Sermonearlo.
b. Prohibirle que use el carro.
c. Escuchar activamente.
d. Razonar con él.
e. Aislamiento temporario.

jóvenes de la familia acerca de ciertos problemas que necesitan mayor comprensión de parte de ellos o donde los menores pudieran ayudar a aliviar las cargas. Al darle a los menores la oportunidad de participar en ciertos asuntos, los padres les pueden ayudar a entender mejor la adolescencia cuando lleguen a ese período.

8. Escuche al adolescente. Muchos padres no escuchan a sus hijos adolescentes, por lo menos no con actitud comprensiva. A algunos padres les importa poco las ideas y los sentimientos de sus hijos: "Después de todo —argumentan— es apenas un niño. Le escucharemos cuando aprenda a decir lo que tiene que decir". En una encuesta efectuada entre adolescentes, se les hizo esta pregunta: "Cuando ustedes establezcan sus propios hogares, ¿les gustaría estar como están ahora o preferirían hacer algunos cambios? Si prefieren cambiar, ¿qué cambios harían?" La mayoría respondió que el cambio consistiría en dedicar más tiempo a escuchar a sus hijos. Uno de ellos repuso: "Si acudo a mi madre con algún problema personal, se horroriza de lo que le digo y me pide que quite de mi mente esas tonterías. Si voy a mi papá, me da un sermón de sesenta minutos".

La juventud de hoy es una nueva generación, y debe sentir que nosotros nos preocupamos de nuestros hijos, escuchando lo que nos dicen sin enojarnos, sin culpar a nadie, sin juzgarlos, y sin ponerles apodos. Escuchar a los jóvenes con atención constituye un factor muy importante en los años de adolescencia para tender un puente sobre la brecha entre las generaciones.

9. Provea seguridad, amor y aceptación. El adolescente necesita seguridad en una relación que no cambia con las circunstancias. Necesita saber que aunque se presenten malos entendimientos y diferencias, su relación con los padres no se ha de interrumpir, no importa lo que suceda.

Un amor maduro para el adolescente significa que tanto el padre como la madre están dispuestos a participar en la vida y el crecimiento del hijo o la hija, y a colocar a esa persona en desarrollo en esferas de existencia cada vez más amplias. Los padres deben dar a sus hijos grandes cantidades de afecto físico. El adolescente que fue consolado por sus padres cuando niño después de recibir golpes y magulladuras, no se avergonzará del afecto paternal ni se sentirá tan inclinado a buscar en las relaciones sexuales prematuras una compensación.

10. Provea un modelo de un matrimonio feliz. Los adolescentes necesitan ver que sus padres se expresan amor mutuo cada día. De acuerdo con algunos estudios cuidadosos, las buenas relaciones entre los esposos pueden afectarse profundamente cuando sus hijos están en la adolescencia. Uno de los factores contribuyentes es la tensión emocional que se produce. Otros problemas tienen poco que ver con los hijos, pero surgen de las necesidades no satisfechas del esposo y la esposa.

Durante los tempranos años de la vida del niño, la madre puede satisfacer su necesidad de seguridad por sí misma, pero durante los años tumultuosos de la adolescencia, el joven necesita la atención tanto del padre como de la madre. Si ambos pueden resolver los problemas que les impiden una relación matrimonial satisfactoria, la mayor parte de los problemas de la adolescencia también desaparecerán. La seguridad del adolescente se refuerza cuando se evidencia la seguridad en la familia.

Los derechos de los padres y los privilegios de los adolescentes

Las necesidades y los privilegios de los hijos han recibido tanta atención en este último tiempo, que las necesidades básicas y los derechos de los padres a veces son ignorados. Consecuentemente, muchos padres se encuentran confundidos porque no saben cuál es la diferencia entre los derechos y los privilegios de la familia. Los adolescentes a menudo exigen privilegios, porque los consideran como si fueran sus derechos. La lista parcial que aparece a continuación incluye ciertos asuntos que necesitan ser aclarados en la mayoría de las familias.

1. Los padres tienen el derecho de disuadir al adolescente para que no se asocie con amigos de dudosa reputación. La selección de las amistades constituye un problema común. Muchos padres piensan que tal muchacho no es apropiado para su hija o que ciertos compañeros están llevando al hijo por mal camino. La reacción común en un caso tal es prohibir esa amistad. Pero vienen los resentimientos, las amarguras y los malos entendimientos, y como resultado aquellas amistades prohibidas llegan a ser más apetecidas. La desaprobación sólo hace que el adolescente esconda sus amistades. ¿Por qué no anima a su hijo o hija a que lleve sus amigos a casa? Es allí, por medio de los lazos de la aceptación, donde el adolescente puede hacer comparaciones. El debe sentirse libre para seleccionar sus amistades. Sin embargo, es una prerrogativa de los padres intervenir en casos extremos. A veces mudarse a otra ciudad puede resolver problemas intrincados.

2. Los padres tienen el derecho de impedir que el adolescente conduzca el automóvil de la familia cuando ellos lo necesitan, o cuando existe una razón lógica para tal prohibición. El adolescente tendrá derechos exclusivos sólo cuando compre su propio automóvil. El uso del carro de la familia es un privilegio del adolescente, que está asociado con ciertas responsabilidades. En nuestra familia, cada hijo era responsable de pagar la porción del aumento del seguro cuando comenzaban a manejar. Además usábamos el "Contrato para Permiso de Manejar", mencionado antes. Además de pagar por el aumento del seguro, tanto los padres como los hijos deben ponerse de acuerdo en cuanto a lo que éstos deben pagar de la parte a cargo de los padres cuando sucede algún accidente. El privilegio de usar el automóvil familiar es un motivador poderoso para inducir al joven a portarse bien, y quitárselo es un castigo muy eficaz. Hay que ser justos.

3. Los padres tienen el derecho de controlar todas las llamadas telefónicas que entran y salen de los teléfonos instalados y mantenidos por ellos. Alguien ha dicho que los problemas llegan cuando hay tres adolescentes en casa y un sólo teléfono. Posiblemente existen más desacuerdos entre padres y adolescentes sobre el uso del teléfono que con respecto a ninguna otra cosa. Por lo tanto, las familias necesitan establecer claramente y poner en vigencia las reglas concernientes al uso del teléfono. Primero que nada, limite el tiempo de las llamadas a un período razonable. Este límite se aplicará a conversaciones con muchachas y novios. Si el adolescente no puede decir lo que tiene que decir en 20 minutos, tal vez no valga la pena decirlo. Segundo, limite el número de llamadas nocturnas. En la mayoría de los casos, dos llamadas nocturnas serían suficiente. Sin em-

bargo, debe tener cierta elasticidad cuando el adolescente participa en funciones de la iglesia, la escuela u otra institución. Cuente cada llamada que llega como si fueran dos llamadas, si la conversación dura más de cinco minutos. Establezca una espera de quince minutos entre una llamada y otra de su hijo o hija.

4. Los padres tienen el derecho de privar al adolescente de los privilegios que no ha ganado. Un adolescente ya es demasiado grande para darle un castigo físico aunque a veces sea necesario. Pero los padres pueden encontrar una herramienta efectiva al privarlo de ciertos privilegios. ¿Cumplió el adolescente con su promesa de regresar a casa a la hora acordada? ¿Cumplió con sus obligaciones sin tener que recordárselas? ¿Está obteniendo calificaciones aceptables en sus estudios? El adolescente que pierde el tiempo no debe esperar que se le den privilegios.

5. Los padres tienen el derecho de esperar que el adolescente haga lo mejor en la escuela y también insistir en que termine sus estudios secundarios. ¿Son justas sus expectativas en cuanto a las calificaciones que el hijo debiera obtener? Recuerde que el conocimiento en sí no es tan importante como el saber comportarse con los demás y adaptarse al ambiente. Los padres no sólo debieran animar a sus hijos a terminar la escuela secundaria, sino, además, a seguir estudios universitarios si están en condición de hacerlo.

Ocho semanas antes de la graduación nuestro hijo Marcos, nos informó que quería dejar la escuela secundaria. En vez de reaccionar violentamente ante aquella noticia, cautelosamente le sugerimos que escribiera las razones en favor y en contra de tal decisión. Después de mucha deliberación, Marcos decidió terminar el año. Cuando más tarde recibió una beca completa para estudiar en la universidad, nuestras expectativas crecieron. Pero vino el chasco cuando fracasó en el primer trimestre y prefirió no hacer otro intento. Después de trabajar en un lugar y otro por tres años, decidió volver a estudiar en la universidad. Recibimos una carta en donde decía: "Estoy gozando total y completamente de mi estada en la universidad. El otro día involuntariamente falté a una de mis clases y me enojé conmigo mismo... Creo que la razón de mi felicidad se debe a varios factores: quiero estar aquí, y nuevamente tengo ambiciones serias para mi vida. Me cansé de vagar de un lugar a otro sin completar nada y no realizar ningún progreso. Quiero darles las más infinitas gracias por permitirme tener otra oportunidad. ¡Y esta vez terminaré!"

Si hubiéramos reaccionado bruscamente años atrás nuestro hijo no se encontraría donde está ahora.

6. Los padres tienen el derecho de establecer normas definidas concernientes a la apariencia del adolescente. El papá y la mamá deben darse cuenta, sin embargo, que sus esfuerzos para lograr que el joven se vista en forma decente no siempre producirán el resultado apetecido. Los padres deben entender que el adolescente cambia su apariencia personal y su modo de vestir para no parecerse a sus padres, para ser diferente, y para estar a la moda con sus compañeros.

Los padres deben entender que el adolescente cambia su apariencia personal y su modo de vestir para no parecerse a sus padres, para ser diferente, y para estar a la moda con sus compañeros.

Si su paciencia ha sido puesta a prueba por el hijo o la hija que abraza cualquier moda del momento con entusiasmo de fanático, usted debe tener mucho cuidado. Cuanto más se oponga a sus caprichos, tanto más insistirá él en hacer su voluntad. Por eso debe permitir que el adolescente seleccione su ropa y su manera de arreglarse. Necesita usar lo que le conviene para ser aceptado en su grupo. Si su ropa es demasiado extravagante, quiere decir que la presión de sus compañeros ha sido más poderosa que la influencia que usted ha ejercido sobre él.

Sin embargo, si hay un asunto importante de por medio, esto es un vestido sugestivo, o insuficiencia de ropa para cubrir el cuerpo, en este caso debe adoptar medidas firmes. Nunca sea débil en cuanto a cosas que consi-

dera moralmente dudosas. Es muy difícil explicarle a las jóvenes adolescentes por qué no les conviene usar cierta clase de ropa. Todavía las jovencitas no tienen el conocimiento ni la experiencia para entender cómo la ropa femenina afecta a los hombres. Como la apariencia de los hombres no las estimula mayormente, no se dan cuenta de lo mucho que a ellos les afecta la manera de vestir de las mujeres. Las hijas necesitan mucha orientación durante la adolescencia. Pero no permita que los valores y las normas que ha establecido se interpongan arbitrariamente entre usted y la adolescente, que crece en un mundo diferente. En otras palabras, si se trata únicamente de un capricho de la moda, deje que la joven se vista como las demás compañeras.

El adolescente gasta mucha energía para

El adolescente gasta mucha energía para conformarse a la manera de ser de sus compañeros; pero estaría dispuesto a introducir modificaciones si se siente aceptado en su hogar.

conformarse a la manera de ser de sus compañeros; pero él estaría dispuesto a introducir modificaciones si se siente aceptado en el hogar. En su afán por ser aceptado por sus compañeros, el adolescente a veces adopta ciertos tipos de ropa, peinados y otras cosas que sus padres aborrecen. Si se le niega la aceptación que él busca desesperadamente de parte de su familia, entonces procurará imitar a los miembros de su grupo más de cerca, con estilos estrafalarios.

7. Los padres tienen el derecho de controlar la clase de música que se toca en casa. Nótese la palabra controlar. Si usted como padre o madre trata de restringir al adolescente para que no escuche nunca la música de su grupo, lo más probable es que no le preste atención y la siga escuchando. En un seminario para padres, se presentó el tema de la música "rock". Uno de los padres comentó: "¿Para qué discutir ese tema? Todos aquí somos cristianos. Lo único que debemos hacer es prohibir esa clase de música". Los

padres de hijos pequeños tienen dificultad para comprender que algún día tendrán que darles libertad de elección. Como padres, naturalmente, deben seleccionar su música y afirmar los principios que definen cuál es la música que aprueban.

Aunque los padres puedan controlar la música que los adolescentes escuchan en casa, no pueden controlar la que escuchan cuando están solos o con sus amigos. Algunas cosas escapan del control paternal, y la música es una de ellas. Los padres deben realizar todo esfuerzo posible para establecer valores apropiados durante los años tempranos, con el objeto de que esos valores sirvan de guía a sus hijos en tiempos difíciles, cuando la presión social es demasiado grande. Muy pocos adolescentes son lo suficientemente fuertes para rechazar por completo la música que escuchan sus compañeros. Los padres nuevamente deben ofrecer a sus hijos, orientación oportuna, sin causar la impresión de ser arbitrarios. Naturalmente, la preferencia musical del adolescente no debe imponerse al resto de la familia. Sin embargo, debe exigirse que el volumen no debe ser exagerado.

8. Los padres tienen el derecho de establecer reglas concernientes a las citas amorosas. Los padres pueden dar a sus hijos el privilegio de salir con jóvenes del sexo opuesto después de haber analizado factores como la edad, la seriedad, la voluntad de aceptar responsabilidades y la madurez del comportamiento del adolescente.

Durante los años tempranos de la adolescencia no conviene que salgan las parejas solas. Los padres pueden fácilmente controlar las salidas de sus hijos con personas del sexo opuesto al convertir el hogar en un lugar ameno donde el joven o la señorita puedan sentirse a gusto con su amiga o amigo. Las familias que tienen adolescentes pueden planear actividades en las cuales todos puedan participar, para dar a sus hijos la oportunidad de establecer relaciones saludables sin tener que estar siempre solos. Pueden participar varias familias, y reunirse en los diferentes hogares, pueden hacer planes para escalar una montaña, salir de paseo al campo o a la playa, o llevar a cabo diversas actividades que permitan a los jóvenes actuar en grupos supervisados. Las actividades de la iglesia y de la escuela pueden complementar los planes que los padres hayan hecho.

En los primeros años de la adolescencia, los muchachos y las jovencitas comienzan a salir en parejas. Las jovencitas creen que están listas para salir con sus amigos varones a la edad de trece o catorce años. Pero los padres sabios no se lo permiten hasta que cumplen 15 ó 16 años. Las estadísticas indican que cuanto más temprano salgan los adolescentes en citas amorosas, tanto más propensos están a casarse prematuramente. De la misma manera, cuanto más temprano se casan, tanto más probable es que se divorcien.

Las amistades especiales entre adolescentes del sexo opuesto, es decir, cuando se hacen la promesa de no salir con otro amigo o amiga, no son aconsejables antes de que los hijos terminen los estudios secundarios.

Debemos reconocer que es posible impedir que el adolescente se comprometa seriamente en una relación amorosa cuando tiene trece o catorce años, pero es muy diferente cuando se encuentran en los 17 ó 18 años de edad. Los padres inteligentes no tratan de prohibir al joven o a la señorita que están por terminar la secundaria, que tengan amores con cierta persona. Es mejor no prohibirlos; se obtienen más resultados cuando se dan consejos apropiados para hacer comprender su inconveniencia. Mantenga abiertos los canales de la comunicación. Tanto usted como el adolescente deben reconocer que los amores tempranos pueden convertirse en refugios contra la inseguridad. Cuanto más inseguro se sienta el adolescente, tanto más probable es que trate de tener amores serios, con el propósito de resolver los problemas que encuentra en su relación con los compañeros de su grupo. Ayude a sus jóvenes a buscar la raíz de su problema, para resolverlo. Esto es más efectivo que tratar de lidiar con el síntoma del enamoramiento prematuro.

El asunto de fijar una hora para regresar a la casa, el lugar donde se puede ir, lo que deben hacer las parejas cuando salen, y con quién deben salir, son asuntos muy delicados y que causan gran preocupación. Las relaciones entre personas de razas y religiones diferentes constituyen problemas muy serios en los hogares religiosos. Los jóvenes que provienen de hogares devotos y felices, prefieren por lo general, seguir las enseñanzas y el ejemplo de sus padres cuando comienzan a salir con personas del sexo opuesto. Sin embargo, los padres pueden provocarse grandes amarguras si no están suficientemente preparados para hacer frente a ese difícil período de la vida de sus hijos.

Los amores y el comportamiento sexual

Tal vez los padres tengan menos influencia y control en estas dos áreas que en cualquier otra de la vida del adolescente. Sin darse cuenta, muchos padres colocan piedras de tropiezo en el camino de su hijo, de modo que éste no siente confianza con sus padres para hablar del sexo y el amor en el período más difícil de su vida. El asunto de los amores y el comportamiento sexual son dos temas de gran popularidad entre los adultos jóvenes, pero son pocos los padres que están al tanto del comportamiento y las normas de sus propios hijos.

Con justa razón suceden estos problemas. Porque muchos padres cuentan con buenas intenciones, pero tienen métodos defectuosos. Al no querer comentar este tema, piensan que con ello desanimarán al hijo o la hija para que no entren en amores. Más tarde, cuando ya no pueden ignorar el tema, se vuelven dictadores y dominantes con relación a la hora cuando sus hijos deben regresar al hogar y las actividades en las cuales pueden participar. Además de reaccionar violentamente, con frecuencia se burlan de los amores del hijo o la hija, de tal modo que el adolescente prefiere ocultar sus actividades para evitar quedar en ridículo.

Hay una manera mejor. **El tema de las citas amorosas debe tratarse frecuentemente en las veladas familiares durante los primeros años de la adolescencia. Los hijos deben sentirse libres de hacer comentarios y preguntas no importa lo adversos o sorpresivos que puedan ser.** Los padres deben evitar responder con sermones, comentarios denigrantes o represalias. ¿No preferiría usted que su hijo o hija recibiera la información necesaria de parte suya en vez de recibirla de sus compañeros? Recuerde también que durante este período su hijo está aprendiendo y creciendo. Sus perspectivas son diferentes. Pueda que insista en sus puntos de vista con el propósito de contrarrestar las objeciones que usted le presenta o para echar por tierra sus valores. Una reacción exagerada de parte suya podría afirmar en él el deseo de hacer algún día las mismas cosas que usted le ha prohibido. Por medio de una orientación paciente y sabia y gracias a una franca aceptación por parte de sus padres, los valores del adolescente surgirán gradualmente.

Después de haber preparado el camino por medio de francas conversaciones, usted podrá establecer las reglas necesarias. **En un acuerdo acerca de las citas amorosas, es necesario establecer la edad cuando pueden comenzar a tenerse, cuántas citas se permitirán por semana, las horas de llegar a casa, el propósito de las citas, las salidas con personas desconocidas y otras cosas parecidas.** Todo esto se debe aclarar antes que el adolescente comience a salir con personas del otro sexo.

Tal vez usted deseará tener tantas sugerencias como le sea posible de parte del adolescente cuando se establezca este acuerdo, lo cual le añadirá solidez. Tal vez una de las cosas más difíciles de discutir, pero quizá la más necesaria, es el asunto del comportamiento sexual. Muchos padres prefieren cerrarle la puerta a la discusión del tema actuando en forma arbitraria. La reacción exagerada y descomedida de los padres hará que el adolescente se empeñe en defender sus creencias o a practicar lo que se le niega, sin que sus padres lo sepan.

Muchos padres se sorprenderían al ver con cuánta libertad los jóvenes de ambos sexos se expresan su afecto físico. Deben prepararse para escucharlo de parte de sus hijos y estar listos para dar consejos sin actuar como jueces. Así podrán ayudar a sus adolescentes a establecer sus propias normas.

La independencia del hijo

Según se cuenta, un estudiante universitario entró un día a la oficina de su profesor, llevando su cordón umbilical, y le preguntó: "Profe, ¿dónde puedo enchufar esto?" Todos nos sonreímos cuando se trata de algo humorístico. Sin embargo, probablemente el trabajo paternal más difícil durante los años de la adolescencia sea dejar en libertad a sus hijos cuando llega el momento. Los padres cristianos tienen más dificultad para realizar esto que los padres que no son religiosos. Los padres con profundas convicciones religiosas se dan cuenta que resulta difícil pensar que su hijo adolescente pueda desempeñarse por su propia cuenta en el mundo. Estos padres están conscientes de los peligros que amenazan a sus hijos: relaciones sexuales premaritales, matrimonios con personas de otra religión y rechazo de los valores espirituales. Por lo tanto, muchos padres se vuelven insistentes y procuran forzar al adolescente a hacer decisiones "correctas".

Mi esposo y yo somos culpables de haber actuado de esta manera. Procuramos detener con todas nuestras fuerzas a nuestra hija mayor. Un día, en medio de su desesperación, incapaz de comunicarse verbalmente con su padre, le escribió una carta en la que, en resumen, le hacía este pedido patético:

"¡Papá, le ruego que me deje ser yo misma!" Ya no podíamos seguir manejándola a la fuerza. Ahora teníamos que hacer frente al hecho de si habíamos cumplido o no con nuestro deber de padres. Ya no era posible retroceder al pasado para enmendar lo que habíamos hecho mal. Habíamos suscitado en ella sentimientos de rebelión y resentimiento. Ya era tiempo de permitir que siguiera su propio camino.

Los padres tenemos solamente de 18 a 20 años para estar con nuestros hijos y para establecer los valores adecuados en ellos. Luego viene el tiempo cuando debemos mantener la actitud de no intervenir en sus asuntos, a pesar de que sea difícil contemplar que aquella carne de nuestra carne y hueso de nuestros huesos comete errores que los afectarán en su futuro y tal vez hasta su salvación eterna. Mi esposo y yo lo sabemos muy bien, porque hemos pasado por eso. Pero confiamos en que la Divina Providencia nos ayudará en las cosas que han de venir. Las posibilidades de que su hijo haga la decisión correcta son más favorables cuando éste no tiene que luchar contra sus padres para adquirir su adultez y su independencia.

Una palabra para los padres desanimados

Muchos padres de adolescentes tienen sentimientos de insuficiencia propia. Preguntas como: "¿He procedido en una forma correcta?" –los atormentan. ¿Ha sentido usted de esta manera alguna vez? Si sigue hacién-

El tema de las citas amorosas debe tratarse frecuentemente en las veladas familiares durante los primeros años de la adolescencia.

dose la misma pregunta, tenga la seguridad de que ha actuado como debiera haberlo hecho. A veces las cosas parecen irremediables, pero tal vez sean mejores de lo que usted se lo imagina.

Durante los años de la adolescencia pasados en casa, la tensión y los desacuerdos tal vez lo hayan confundido y angustiado. Los desacuerdos quizá no han sido placenteros, pero indican que los canales de la comunicación se han mantenido abiertos. Un conflicto abierto es mejor que una guerra fría en la cual los miembros de la familia se esconden bajo la silenciosa hostilidad y la indiferencia.

Por muy difíciles que sean los años de la adolescencia, los padres deben mantener abiertas las puertas de la aceptación, el amor y la comunicación. **Sean firmes y amorosos. El adolescente puede mostrarse hostil, resentido, rebelde, malhumorado y retraído. A usted le parece que su capacidad de aguantar** ha llegado al límite, y quisiera abandonarlo todo, desquitarse, o pedirle al hijo o hija que se vaya de la casa. Sin embargo, debe recordar siempre que cuanto más difícil sea el hijo, tanto más necesita su cuidado y su cariño. Tal vez él rechace todo esfuerzo que usted haga, pero no rechace a su hijo. Usted es la persona madura; a su hijo difícil le falta todavía madurez. Usted, como padre o madre, puede actuar con cordura durante el tiempo de dificultad, aunque su hijo no obre de esa manera. **Al comportarse con firmeza, pero con amor, no importa cuán traumáticas sean las circunstancias actuales, usted tendrá su recompensa segura, si su hijo o hija en el futuro imita su comportamiento mesurado y sensato.** Procure comportarse de tal manera que cuando su hijo salga de su hogar, lo haga manteniendo las mejores relaciones con sus padres.

La culpabilidad que siente una persona por lo que ha hecho o dejado de hacer, sólo empeora la situación. Nuestro temor de fracasar a menudo nos enturbia el pensamiento, hasta el punto de que ya no podemos distinguir entre la culpabilidad real y la culpabilidad irracional. Cada nuevo problema que surge acarrea nuevos temores ante la posibilidad de actuar en forma inadecuada, hasta que la opresión de la culpa es tan intensa que amenaza con paralizar. Si no es posible ocuparse de los sentimientos de culpabilidad en forma abierta y honrada, esos sentimientos corromperán nuestras relaciones con nuestro cónyuge, nuestros hijos, nuestros familiares y los companeros de trabajo. La culpabilidad es ladrona. Nos roba los placeres de la vida.

Estudios hechos recientemente sobre el desarrollo infantil indican que el temperamento del niño tiene más influencia en su desarrollo de lo que antes habíamos supuesto. Con frecuencia se ha llamado la atención al gran poder del padre y a la debilidad del niño. Todos reconocemos la profunda influencia que ejerce el padre, pero hemos subestimado el papel del hijo en su propio desarrollo. Los padres deben establecer una distinción entre lo que es la influencia y el control. Ambas cosas se pueden ejercer durante los años tempranos, pero los padres han de disminuir el control cuando los hijos llegan a la adolescencia. Aún entre los menores, los padres deben evitar el ejercicio de un control demasiado riguroso. Cada niño es un individuo peculiar, con su propia voluntad y la capacidad de hacer decisiones.

La Biblia nos muestra que Dios valoriza a las personas a pesar de sus fracasos. Nuestro valor e identidad no dependen de lo que hemos realizado o dejado de realizar como padres. *¡Estimemos nuestro propio valor!* Si así lo hacemos entonces podremos enfrentarnos con la culpabilidad, y ayudar a nuestros hijos durante los años traumáticos de la adolescencia. El hijo es una persona valiosa, aunque él escoja otros valores que tal vez no concuerden con los que usted hubiera preferido que escogiera. El debe ser capaz de desarrollar sus propios valores y vivir la vida que escoja. Cuantos más años tenga el hijo o hija, tanto menos podremos controlarlos, y sólo podemos ejercer un grado limitado de influencia sobre él.

Los padres necesitan recordar que los hijos son personas valiosas a pesar de que puedan tener un comportamiento dudoso. Mi esposo y yo quisiéramos haber podido ver más allá del comportamiento de nuestros hijos, para discernir sus verdaderos motivos. El comportamiento es sólo un síntoma manifestado por un adolescente con problemas que es incapaz de hacer frente a las presiones de la vida. ¿Qué sucedería si nuestra relación con Dios dependiera de nuestro comportamiento? Tal vez un día disfrutaríamos del amor de Dios, y al día siguiente experimentaríamos su reacción castigadora debido a nuestro mal comportamiento. Dios no ignora nuestra mala conducta, pero no por eso nos rechaza. El amor incondicional de Dios provee un modelo para nosotros en lo que se relaciona con el trato que debemos dar a nuestros hijos adolescentes.

Puede ser que llegue el tiempo cuando nos sentiremos heridos, sin encontrar remedio para nuestro dolor. Nuestros hijos pue-

Hágalos responsables de las decisiones que adopten, de su comportamiento y de los resultados de su manera de ser. Finalmente, confiemos en Dios.

den herirnos de esta manera. ¿Qué puede hacer un padre en una situación tal? ¿Qué pasó con la promesa de Proverbios 22:6, según la cual si hacemos un trabajo concienzudo en la crianza de nuestros hijos cuando son tiernos, llegarán a ser personas rectas cuando sean mayores? Caemos en momentos de gran culpabilidad. Esperamos y oramos, ¿pero hasta cuándo?

Las circunstancias son lo que son, aunque no se encuentren plasmadas en cemento para siempre. No es posible eliminar el dolor, pero podemos concentrarnos en la esperanza para el futuro. Hagamos un esfuerzo para no espaciarnos en el lado negativo de la vida o en lo imposible que son nuestro hijo o hija adolescentes. Aferrémonos a la esperanza, confiando en que en el futuro la situación será más positiva. ¡No nos desanimemos! Comprendemos que no es tan fácil lograrlo cuando llega la noche y uno ignora dónde se encuentran el hijo o la hija.

Además, recordemos que los hijos adoles- **centes tienen derecho de hacer ciertas decisiones concernientes a su futuro. Hágalos responsables de las decisiones que adopten, de su comportamiento y de los resultados de su manera de ser. Finalmente, confiemos en Dios.** Tal vez la meditación en el Salmo 37 nos ayudará a sobrevivir cuando pensamos estar ahogándonos. Encontraremos gran consuelo durante el difícil período de la adolescencia de nuestros hijos si logramos confiar en un Poder superior. **Pero no olvidemos que no es la cantidad de oraciones hechas lo que hará que nuestro hijo se comporte en forma diferente, aunque eso definitivamente lo ayudará.** Lo que realmente conmoverá el corazón de nuestros hijos es el cambio de actitud que nosotros manifestemos como respuesta a nuestras oraciones. Dios ama a nuestros hijos adolescentes con amor eterno. Su Hijo murió para salvar a nuestro hijo y a nuestra hija. ¿Pueden ellos captar el amor de Dios a través de nosotros? El impacto de esto tiene consecuencias eternas.

Cómo prevenir la temible drogadicción

Los padres deben dar a sus hijos un ejemplo que esté en armonía con las normas de conducta que mantienen como ideales, y ofrecerles así algo más que sólo palabras.

7

Se puede decir que la mejor solución al problema de las drogas se encuentra en una sólida relación familiar, donde los miembros de la familia se respetan debidamente y se aman unos a otros.

L A SRA. POTTER? SOY EL SARGENTO Quigley, del cuartel policial de Hillcrest, y quiero decirle que tenemos detenidas a sus dos hijas, acusadas de usar drogas".

"Lo siento, sargento. Debe tratarse de un error –dijo la Sra. Potter con voz entrecortada–. Mis dos hijas están durmiendo en sus cuartos". ¿Pero estaban en sus cuartos realmente?

El policía continuó su relato sin vacilaciones. Hablaba con voz seria. Las dos muchachas, Susana de 16 años, y Juanita de 14, habían sido detenidas junto con otros jóvenes. Sin embargo la Sra. Potter no podía creer lo que estaba oyendo. Posiblemente la policía había detenido a otras jovencitas de apellido Potter. Otros jóvenes también usaban drogas. Lo sabía. Pero ella y su esposo vivían en la mejor parte de la ciudad. Eran personas bien educadas. Asistían a la iglesia regularmente. Y ella pasaba la mayor parte del tiempo con su familia.

Su esposo, Roberto, reaccionó de la misma manera. ¿En qué habían ellos fallado? Tanto Susana como Juanita eran muy populares entre sus compañeras de escuela, observaban buena conducta y eran muchachas muy bonitas. No recibían dinero excesivo para sus gastos y los padres supervisaban celosamente sus actividades. ¡Susana usando heroína! ¡Y Juanita usando marihuana desde hacía cinco meses!

Posiblemente el lector también considere esta historia difícil de creer. Probablemente piensa que los drogadictos proceden de hogares mal constituidos y sin educación ni recursos económicos. Pero los tiempos han cambiado. Ahora, con sus muchos tentáculos, la drogadicción ha llegado a todos los tipos de hogares, vecindarios, escuelas y negocios. Pero el hecho de que esta pesadilla no ha afectado a su familia, no es ninguna garantía de que nunca llegará, especialmente si usted se niega a aceptar que un problema de esa naturaleza pudiera existir en su hogar.

¿Qué clase de jóvenes son los que usan drogas? Probablemente usted se equivoque al pretender describir a ese tipo de delincuente juvenil. **Sin embargo, dos recientes estudios han revelado que el 78 por ciento de los jóvenes que usan drogas son muchachos tranquilos, agradables, conservadores, de muy buenas costumbres, pero a la vez fáciles de ser influidos por otros, y siempre dispuestos a complacer.** Generalmente tienen pocas, si es que tienen algunas amistades íntimas, y sus intereses son frecuentemente más femeninos que masculinos. Muchos de los adictos son personas delicadas y de hablar suave. Si el 78 por ciento de los que usan drogas son personas tranquilas, agradables, conservadoras, y de buenos modales, ¿qué hace que caigan en el vicio de las drogas? Este es precisamente el problema que deseamos analizar aquí; no hablaremos de una cura para la adicción, sino de cómo los padres pueden evitar que la dependencia de las drogas entre en sus hogares.

Ejemplo de los padres

Para analizar la razón de por qué los muchachos caen en el hábito de la droga, nos concentraremos en el ejemplo de los padres. El Dr. James Hawkins, psiquiatra del Hospital General Highland, de Oakland, California, dice que el uso de drogas es algo que los niños aprenden de sus padres. "Todos os hijos imitan a sus padres –afirma el Dr.

Hawkins–. "Si los padres observan una conducta correcta, lo más probable es que lograrán de sus hijos una conducta igual.

"Pero, si el hijo observa que su papá o su mamá toman pastillas al levantarse para tener suficiente energía durante el día, y antes de acostarse vuelven a tomarlas, y cuando están en problemas acuden al alcohol, lo más probable es que los hijos también imiten ese tipo de conducta".

En cierta ocasión los alumnos de las escuelas secundarias de Long Island, Nueva York, hicieron una encuesta que duró cinco meses, acerca del uso de drogas en sus escuelas. Los mismos estudiantes concibieron, diseñaron y administraron la encuesta. Ni los maestros ni otros adultos tuvieron nada que ver directamente con ella. Se sorprendieron al encontrar que solamente 42 por ciento del estudiantado hasta ese momento había probado alguna droga. Todos habían creído que la encuesta revelaría un 80 o posiblemente un 90 por ciento.

Según la encuesta, lo que más influyó en los estudiantes que habían experimentado con drogas fue la influencia de sus padres. No quiere decir que los hábitos de los padres fueran necesariamente la causa, pero ciertamente el ejemplo de ellos "influyó significativamente". Algunas preguntas de la encuesta iban encaminadas a determinar cuán frecuentemente los padres usaban alcohol, fumaban cigarrillos, tomaban medicamentos productores de energía o drogas para dormir, o discutían violentamente en frente de sus hijos. La encuesta reveló, además, que el hábito de los padres que más influía en los hijos era el consumo de alcohol, "específicamente la cantidad que tomaban y la frecuencia con que se embriagaban". Los estudiantes que dijeron que sus madres bebían en forma permanente, manifestaban una tendencia más definida hacia el uso de drogas.

Los anuncios publicitarios de diversos medicamentos han estimulado al público a desarrollar el síndrome de "hay que tomar algo", dice John E. Ingersoll, director del Departamento de Narcóticos y Drogas Nocivas.

Y añade: "Desde el primer programa del día hasta el momento en que la estación se retira del aire, el público es bombardeado mediante la radio y la televisión con insistentes estribillos, cortas y pegajosas melodías, simpáticas representaciones y sombrías advertencias, en las cuales se ofrecen pastillas y medicamentos para curar la mayor parte de los síntomas de enfermedades imaginarias o reales, o para permitir escapar de la dura realidad". Luego concluye con esta declaración: "El contenido promedio de los botiquines de los hogares constituye una evidencia de la eficacia de esta intensa campaña de promoción".

El ex alcalde de Nueva York, John Lindsay, dijo en cierta ocasión que desde la edad de dos años, los niños quedan condicionados por lo que ven en televisión "para levantarse por la mañana, calmarse, estar alegres o aflojar sus tensiones, mediante el uso de pastillas".

Los fabricantes de medicinas gastan cada año millones de dólares en anuncios de televisión que implantan en la mente de los televidentes, la idea de que existe una solución química para todos los problemas de la vida, incluyendo el dolor, el hastío y la ansiedad.

¿Cómo maneja usted, como padre o madre, sus ansiedades y frustraciones? ¿Piensa usted que cada crisis que enfrenta requiere la ayuda de alguna muleta? ¿Corre siempre a buscar algo en su botiquín? ¿Ha enseñado a sus hijos que hay una píldora para resolver cada problema? **Es bueno que apreciemos las medicinas que nos ayudan en las dificultades, pero no debemos desarrollar una dependencia de ellas que bordea en el pánico, para afrontar los problemas.** Su propia actitud, como padre o madre, hacia las medicinas, es de importancia vital, porque los padres no son la "parte espectadora", como lo habían creído en el pasado.

La necesidad de aceptación

Una segunda razón de por qué los jóvenes caen en el hábito de la droga es su necesidad de calmar sus problemas emocionales. "Los adolescentes que usan drogas, generalmente tienen serios problemas emocionales

La mayoría de los que usan drogas lo hacen para calmar sus ansiedades, porque han encontrado que así las afrontan mejor.

que han alcanzado un grado crítico. Su mayor necesidad es resolver el problema", dice el Dr. James W. Vander Weele, psicólogo de una corte de justicia de distrito, de Denver, Colorado.

Este especialista refiere la historia de una muchacha, víctima de la drogadicción, que suplicaba: "Esta es la primera vez que consigo amigos que me aman. Por favor, no me los quiten". Luego, el psicólogo Vander Weele explica: "La muchacha realmente nunca tuvo amigos, hasta que se hizo parte de un grupo. Lo único que le exigían sus compañeros de grupo a cambio de su amistad era que usara drogas con ellos. A ella realmente no le interesaban las drogas, pero sí necesitaba amigos; así que aceptó.

El Dr. Vander Weele ha encontrado que muchos adolescentes que usan drogas son "jóvenes fracasados que se sienten terriblemente solos. No han sido aceptados en ninguna parte. No han triunfado académicamente, atléticamente, ni socialmente... Sólo encuentran su lugar asociándose con otros muchachos con los mismos problemas".

La mayoría de las personas usan drogas para calmar sus ansiedades, porque han encontrado que así las afrontan mejor. Un adicto a la heroína le dijo a un periodista: "Usted ni siquiera comprende de qué estoy hablando: usted se siente bien todo el tiempo. A mí me cuesta cien dólares diarios sólo aliviarme un poco".

Por lo tanto, no debe sorprendernos que las drogas ejerzan un atractivo tan poderoso sobre muchos adolescentes. Debido a que necesitan seguridad y aceptación, son fácil presa de las promesas de bienestar psicológico de quienes les hacen creer que las drogas ofrecen un mundo increíble de maravillas.

David Wilkerson, en su libro *Parents on Trial* [El juicio de los padres], nos habla de Nicky Cruz, un muchacho callejero por medio de quien llegó a saber de muchos hogares donde no existe amor. Cuando Nicky tenía cuatro años, un día oyó a un grupo de mujeres que conversaban en su casa, y escuchó cuando su mamá dijo a sus amigas algo que llenó su corazón de temor: "En realidad, nosotros no deseábamos tener a Nicky. Ojalá que nunca hubiera nacido".

Como Nicky se dio cuenta de que no lo querían, pocos años más tarde se fugó de su casa y se fue a vivir como un animal, hasta el día en que David Wilkerson lo encontró mientras participaba en las actividades de la organización de rescate juvenil *"Teen Challenge"* (El desafío de la adolescencia). Actualmente, Nicky trabaja con Wilkerson en la organización que éste dirige.

Los que tienen tendencias neuróticas, complejos de inferioridad, inseguridad, o que se sienten rechazados, son más susceptibles **que otros al uso de narcóticos.** En muchos casos, aunque el drogadicto no tenga ninguna neurosis, las drogas se la provocan.

¿Existe algo en este mundo que pueda ayudar a los jóvenes que tienen problemas emocionales y se sienten aislados? ¿Hay algo que pueda ayudarles a soportar y resolver los problemas que se les presentan cada día? ¿Existe alguna organización, aparte de las que se dedican a combatir las drogas, en donde ellos puedan ser aceptados y sentirse parte del grupo?

El adolescente que es drogadicto en potencia está buscando lo que otro joven ya tiene: un hogar en donde pueda sentirse aceptado y apreciado. Un adolescente emocionalmente estable puede mantener su equilibrio y estabilidad la mayor parte del tiempo, porque en su corazón siente la seguridad del amor de sus padres. Ellos le han dado parte de sí mismos, así como también de sus posesiones, y el joven sabe muy bien que se ocupan de él y que cuando los necesite siempre estarán dispuestos a prestarle la ayuda necesaria.

Presión de los compañeros

La presión de compañeros y amigos es una tercera razón por la cual los adolescentes empiezan a experimentar con drogas. Esta presión se siente especialmente durante la adolescencia, y llega a ser tan grande, más grande aún, que la que sus padres ejercen sobre ellos. Ceder a la presión de los compañeros y a la curiosidad despertada por las drogas, es algo que los muchachos a veces aprenden de sus madres. Por ejemplo, ellos se enteran que su madre cede a la presión de comprarse un vestido nuevo sencillamente porque su mejor amiga se compró uno, o que el padre se compra un auto deportivo simplemente porque no desea ser menos que su amigo.

Cuando lo que hace la sociedad se convierte en la motivación de las acciones de los padres, y cuando lo que los demás dicen o hacen llega a ser la conciencia de ellos, los hijos aprenden que deben hacer también lo

Autoexamen sobre prevención de la drogadicción

El ejemplo de los padres es la influencia principal más poderosa que determina si un hijo usará o no drogas. Trace un circulo alrededor de la respuesta que considere correcta en su caso.

V significa "verdadero"	F, "falso".

V o F   1. Mi existencia está libre de las prácticas comúnmente consideradas como solución para los problemas de la vida.
      a. Alcohol
      b. Cigarrillos
      c. Píldoras para dormir
      d. Píldoras estimulantes
      e. Píldoras para el dolor

V o F
     2. Mi hijo encuentra aprobación, aceptación, amor y seguridad en nuestro hogar.

V o F   3. No he permitido que la sociedad o la gente se conviertan en conciencia para mis actitudes y acciones y sistemáticamente he hecho lo mismo con mi hijo.

V o F   4. Me intereso en las actividades de mi hijo y lo he guiado para que lleve a cabo entretenimientos constructivos después de las horas de escuela.

V o F   5. Nuestro hogar no ha sido afectado por el divorcio y cuenta con una autoridad masculina fuerte.

V o F
     6. Mi hijo no está siendo influenciado por la música que glorifica la drogadicción.

En la página 240 encontrará las instrucciones para determinar el puntaje.

que ven hacer a sus compañeros y amigos.

La influencia del aburrimiento

Una cuarta razón que explica la adicción a las drogas, es el aburrimiento. Una encuesta realizada por la publicación *Canadian Le Dain* en relación con el uso de drogas estupefacientes, reveló que mucha gente las usa debido al aburrimiento. A diferencia del drogadicto que usa la droga como una protección contra los estímulos del mundo exterior, este grupo evidentemente trata de liberar la mente para que admita lo que consideran los estímulos interesantes del ambiente que los rodea.

El Dr. James Hawkins está de acuerdo con esta teoría. "Muchos jóvenes experimentan con drogas porque están aburridos. Si los padres se interesan en lo que los hijos hacen y tratan de lograr que se mantengan ocupados en actividades constructivas, les ayudarán a combatir la tentación a usar drogas.

"Por ejemplo, un muchacho se interesa en la música, practica sus lecciones e ingresa en la banda escolar. Pero si el padre y la madre no se interesan en asistir a los conciertos de su banda, probablemente éste se desanimará y se retirará de la banda. Si esto ocurre, el adolescente tendrá más tiempo disponible y probablemente buscará la compañía de otros muchachos desocupados como él, los que pronto lo inducirán a usar drogas. **Los adolescentes consideran importante que sus padres se interesen en las cosas que ellos hacen.** Se chasquean cuando notan que no tienen tiempo ni dedicación para ellos".

La desintegración de la familia

El Dr. Hawkins cree también que un quinto aspecto del problema de las drogas se relaciona con la desintegración de la estructura familiar. Muy a menudo, tanto el padre como la madre sólo se interesan en lo que ellos hacen, sin importarles mucho las actividades del resto de la familia.

El aumento alarmante de los divorcios ha producido un gran número de hogares deshechos. Los sociólogos y los psicólogos afirman que si los hogares contaran permanentemente con la presencia de un hombre de carácter firme, la delincuencia juvenil se reduciría considerablemente. Muy a menudo los jóvenes drogadictos proceden de hogares donde una mujer era la única influencia, o era más fuerte. En esos casos, los muchachos carecen de la indispensable dirección de un hombre, de modo que llegan a identificarse con sus madres, abuelas o hermanas. Este tipo de identificación, con figuras femeninas genera en el muchacho sentimientos de insuficiencia que producen confusión en relación con sus padres y el papel que ellos deberían desempenar en la vida.

La música "rock"

La sexta influencia en el problema de la drogadicción la encontramos en la música popular moderna. No quiero con esto decir que la música "rock" haya creado el problema de las drogas, pero a la verdad pocos padres entienden la jerga subcultural que se expresa en la letra de las canciones de "rock" violento y otras variedades de la misma música.

En muchos casos la referencia a las drogas es clara e inconfundible. En otros casos, la letra es ambigua o tal vez solamente sugestiva, pero muchos adolescentes, y aun niños menores, deducen que las palabras de las canciones se relacionan de alguna forma con las drogas y su uso. Por ejemplo, la canción "Acuario" que se interpreta en la película de música rock, "Hair", obviamente alude al uso de drogas, y en ella se trata de comunicar la idea de que usando drogas se tiene acceso a un mundo ideal y pacífico, se libera la mente y se tienen visiones doradas. Los padres necesitan prestar atención a la forma como estas canciones que glorifican la subcultura de la drogadicción afectan las decisiones de sus hijos.

¿Qué pueden hacer los padres?

¿Está usted convencido de que no quiere que sus hijos u otros jóvenes se conviertan en drogadictos? ¿Ha pensado en lo que puede hacer personalmente? La educación en lo que respecta a las drogas, tanto para los hijos como para los padres, es otro paso importante en la prevención de la drogadicción y es a la verdad un buen comienzo.

Muchos jóvenes admiten que han estado endrogados delante de sus propios padres, sin que ellos se dieran cuenta. **Los padres debieran estar alerta para poder detectar las claras e inconfundibles señales que se advierten en toda persona que ha estado usando drogas.** Se trata, en términos generales, de los siguientes síntomas: marcas de agujas en los brazos o las piernas; ojos enrojecidos y húmedos; pupilas reducidas; miradas furtivas; somnolencia crónica; inquietud acentuada con espasmos del cuerpo y tendencia a caminar con rapidez; propensión a trastornos estomacales; úlceras en los brazos, pies y cuerpo, atolondramiento; olor fuerte del cuerpo; hábito de restregarse la nariz; mareos frecuentes; evidente deterioro mental y físico; depresión y melancolía; complejo de persecución; letargo crónico; pérdida de interés en los estudios; incapacidad de concentración al estudiar; falta de interés en las actividades atléticas y otras formas de ejercicio; irritabilidad; tendencia a decir mentiras sin sentido; actitud de no querer hablar por no incriminarse a sí mismos.

Los colegios deben ofrecer a los adolescentes buenos programas de información sobre las drogas. La junta escolar de las escuelas de la ciudad de Washington, aprobó un excelente programa de educación sobre drogas, el cual pasará a formar parte del plan de estudios desde el nivel de kindergarten hasta el decimocuarto grado.

Del kindergarten al tercer grado, este curso pondrá énfasis en la nutrición, orientará sobre el peligro de las medicinas habitualmente usadas en los hogares, y dará instrucciones acerca del mal empleo que los niños hacen de artículos tales como el café, el té y las bebidas gaseosas. En los grados cuarto a sexto se analizará el hábito de fumar cigarrillos y oler pegamento, y además, el uso de alcohol y narcóticos. En las clases de escuela secundaria intermedia se discutirá el efecto sociológico de las drogas, y se pondrá énfasis en los problemas de la actualidad. Para los alumnos de escuela secundaria, estos estudios acerca de las drogas estarán entrelazados con las clases de economía doméstica, inglés y sociología.

El arma más efectiva para mantener a un joven alejado de las drogas, es la seguridad que ofrece un hogar en donde los lazos familiares son firmes y están fortalecidos por el amor. Las tres sugerencias que siguen constituyen los tres pasos preventivos más importantes que los padres pueden dar:

1. Estimule a su hijo para que fije objetivos positivos en su vida. Haga que su hijo desarrolle un concepto correcto de la dignidad del trabajo, a fin de que pueda encontrar un modo honrado de ganarse la vida. Enséñele que la vida es un cometido sagrado y que todos tendremos que responder por nosotros mismos en el día del juicio. Cuando a un joven se le enseña a perseguir objetivos elevados basados en la Biblia, no se sentirá tan inclinado a buscar tiempo o lugar para entregarse a las drogas, al alcohol ni a otras tentaciones.

2. Enseñe a su hijo a escoger buenos compañeros. Pídale que lleve a sus amigos a casa, para poder observar sus actividades. Trate de conseguir que los lugares que su hijo visite sean apropiados y que le permitan encontrar amigos a quienes pueda lle-var confiadamente a su casa y de quienes se sienta orgulloso.

Los jóvenes que se interesan debidamente en la escuela y se mantienen ocupados en otras actividades adecuadas después que terminan sus clases, difícilmente se asociarán con muchachos que podrían inducirlos a la drogadicción.

3. Haga que su hijo participe en diversas adtividades. Práctica con instrumentos musicales, en atletismo y en actuaciones en clubes patrocinados por la iglesia, la escuela o la comunidad. Si tiene suficiente edad, un trabajo que pueda realizar después de clases lo mantendrá ocupado; le proporcionará algún dinero para costear futuros estudios, ropas y algunas actividades sociales; y al mismo tiempo lo hará sentirse útil, lo que será de gran ayuda para la estimación de sí mismo. Puesto que en gran parte el uso de drogas ocurre durante las horas de la tarde o en las vacaciones de fin de semana, David Wilkerson recomienda lo siguiente: "Es un deber de los padres ver que los hijos no dispongan de tiempo libre que puedan dedicar a actividades sociales sin planificación ni supervisión alguna, sobre todo durante esas horas".

En resumen, se puede decir que la mejor solución al problema común de las drogas se encuentra en una sólida relación familiar, donde los miembros de la familia se respetan debidamente y se aman unos a otros. El respeto mutuo le da nuevo significado a la relación familiar y crea una atmósfera en la cual los hijos van madurando en un ambiente saludable. Además, los padres deben dar a sus hijos un ejemplo que esté en armonía con las normas de conducta que mantienen como ideales, y ofrecerles así algo más que sólo palabras y un ejemplo imperfecto. Finalmente, puede decirse con propiedad que la prevención de la drogadicción comienza con los padres mismos.

Rivalidad y armonía entre los hermanos

Canalizar los sentimientos de rivalidad por vías constructivas, es algo que requiere tiempo, esfuerzo e imaginación, pero producirá como resultado más armonía y mejores relaciones en el hogar.

8

Suele resultar difícil determinar quién es culpable y quién es inocente. Casi siempre todos los participantes son responsables del problema.

RIVALIDAD ENTRE HERMANOS ES COMÚN

Adopta diversas modalidades:

1. Peleas
2. Competencia
3. Quitarse las cosas
4. Provocaciones
5. Acusaciones
6. Discusiones

Es universal

DA NIÑO COMPITE CON LOS DEMÁS

Todos anhelan el amor de los padres

Todos anhelan la atención de los padres

BEN APRENDER A COMPARTIR

La llegada de otros hijos no disminuye el amor de los padres

Ni siquiera el hijo único puede siempre ser el centro de la atención

La forma como los hermanos se tratan determina la forma como tratarán a los demás

Los celos de los hermanos deben tratarse cuidadosamente

MO TRATAR LA RIVALIDAD ENTRE HERMANOS

Expóngalos a una confrontación frente a frente

Pídales una explicación escrita de sus diferencias

Insista anticipadamente que se turnen para hacer algo

Hágalos trabajar

Colóquelos a todos en el mismo bote

Siempre que sea posible, permítales solucionar a ellos mismos sus problemas

1. A veces la intervención de los padres empeora las cosas
2. A veces los padres no saben quién es el culpable
3. Toda pelea requiere dos participantes
4. Enseña a los niños a arbitrar sus diferencias
5. Enseña a los niños a resolver sus conflictos

ROS MÉTODOS PARA CALMAR LOS ÁNIMOS

Emplee el método de escuchar activamente

Provea entretenimientos que distraigan

1. Léales una historia
2. Pídales que armen un rompecabezas
3. Pídales que jueguen con arcilla o plastilina

E N TODAS LAS ÉPOCAS han existido entre hermanos amor y bondad, peleas y competencias, forcejeos y provocaciones, indiscreciones y secretos, acuerdos y desacuerdos, juegos y trabajos, y otras situaciones semejantes. La Biblia, la mitología, los cuentos de hadas, las canciones, los bailes y los dramas, todos ilustran la universalidad de la armonía, las rivalidades y las tensiones que existen entre hermanos.

Todo hijo desea estar seguro de que sus padres lo quieren y se preocupan de él, no importa cuántos otros hijos haya en la familia. Es difícil para un niño entender cómo la llegada de otro hijo al hogar no disminuye el amor que los padres sienten por él. Sin embargo, compartir el amor y la atención de los padres se hace más difícil en unos niños que en otros; pero aun los hijos únicos aprenden que deben compartir el amor de sus madres con sus padres y el de sus padres con sus madres.

Los psicólogos han encontrado que la manera como los hermanos se relacionan entre sí mientras crecen juntos, determina en gran medida la forma como se llevarán con las demás personas en el futuro. Aunque los celos y los sentimientos de culpa son reacciones naturales en el proceso de convivir y crecer en familia, cuando los padres manejan descuidadamente estos celos y rivalidades entre hermanos, a menudo resulta difícil modificar los efectos destructivos que se producen.

Los celos son una realidad de la vida. Sin embargo, la pregunta que hay que hacer es: ¿Cómo enfrenta usted, como padre, esas rivalidades? ¿Cómo reacciona cuando sus hijos discuten, pelean y rivalizan entre sí? **Muchas veces los padres se cansan de todo, se ponen nerviosos y molestos, de modo que no pueden resolver debidamente los problemas familiares.** Pero los hijos muchas veces dependen de sus padres para que les indiquen cuando están actuando incorrectamente, ya que necesitan ayuda para controlarse a sí mismos. Se debe poner un límite a la rivalidad entre los hijos.

Confrontación cara a cara

Lo que podríamos llamar, confrontación cara a cara, es un método superior a cualquier otro para reducir permanentemente la rivalidad. Pedro y Luis se habían pasado peleando y discutiendo todo el día, y por más que la madre los reprendía, seguían con su mal comportamiento. Ella los había amenazado, los había puesto en cuartos separados y los había reprendido a gritos. Aunque ya estaba agotada y casi vencida, los muchachos estaban empedernidos y decididos a seguir con sus peleas.

Mientras trabajaba en la cocina y pensaba en el castigo correctivo que podría aplicarles, se le ocurrió una idea que brilló como un destello de luz en la oscuridad: "Confróntalos cara a cara". Así que tomó dos sillas del comedor, llamó a los niños y les dijo con firmeza: "Pedro, siéntate aquí, y tú Luis, aquí. Ahora mírense el uno al otro. No se muevan ni hablen. Sólo permanezcan sentados mirándose. Pondré el reloj para que la campanilla suene dentro de cinco minutos. (Con niños de 2 y 3 años, la mitad de ese tiempo es suficiente.) ¿Listos? Comiencen".

Pedro, de 9 años, empezó a discutir. Luis, de menos de ocho, trató de bajarse de la silla, pero la madre lo obligó a quedar sentado. Finalmente, después de rezongar, y de amena-

zarse mutuamente, ambos permanecieron quietos en las sillas. La madre detuvo la pelea, ignoró las protestas y volvió a poner la campanilla para que sonara a los cinco minutos.

Cuando los muchachos completaron los cinco minutos de muda confrontación, la mamá los dejó ir. Por si acaso el plan no funcionaba en forma adecuada, se propuso ponerlo en práctica todo el tiempo que fuera necesario, con amor, pero con determinación.

De aquel día en adelante, la expresión: "Bien, muchachos, a las sillas", se convirtió en un llamado familiar. La madre aprendió a no esperar a que las peleas se tornaran demasiado violentas, sino que a los primeros indicios de problema enviaba a Pedro y a Luis a las sillas. Los muchachos protestaban, por supuesto, y a veces discutían en cuanto a la silla que cada uno deseaba escoger. La mamá nunca se rindió ante las excusas de "él empezó primero" o "yo no hice nada". Cuando la "víctima inocente" trataba de convencerla de que no tenía ninguna culpa, ella le preguntaba: "¿Qué parte tuviste tú en el problema?" "¿Qué hubieras podido hacer para evitarlo?" Siempre había una respuesta.

Muchas veces la madre sentía que estaba al extremo de sus fuerzas, porque le parecía que su método nunca iba a dar el resultado deseado. Pero al fin comenzó a notar que las visitas a las sillas eran menos frecuentes y el ambiente en la casa cada vez era más tranquilo. Estaba enseñando a sus hijos que siempre se necesitan dos para empezar una pelea, porque es imposible que una persona se enrede en una pelea ella sola. Poco a poco los muchachos empezaron a actuar con más responsabilidad, lo cual contribuyó a que se comportaran en la misma forma fuera de la casa.

Un día la mamá dejó a los muchachos solos mientras iba a la tienda. Cuando regresó, encontró que Pedro y Luis estaban sentados en las sillas. Faltaban sólo dos minutos para completar los cinco. La mamá no dijo nada. Cuando sonó la campanilla, se levantaron y corrieron hacia fuera a jugar. La madre nunca les preguntó por qué se impusieron la disciplina ellos mismos. Habían hecho lo correcto y eso era lo que importaba. La constancia de la madre había determinado la efectividad del método.

Cuando este método no produce resultado positivo, se debe mayormente a la inconstancia en su aplicación. Las lecciones que se derivan de él no se aprenden con tan sólo disponer unas sillas una vez a la semana, en el momento en que la paciencia ya no da más. La rivalidad puede atenuarse por ese momento, pero no permanentemente como sería el caso si se usara el método en forma constante. Los padres que tienen niños de dos y medio a cinco años, podrían limitar el tiempo de confrontación a la mitad. Pruébelo y comprobará sus beneficios.

Informes por escrito

Un informe escrito que detalle lo ocurrido, también puede ayudar a resolver una disputa, porque contribuirá a que los niños hagan salir al exterior sus sentimientos hostiles al ponerlos por escrito. Usábamos este método en nuestro hogar, cuando nuestros hijos, de diez y doce años, se enfrascaban en una acalorada discusión. Les dábamos papel y lápiz, los enviábamos a cuartos separados y

Rodney y yo jugábamos al hockey y yo le pegué sin querer con el palo. El se puso furioso y trató de patearme. Pero yo me puse a saltar para que no me pegara, y salí corriendo. Al llegar a la puerta Rodney me dio en el talón con el palo. Yo me di vuelta y le tiré mi palo que se quebó. El se levantó, fue a mi cuarto y sacó uno de mis autos y se fue al rincón del sótano donde están las herramientas. Allí lo tiró al suelo y contra la pared. Yo le pegué. Después se fue otra vez a la sala. Yo lo seguí y tomé mi auto para ver cómo estaba, y lo dejé. Luego le di puntapiés y le pegué. Después tomé el auto y vine a verte a ti. La razón por la que le di patadas y le pegué es porque no debió hacer eso con mi carro.

Yo rompí el carro de Mark porque él me pegaba con mi palo del tambor. Le pegué con rabia cuando me tiró el palo y se rompió. Entonces le rompí el auto. FIN.

les pedíamos que escribieran todo lo ocurrido. Marcos, de diez años, quien era el más emocional y expresivo, en cierta ocasión dedicó 45 minutos a describir un incidente y vaciar todos sus sentimientos en el papel.

Rolando, el hijo mayor, más estable, de carácter tranquilo, y menos emocional, sólo demoró diez minutos para escribir su informe,

en el que describió brevemente las cosas como habían sucedido.

Asientos reservados

En una columna periodística se publicó otro método interesante.

"Ahora que nuestros seis hijos han crecido, siempre que salimos de viaje se produce

Rivalidad entre hermanos

Complete esta prueba de respuestas verdaderas o falsas para medir sus conocimientos acerca de la forma como se debe controlar la rivalidad entre hermanos.

V significa "verdadero"	F, "falso".

V o F   1. Siempre que sea posible, los padres deben permitir que sus hijos resuelvan sus pleitos y diferencias por sí mismos

V o F   2. Con frecuencia resulta difícil establecer en una pelea quién es culpable y quién es inocente.

V o F   3. Cuando un hermano cuenta chismes del otro, el padre o la madre debieran tratar el problema diciendo que confian en que el niño sera capaz de resolver su situación por sí mismo.

V o F   4. Un método positivo de tratar con la rivalidad entre hermanos cuando no se puede determinar quién es el culpable, consiste en colocarlos a todos en el mismo bote, es decir, castigar a inocentes y culpables.

V o F   5. Los padres deben evitar actuar como árbitros en el juego de "él fue quien empezó".

V o F   6. Muchos hermanos menores deliberadamente provocan a los mayores para ganarse al padre o la madre.

V o F   7. Los padres nunca debieran, ni siquiera sin intención, indisponer un hermano contra otro, comparando el buen rendimiento de uno con el mal rendimiento del otro.

En la pagina 240 aparecen las instrucciones para determinar el puntaje.

una discusión en cuanto a quién debe sentarse al lado de tal o cual ventanilla del auto, o quién se sentará en el asiento delantero con papá y mamá. Así que a mi esposo se le ocurrió la siguiente idea para resolver el problema. "Antes de subir al auto reparte "boletos para asientos reservados". Cada boleto tiene dos números, uno para la ida y otro para el regreso, y el número de cada asiento aparece en un cartel colocado en el interior del auto. En esta forma, los muchachos saben en dónde deben sentarse tanto a la ida como al regreso. Las discusiones se acabaron desde que se estableció el método".

Hágalos trabajar

Otra útil válvula de escape para aliviar las pasiones cuando se enardecen y no se tiene tiempo ni paciencia para arbitrar, es poner a los muchachos a trabajar. Pueden barrer el patio, limpiar el jardín, cortar la grama, lavar el auto, las ventanas o las paredes; o realizar otras actividades útiles que les permitirán reducir la intensidad de las emociones en forma constructiva.

No participe en la situación difícil

Siempre que sea posible, deje que los niños resuelvan ellos mismos sus problemas. A veces los padres complican las cosas cuando tratan de resolverlos. Suele resultar difícil determinar quién es culpable y quién es inocente. Casi siempre ambos participantes son responsables del problema. Puede ser que el niño que habitualmente es tranquilo haya provocado a su hermano que es pendenciero. De modo que cuando uno de ellos viene a quejarse, usted le puede decir: "Siento mucho que tengas problema, pero creo que tú y tu hermano pueden ponerse de acuerdo sin ayuda". Pase la solución del problema a los mismos muchachos, a quienes pertenece, y rehúse intervenir. A veces habrá que enviarlos a un cuarto separado para que arreglen el problema.

Puede ser muy difícil para los padres entender por qué no deben arbitrar en esos casos. Sienten que es su deber enseñar a los

niños a no pelear, y eso es cierto. Pero el arbitrar no cumple este propósito. Podría solucionar el problema del momento, pero no enseña a los niños a evitar futuros conflictos. Si la intervención de los padres los satisface, ¿qué necesidad tienen de dejar de pelearse?

Póngalos a todos en el mismo bote

Cuando alguno de la familia se porta mal, daña algo o provoca una pelea, y usted no puede determinar quién es el culpable, póngalos a todos en el mismo bote. Si la pelea surge en la mesa, pida a todos que salgan y que no vuelvan hasta que arreglen la situación. **No se preocupe porque castiga tanto al inocente como al culpable, y no haga caso a los que protesten por eso.** Al ponerlos todos en el mismo bote, aprenderán la lección de la interdependencia y que deben cuidarse unos a otros.

Otros métodos sencillos para aquietar los ánimos agitados incluyen el arte de saber observar y escuchar. Explicar las cosas a los niños es una medida útil, siendo que a ellos les es difícil separar la realidad de la fantasía. Para ellos los pensamientos malos les parecen iguales que las malas acciones. Una madre podría empezar diciendo así a su hijo: "Tomás, comprendo lo mal que te sientes. Todos tenemos pensamientos indebidos en alguna ocasión".

Si las peleas surgen generalmente poco antes de la cena, cuando los chicos están cansados y hambrientos, entonces la madre podría empezar a preparar la cena un poco antes, y mientras tanto contarles una historia. También se los puede mantener ocupados con algunos juegos de mesa. Otros entretenimientos, como hacer figuras de arcilla u otro material blando, jugar con marionetas, etc., ayudan a los niños a canalizar adecuadamente sus sentimientos y emociones. Canalizar los sentimientos de rivalidad por vías de salidas constructivas, es algo que requiere tiempo, esfuerzo e imaginación, pero producirá como resultado más armonía y mejores relaciones en el hogar.

La alimentación: mantenga sana y feliz a su familia

Los granos, las frutas, las nueces, las almendras, las legumbres y las verduras constituyen los productos alimenticios que el Creador eligió para nosotros. Estos alimentos, preparados en forma sencilla y natural, son sanos y nutritivos.

9

Las investigaciones han demostrado que existe
una relación directa y asombrosa entre el
comportamiento delincuente
y la nutrición deficiente.

esumen del Capítulo

ACABO DE TENER una entrevista con la maestra de mi hijo. Dice que no presta atención en clase ni colabora. Insiste en que no tiene ninguna deficiencia mental y podría hacer el trabajo si quisiera hacerlo. Algunos días lo hace pero otros no. ¿Cuál es el problema de mi hijo?" Una alimentación deficiente podría explicar el comportamiento de este niño.

"Para nosotros, asistir a la iglesia a veces es la peor experiencia de la semana. Nuestros hijos demoran en prepararse y nos cuesta mucho llevarlos hasta la puerta. El sermón probablemente versa sobre la necesidad de manifestar bondad y amor hacia los demás, pero no lo aprovechamos debido a que constantemente debemos hacer callar a nuestros hijos. Regresamos a casa con dolor de cabeza y sentimientos de frustración y desánimo". La falta de un desayuno adecuado podría ser la explicación del mal comportamiento de estos niños.

"Mi hijita de dos años es increíble. Corre por la casa y toma, rompe o vuelca todo lo que está al alcance de su mano. Con frecuencia tiene rabietas. He probado algunas técnicas para modificar el comportamiento, pero sin buen resultado. Creo que es hiperactiva, aunque el médico no ha encontrado nada malo en ella. Para mí sería un alivio dejar la maternidad por otra ocupación". Un

173

Los granos, las frutas, las nueces, las almendras, las legumbres y las verduras constituyen los productos alimenticios que el Creador eligió para nosotros. Estos alimentos, preparados en forma sencilla y natural, son sanos y nutritivos.

análisis cuidadoso del régimen de alimentación de esta niña podría revelar la verdadera causa de su comportamiento.

Los pediatras, los consejeros y los abuelos podrían responder a cada uno de estos casos diciendo: "Tiene que ser más estricta. Debe aprender a controlar a ese niño antes de que sea demasiado tarde". "Seguramente hay problemas en el hogar que son la causa del comportamiento de esta niña". O: "Procure recompensar su buen comportamiento e ignorar lo que hace de malo, y las cosas mejorarán".

¿Qué proporción del comportamiento de un niño depende de factores ambientales como el hogar, la escuela, la iglesia y la sociedad? ¿Qué proporción puede relacionarse con el régimen de alimentación, la herencia y otros factores? **Una cosa es segura: cuanto más irritable es un niño, cuanto más fluctúa su personalidad, cuanto más depresivo o violento se pone, tanto mayor necesidad hay de efectuar pruebas completas de laboratorio, de** **analizar su régimen de alimentación y los factores ambientales que intervienen en su vida.**

Hasta ahora, usted tal vez había oído decir o había supuesto que los problemas de su hijo eran el resultado de métodos errados de crianza, de la falta de capacidad para aceptar, nutrir, comunicar, disciplinar, recompensar o castigar correctamente. Probablemente esto ha producido sentimientos de culpa y depresión en usted, pero muy poca mejora en la conducta de su hijo. La verdad es que su niño puede tener problemas de comportamiento porque carece de ciertos elementos nutritivos en su alimentación. *Muchos problemas del régimen alimentario han sido diagnosticados equivocadamente como problemas de comportamiento.* Tratar la conducta objetable independientemente de todo lo demás, sin considerar posibles causas alimentarias subyacentes, sería lo mismo que tratar los síntomas de una enfermedad sin preocuparse de la causa que los produce. Entonces, no extraña que los padres tengan que hacer frente a algunos casos de mal comportamiento con sentimientos de ineficacia y frustración.

Además, lo que se coloca en el cuerpo no siempre es lo que el organismo absorbe. Si usted sabe que su hijo está comiendo adecuadamente, pero todavía manifiesta hiperactividad e irritabilidad, sería aconsejable someterlo a pruebas médicas para determinar el nivel de las enzimas digestivas. La falta de ciertas enzimas digestivas hace que el alimento pase a través del tracto digestivo sin que sea absorbido. Por eso el niño no se beneficia con los elementos nutritivos que usted le proporciona. Este es un problema más común de lo que la gente se imagina.

Las investigaciones han demostrado que existe una relación directa y asombrosa entre el comportamiento delincuente y la nutrición deficiente. El problema de los adolescentes que se escapan del hogar, el desafío de la autoridad (en el hogar y en la escuela), los actos de vandalismo, los incendios intencionales, el robo, la ausencia injustificada de la escuela y la tendencia a transgredir todos los reglamentos que sea posible, en muchos casos muy bien podría ser el resultado innegable de un régimen alimentario pobre, de un bajo nivel de respeto de sí mismo y de una vida de familia en la que no se manifiesta ningún apoyo a los hijos. Las autoridades que tienen que ver con los delincuentes, conocen muy bien las estadísticas que son casi universales: 75 por ciento de los delincuentes eran hiperactivos cuando niños; en más de la mitad, las pruebas de glucosa resultan anormales; 50 a 75 por ciento de los delincuentes tienen graves dificultades para leer; y 50 por ciento de los delitos se relacionan con la ingestión de bebidas alcohólicas. (Dr. Lendon Smith, *Feed Your Kids Right* [Alimente correctamente a sus hijos], p. 221.) Es posible remediar esta situación haciendo lo siguiente: (1) Ayudar a los adolescentes a encontrar alguna clase de trabajo que aumente el respeto de sí mismos y (2) reducir o eliminar el empleo de azúcar y de producto confeccionados con harina blanca en tales personas. El Dr. Lendon Smith, una autoridad en nutrición infantil, declara definidamente: "Si las autoridades escolares desean eliminar los problemas de disciplina y vandalismo en la sala de clases, deben eliminar el empleo de azúcar y de alimentos sin valor nutritivo en la escuela, y cerrar los lugares donde se venden golosinas en un radio de cuatro kilómetros a la redonda de la escuela" (*Tomado de la misma fuente citada anteriormente*).

Un régimen alimentario nutritivo constituido por nueces, almendras, queso, verduras, frutas, granos, legumbres y otros productos con elevado valor proteínico, puede ayudar a los niños y adolescentes que persistentemente han tenido un nivel bajo de respeto de sí mismos, períodos de depresión, dolores de cabeza y de estómago, acné grave, hiperactividad, alergias y delincuencia.

Uso excesivo de azúcar

Los granos, las frutas, las nueces, las almendras, las legumbres y las verduras constituyen los productos alimenticios que el Creador eligió para nosotros. Estos alimentos, preparados en forma sencilla y natural, son sanos y nutritivos.

El apetito de mucha gente se ha pervertido de tal manera que ya no constituye una guía segura. Hemos sido enseñados a disfrutar de las golosinas, y los niños especialmente prefieren las cosas dulces a cualquier otro alimento. En todos los países se gastan millones de pesos en caramelos, chocolates y otras golosinas. Por ejemplo, en los Estados Unidos se gastan 2.500 millones de dólares en estos productos. El promedio de consumo de azúcar en este país es de unos 60 kilos por persona por año, lo que significa que cada persona, siempre como promedio, consume de 33 a 35 cucharaditas de azúcar cada día. A los dos años de edad, uno de cada dos bebés ya tiene un diente cariado.

Pareciera que el consumo de bebidas gaseosas ha reemplazado el uso de agua, leche y jugos de frutas. En el país mencionado anteriormente se gastan unos 5.000 millones de dólares al año en bebidas gaseosas. Como promedio, cada adulto bebe 290 botellas de gaseosas al año, y cada adolescente consume más de 500 botellas anuales. Las bebidas dulces dañan los dientes y producen obesidad.

Cuando algún miembro de la familia abra la nevera en busca de algún refresco, ofrézcale jugos de frutas. Son deliciosos y nutritivos. **Y no olvide que la bebida más satisfactoria tanto para jóvenes como para adultos es un vaso de agua fresca. Para mantener la buena salud hay que consumir de 6 a 8 vasos de agua cada día.**

Debido a que el uso abundante de golosinas es con frecuencia causa de dolor de estómago, uno se pregunta cuántas peleas de la familia tienen su origen en combinaciones pobres de alimentos. Una forma de obtener una disposición agradable y tranquila es consumir menos cosas dulces. Es posible que lo que su hijo come en este momento determine su comportamiento en cuestión de minutos, que es el tiempo que algunos azúcares necesitan para ser absorbidos y pasar a la corriente sanguínea. **El enorme aumento en el consumo de artículos dulces podría ser una explicación del incremento de la hiperactividad en los niños. Se sospecha que este problema se relaciona con un metabolismo defectuoso del azúcar.** La clave para manejar a muchos niños que anteriormente habían sido diagnosticados como "niños problema", podría consistir en un régimen de alimentación natural y sin productos refinados.

El Creador ha puesto a nuestra disposición frutas deliciosas y refrescantes, que no solamente tienen sabor dulce sino que también contienen los elementos nutritivos esenciales para constituir los tejidos del cuerpo. El azúcar carece de estos elementos nutritivos indispensables para la salud, y su efecto es todavía peor cuando se consume entre las comidas y a todas horas del día. La mayor parte de nosotros necesitamos reeducar nuestros gustos a fin de disfrutar de los admirables postres producidos por la naturaleza.

Una comida que aviva la atención

La buena nutrición comienza con un buen desayuno compuesto de jugo de fruta, pan y cereales integrales, y leche. Los niños y adolescentes que toman un desayuno inadecuado se cansan con facilidad y su atención se debilita en la clase, en la última parte de la mañana.

"Ninguna maestra debiera estar obligada a enseñar a un niño que no ha llevado su cerebro a la escuela; ella no puede enseñar al sistema límbico animal (parte del cerebro no relacionada con el aprendizaje). Los alumnos debieran informar cada mañana lo que contenía su desayuno. El que no consumió proteína y comió mayormente carbohidratos, debiera ser enviado de vuelta al hogar", insiste el Dr. Lendon Smith. Los carbohidratos de los productos azucarados refinados y la concentración adecuada en la sala de clases no se mezclan. El gobierno noruego ha resuelto este problema proveyendo pescado y queso que los escolares deben consumir poco después de llegar a la escuela. Un famoso estudio realizado en Iowa en relación con el desayuno de los escolares demostró que un buen desayuno puede mejorar el rendimiento escolar y los niveles de energía. Hay que evitar los productos para el desayuno, como hojuelas de maíz y de trigo, revestidos de azúcar, que comúnmente se venden en el mercado. Lo que mi familia prefiere a todo lo demás en el desayuno es la granola, porque tiene buen gusto, es nutritiva y produce energía durante toda la mañana. (Encontrará la receta en la página 177.) No hay como un desayuno preparado con productos naturales. Un desayuno adecuado proveerá por lo menos la cuarta parte de los elementos nutritivos que se necesitan durante el día. **Entre los carbohidratos que proporcionan energía es necesario incluir suficiente proteína en forma de productos lácteos, nueces, almendras y granos.** Los alimentos a base de proteína tienden a mantener un nivel adecuado de azúcar en la sangre durante un período más prolongado que los carbohidratos.

GRANOLA

16 tazas de avena arrollada o quáker (es mejor usar avena de cocimiento lento porque es menos refinada).

1 paquete de coco rallado de 420 gramos (16 onzas).

2 tazas de almendras picadas.

1 1/4 tazas de azúcar sin refinar.

2 tazas de germen de trigo.

2 cucharaditas de sal.

1 taza de aceite.

1 taza más dos cucharadas de agua.

1 1/2 cucharaditas de vainilla.

Mezcle la sal, el aceite, el agua y la vainilla. Añada este líquido lentamente al resto de los ingredientes. Extienda la pasta sobre tres fuentes para hornear con bordes bajos. Hornee a una temperatura de 176 grados centigrados (350 grados Fahrenheit), durante 45 minutos, revolviendo con frecuencia, hasta que se dore. Deje enfriar, guarde en frascos y cierre bien.

HAMBURGUESAS DE SOYA Y AVENA ARROLLADA

2 tazas de frijoles soya remojados (2/3 de taza de frijoles secos).

1 taza de agua.

2 cucharadas de levadura de cerveza.

2 cucharadas de salsa de soya.

2 cucharadas de aceite.

1/8 cucharadita de ajo en polvo.

1 cucharadita de mezcla de orégano y comino.

1 cucharadita de sal.

1 1/4 tazas de avena arrollada (quáker).

1 cebolla.

Mezcle bien todos los ingredientes en la batidora, con excepción de la avena. Agregue la avena y deje reposar durante 10 minutos. Luego coloque cucharadas de mezcla en una fuente para hornear aceitada (o bien las puede freir por ambos lados). Hornee a 176 grados centigrados (350 grados Fahrenheit) durante 30 ó 40 minutos, hasta que se doren y se cocinen bien. Se obtienen unas 20 hamburguesas. Se pueden servir con salsa de tomates o con alguna salsa de su agrado. Variante: coloque las hamburguesas en una fuente para el horno, cúbralas con cebollas y hongos saltados en aceite, y luego añada la salsa. Hornee durante otros 30 minutos a la temperatura anterior.

Comidas sin carne

En años recientes se ha producido un enorme interés en la obtención de proteínas de fuentes vegetales antes que de fuentes animales. Un creciente número de personas, jóvenes y adultos, desean regresar a un sistema de vida más sencillo, de modo que están explorando la posibilidad de vivir con salud mediante un régimen de alimentación a base de productos vegetales. Aun los estudiantes de la famosa Universidad de Yale están pidiendo que se incluya en sus comidas productos a base de frijol soya, verduras recién cocinadas y productos a base de granos integrales.

Investigaciones científicas recientes han demostrado que un régimen alimentario sin carne es adecuado para los niños, adolescentes, adultos y ancianos, y que en realidad puede ser superior a un régimen basado en la carne. El elevado contenido de grasa de la carne de res contribuye en gran medida a aumentar el número de muertes producidas por enfermedades del corazón y ataques de apoplejía, porque el colesterol que contiene daña los vasos sanguíneos del corazón y el cerebro. En los Estados Unidos solamente se produce un millón de ataques de corazón, lo cual resulta en 60.000 muertes anuales. Una comisión organizada para controlar esta enfermedad ha dicho que para mantener un nivel mínimo de colesterol en la sangre, la gente debiera obtener menos del 10 por ciento del total de calorías de grasas saturadas. El consumo promedio de grasas se aproxima a 40 ó 50 por ciento. **La comisión recomienda el uso de granos, frutas, verduras y legumbres, y específicamente sugiere que se evite comer yema de huevo, tocino, manteca de cerdo y sebo.** Sin embargo, muchas amas de casa continúan alimentando a su familia con esos productos, pensando que con ello la mantienen fuerte y físicamente apta. **Una cantidad de pruebas e investigaciones han demostrado concluyentemente que los vegetarianos son más fuertes, tienen más vitalidad y se recuperan con mayor facilidad de la fatiga que los que consumen carne.** Una de estas pruebas

(artículo titulado "Por qué ser vegetariano" publicado en el suplemento vegetariano de la revista Vida y Salud de la *Review and Herald*, Hagerstown, Maryland), que tuvo una amplia difusión en las revistas médicas y de nutrición, es una prueba de resistencia administrada a 9 atletas después de haberlos sometido a una dieta específica durante tres días. Una dieta tenía elevado contenido de carne o proteína; otra constituía una mezcla normal de productos alimenticios; y una tercera dieta consistía de verduras, granos y carbohidratos. Las pruebas se efectuaron con los mismos atletas, para poder atribuir las diferencias de resistencia únicamente a la dieta consumida. En primer lugar alimentaron a los atletas con una dieta con elevado contenido de carne y proteína, y luego los pusieron a pedalear en una bicicleta estacionaria. Pedalearon durante 57 minutos. Luego los hicieron descansar durante unos días y a continuación los alimentaron con una dieta común y corriente compuesta de carne y productos vegetales. Esta vez pedalearon durante un promedio de 114 minutos. Finalmente los alimentaron con la dieta con elevado contenido de carbohidratos procedentes de verduras y granos y legumbres, sin nada de carne. Como resultado, lograron pedalear durante 167 minutos, lo cual es tres veces más que el tiempo que habían pedaleado cuando se alimentaron con carne.

Otros estudios científicos recientes relacionan el consumo de carne con el cáncer, que es la segunda causa de muerte en varios países, aun entre los niños. En un trozo de carne de 1 kilo de peso asado al carbón existe tanto benzopireno (sustancia cancerígena) como el que se encuentra en el humo de 600 cigarrillos. Cuando se alimenta a ratas con benzopireno, desarrollan tumores en el estómago y leucemia. **El metilcolantreno es otro agente productor de cáncer, que se forma cuando la grasa de la carne se calienta a temperaturas elevadas.** Los animales pequeños alimentados con grandes cantidades de esta sustancia también desarrollan cáncer. Los investigadores han administrado a los

Debemos decir que es necesario tener la precaución de no cambiar súbitamente los hábitos de alimentación de la familia, porque eso provocaría oposición y resistencia. Recuerde también que todas las comidas debieran constituir una experiencia positiva.

ratones dosis de metilcolantreno demasiado pequeñas para causar cáncer por sí mismas, pero cuando estos animales han ingerido un segundo agente cancerígeno en cantidades demasiado pequeñas para producir cáncer por sí mismos, los ratones de todos modos eran afectados por este mal. En otras palabras, una sola dosis pequeña de metilcolantreno sensibiliza a los animales y los hace vulnerables a otros agentes cancerígenos, con lo cual tienen más probabilidad de contraer la enfermedad.

Los padres interesados en disminuir los gastos de alimentación sin desmejorar la calidad del régimen alimentario, debieran disminuir el consumo de carne y aumentar el consumo de proteína de origen vegetal (frijoles, arvejas o guisantes, lentejas) varias veces por semana. Las legumbres, que constituyen fuentes de proteína concentrada, se pueden cocinar sin añadirles nada; luego, antes de servirlas, se puede agregar algún condimen-

to o bien combinarlas con otros alimentos. La combinación de granos y legumbres en el mismo plato refuerza su valor nutritivo. Un bistec de 180 gramos provee 700 calorías y solamente 30 gramos de proteína útil. Pero una taza y media de frijoles cocidos provee igual cantidad de calorías y 50 por ciento más de proteína. Además, los frijoles tienen bajo contenido de grasa y carecen de colesterol.

Entre las legumbres, el frijol soya tiene la calidad y cantidad más elevada de proteína, y muchos productos a base de soya se pueden conseguir en el mercado. También es posible conseguir proteína a base de soya, que se puede usar en la preparación de diversos alimentos. En la página 177 presento mi receta favorita para utilizar la proteína de soya.

Todas las necesidades de proteína del organismo se pueden satisfacer utilizando los siguientes alimentos: leche, preferente-

Los padres debieran hacer todo lo posible por no sucumbir a la influencia de los anunciadores de alimentos sin valor nutritivo, para evitar que los hijos se perjudiquen con el consumo diario de artículos nocivos para la salud, lo cual inevitablemente afectará su comportamiento y también su salud futura.

mente desnatada, leche con bajo contenido de grasa, o leche de soya fortificada con vitamina B" (2 tazas para los adultos y de 3 a 5 tazas para los niños y adolescentes); 2 ó más porciones de legumbres, nueces, almendras, requesón, y 4 ó más porciones de cereales integrales.

Una generación mal acostumbrada

Vivimos en la época de los bocadillos y de las pausas para tomar café, en oficinas y en otros lugares. Para algunas personas, el comer es una actividad casi permanente. En ciertos países, el promedio de la gente consume 1.200 calorías sin contenido alimenticio por día, en forma de bocadillos, chocolates y golosinas. El hecho de recargar el régimen alimentario con calorías sin contenido alimenticio es una de las razones principales por las que hay tanta gente, incluyendo niños, que padecen de sobrepeso. El comer entre las comidas retarda la digestión e interfiere con

los procesos digestivos que se efectúan en el duodeno. Debido a que en estas circunstancias el alimento se asimila con mayor lentitud, se retarda el proceso digestivo general, lo cual disminuye el vigor y la vitalidad.

El comer golosinas entre las comidas puede causar más daño que comer esos mismos artículos durante las comidas. Los carbohidratos pegajosos (como los caramelos) se adhieren a la dentadura y promueven el desarrollo de bacterias. **Las frutas y las verduras de consistencia dura, jugosas y frescas ayudan a prevenir las caries dentarias debido a que contribuyen a la limpieza de la dentadura.** Los supermercados abundan en alimentos muy refinados y procesados, muchos de los cuales contienen productos químicos en la forma de preservativos. Lamentablemente, el proceso de refinamiento elimina una buena parte de las vitaminas y minerales. Como resultado, la industria de la alimentación añade a los alimentos esas vitaminas y minerales.

¿Qué probabilidades tiene un niño, acostumbrado a consumir alimentos sin valor nutritivo, de convertirse en un adulto vigoroso y saludable? El edificio del organismo sin fundamento, inevitablemente se derrumbará como resultado de las tormentas de la vida. Los padres debieran hacer todo lo posible por no sucumbir a la influencia de los anunciadores de alimentos sin valor nutritivo, para evitar que los hijos se perjudiquen con el consumo diario de artículos nocivos para la salud, lo cual inevitablemente afectará su comportamiento y también su salud futura.

La obtención de las vitaminas y los minerales de fuentes naturales tiene numerosas ventajas sobre el consumo de vitaminas artificiales. En primer lugar, el costo es muy inferior. En segundo lugar, la obtención de las vitaminas y los minerales directamente de los alimentos también asegura que vienen en concentraciones adecuadas que no recargan el organismo con excesos que obligan a los órganos excretorios a trabajar adicionalmente para eliminarlos.

Para asegurar el consumo equilibrado de alimentos nutritivos, es necesario elegirlos de una amplia variedad de productos naturales y sin refinar, y luego prepararlos en forma sencilla y sabrosa. Cuando se hace esto, se puede estar seguro de estar siguiendo un sólido programa que proporcionará buena salud a todos los miembros de la familia. Y debemos recordar que una familia sana es una familia feliz.

Debemos decir que es necesario tener la precaución de no cambiar de golpe los hábitos de alimentación de la familia, porque eso provocaría oposición y resistencia. Por ejemplo, si usted le anuncia a un adolescente que no puede seguir comiendo alimentos sin contenido nutritivo, porque desea que saque mejores notas, es probable que se moleste y no le haga caso. Es mejor decirle que es necesario modificar la alimentación, porque en esa forma tendrá menos espinillas, ganará menos peso, y tendrá más resistencia para los deportes. El mejor plan para cambiar los hábitos de alimentación de la familia introduce unos pocos cambios pequeños cada vez, lo cual permite un ajuste adecuado de los procesos químicos del organismo. Al comienzo puede permitir que durante una noche por semana se consuman alimentos sin mucho valor nutritivo, para prevenir los síntomas de carencia, tales como depresión, enojo e irritabilidad.

Recuerde también que todas las comidas debieran constituir una experiencia positiva. Esto se aplica especialmente a la última comida del día. La comida de la noche idealmente debiera ser sencilla y liviana. Los alimentos más pesados debieran consumirse más temprano durante el día, cuando se necesite una mayor cantidad de energía. La cena debiera ser un momento cuando toda la familia se reúne alrededor de la mesa, y todos tienen oportunidad de participar en la conversación, lo cual les da la sensación de pertenecer al grupo y de sentirse importantes.

Evite corregir constantemente a la hora de la comida los modales y el empleo de las palabras por parte de los hijos. Además, apague el televisor durante las comidas. La televisión destruye el significado de la comida familiar. La conversación agradable y la risa contribuyen a la buena digestión. Las discusiones tornan más lento el proceso digestivo. Convierta las horas de las comidas en momentos agradables y felices. Verdaderamente constituyen la última frontera en lo que se refiere al tiempo que los miembros de la familia pasan juntos.

Educación sexual sana y provechosa

No basta enseñar al niño los hechos de la reproducción y del funcionamiento sexual. Éste necesita relacionar la información recibida con su propio código de valores que se encuentra en formación. La educación sexual y los valores morales siempre deben ir juntos.

10

El objetivo final de la educación sexual es que el niño llegue a formar actitudes que le proporcionen la mayor cantidad de felicidad y lo sometan a una cantidad mínima de daño.

esumen del Capítulo

E
L TEMA DE LA EDUCACIÓN sexual ha ganado popularidad entre los grupos de educación de padres, porque los padres cristianos no desean que se los considere estrechos de mente ni atrasados; pero tampoco desean aprobar la permisividad de una sociedad que ignora las enseñanzas de las Escrituras. Quieren ayudar a sus hijos a obtener una comprensión adecuada del tema y a desarrollar un ajuste sexual saludable. ¿Pero cómo se consigue esto? ¿Cómo se preparan los padres para contestar las preguntas que los niños hacen? ¿Qué clase de respuestas pueden dar? ¿Cómo pueden presentar los hechos básicos acerca del sexo? ¿Cómo conversan los padres con los hijos de más edad acerca de cuestiones sexuales sin sentirse incómodos? ¿Cómo pueden ayudar a sus hijos a obtener información adecuada y la habilidad de considerar el sexo desde una perspectiva cristiana?

Los padres se encuentran confundidos, en parte porque están inseguros de lo que deben decir a sus hijos, y en parte a causa de las películas, las noticias de los periódicos, los artículos de las revistas, los libros y los programas de televisión que distorsionan el concepto que sus hijos tienen acerca del sexo y del amor sexual. En años recientes, los anunciadores y editores han aprendido que la explotación del sexo produce beneficios con-

185

Los niños son curiosos, lo cual los impulsa a hacer preguntas.

siderables. Como resultado, nunca antes en la historia los adolescentes y los jóvenes habían tenido a su alcance tanta información equivocada acerca de cuestiones sexuales, mientras al mismo tiempo se resta sutilmente importancia a la moralidad, honradez e integridad sexuales. Y aunque las normas bíblicas acerca de la moralidad no han cambiado, se las ridiculiza en toda nuestra sociedad.

Debido al aumento de la inmoralidad, muchas familias han comenzado a enseñar a sus hijos los valores morales que se basan en los principios bíblicos. Cuando enseñe a su hijo acerca del sexo, siempre tenga presentes dos aspectos: la anatomía básica y los valores morales. Siempre hay que enseñar al niño nociones de anatomía básica. Ayúdele a identificar cada parte del cuerpo por su nombre debido. Explíquele muy bien su propósi-

to y función en términos que pueda comprender.

"¿Dónde está el bebé de Gloria?" –preguntó un niño de cuatro años después que sus padres le dijeron que su hermana mayor iba a tener un bebé.

"Lo tiene en el estómago" –contestó descuidadamente la mamá.

"¿Se comió al bebé?" –quiso saber el chico.

En ese momento la madre reconoció lo que había dicho e intentó corregir su error. "El bebé no está realmente en su estómago sino en la matriz".

"¿Qué es la matriz?" "Es un órgano que las mamás tienen y que los papás no tienen".

"Bueno –contestó el chico muy convencido de lo que decía–, Gloria no tiene un órgano. ¡Tiene un piano!"

Por mucho que procuremos enseñar correctamente, pueden surgir problemas durante el proceso de interpretación.

El segundo factor que debemos incluir cuando enseñamos a un niño acerca del sexo, es la relación del sexo con los valores morales. No basta enseñar al niño los hechos de la reproducción y del funcionamiento sexual. Este necesita poder relacionar la información recibida con su propio código de valores que se encuentra en formación. **La educación sexual y los valores morales siempre deben ir juntos.**

Mientras asistía a un seminario de educación sexual en una universidad, escuché a un profesor que instaba a sus compañeros de magisterio a enseñar la educación sexual con un libro en una mano y una píldora en la otra. Esa clase de enseñanza carece de los elementos básicos de la responsabilidad, de las actitudes necesarias y de los valores morales que intervienen en la educación de un niño para que logre formar juicios morales sólidos por su propia cuenta cuando llegue el momento de hacerlo. Los padres no debieran estar dispuestos a abdicar de su derecho sagrado de guiar debidamente a su hijo en este sector y permitir en cambio que absorba los valores seculares que podrían enseñarle en la escuela.

Entonces, la educación sexual significa formar *actitudes* concernientes al tema total de la sexualidad, y no solamente enseñar los hechos fisiológicos. **La educación sexual comprende exponer al niño a todos los hechos, a la comprensión de las razones que respaldan los hechos, y a la formulación de actitudes hacia el sexo basadas firmemente en esos hechos. La educación sexual debiera comprender los factores fisiológicos, sociológicos, económicos y sociales que afectan la personalidad y el comportamiento, tanto como los factores fisiológicos de la reproducción humana.**

El objetivo final de la educación sexual es que el niño llegue a formar actitudes que le proporcionen la mayor cantidad de felicidad y lo sometan a una cantidad mínima de daño. Y esto no es fácil, porque los padres tienen la difícil tarea de enseñar que "el sexo puede ser maravilloso" y sin embargo "el sexo puede ser peligroso", ambas cosas al mismo tiempo.

Objetivos básicos de la educación sexual

A continuación presentamos seis sugerencias de lo que los padres pueden esperar cumplir:

1. Para que aprenda a dar y recibir amor. La educación sexual debiera ayudar al niño a amar y a hacerse amar, a ser capaz de dar amor tanto como de recibirlo. Un bebé se beneficia con el amor de sus padres y de la familia, y aprende a confiar en ellos y a darles su amor. Cuando un niño comienza a asistir a la escuela, se expande su círculo de amor al hacer nuevos amigos y al conocer a las profesoras. En los años inmediatamente anteriores a la adolescencia encuentra amigos de su propia edad y sexo. Luego en la adolescencia transfiere su devoción a ciertos miembros del sexo opuesto. Los padres sabios ayudarán a sus hijos a progresar sin dificultades de una etapa a la otra en este proceso de dar y recibir amor.

2. Para que esté satisfecho con su papel sexual. Uno de los aspectos más importantes de la educación sexual es la enseñanza de una identificación saludable con el rol masculino o femenino. La sexualidad comprende el nombre recibido al nacimiento, los juguetes con los que se juega, la ropa que se lleva, los amigos con quienes se juega, la elección de cursos en el colegio, la forma como los roles y responsabilidades se consideran en el hogar, y finalmente, la forma como las necesidades y urgencias sexuales se satisfacen mediante seres humanos responsables y dedicados. Resulta evidente que la identidad sexual constituye una parte importante del desarrollo de una autoimagen saludable y afecta todos los aspectos de la vida.

Los padres deben enseñar a su hijo varón que debe alegrarse por ser varón, y a su hija que debe sentirse feliz por ser una niña. Esta satisfacción se desarrolla por medio de la admiración que la niña siente por su madre y el respeto del niño por su padre. Durante la edad de transición, especialmente en la adolescencia, un hijo o una hija pueden tener dificultad para aceptar su identidad sexual. Algunas niñas no sienten orgullo de ser femeninas, y en realidad hasta sienten temor de ser mujeres. Muchos niños, especialmente si son de baja estatura, temen no alcanzar verdadera virilidad. El respeto y el amor que los padres se demuestran mutuamente, contribuyen a enseñar que tanto el hombre como la mujer tienen un lugar digno en la vida. Los padres también pueden dar seguridad a sus hijos de que los aman y aprecian por lo que son.

3. Para que respete su propio cuerpo. Un niño debiera respetar su cuerpo y sentir que cada parte del mismo es buena y sirve a un propósito útil. La forma como el niño se siente acerca de sí mismo reflejará en gran medida las actitudes de sus padres hacia sus propios cuerpos,

4. Para que comprenda y acepte los cambios corporales. Un objetivo estrechamente relacionado con el anterior es que el niño debiera prepararse para experimentar los cambios corporales que sobrevienen con el crecimiento y al pasar de la niñez a la adolescencia. Debiera aprender a aceptar dichos cambios como parte normal del desarrollo. Tanto los niños como las niñas también necesitan comprender los cambios que ocurren en relación con el sexo opuesto.

5. Para que conozca y aprecie cómo comienza la vida. Los niños sienten gran curiosidad por el origen de la vida humana, acerca de cómo se desarrolla el bebé y cómo nace. Esto proporciona a los padres cristianos la oportunidad de enseñarles la historia real del nacimiento, que está tan llena de dignidad y maravilla que estimula una actitud de respeto.

6. Para que finalmente viva dirigido por normas sólidas de comportamiento sexual. Uno de los propósitos principales de la educación sexual consiste en ayudar al niño a desarrollar normas de comportamiento sexual. Los padres pueden enseñar mejor a sus hijos los principios morales por medio de una relación saludable de padre a hijo establecida durante los años tempranos de vida. Se les puede enseñar a respetar lo que sus padres creen y a aceptar lo que les recomiendan. Un niño, además, debiera aprender a ser leal a Dios, quien nos ama, pero que también ha impuesto castigo para los desobedientes. Si elegimos desafiar sus leyes, hay consecuencias que debemos sufrir. El niño y el adolescente que comprenden esta verdad tienen más probabilidad de tener una vida moral en medio de una sociedad inmoral.

¿Puede causar daño la información?

Conocer la verdad es menos inquietante que no conocer los hechos y estar en la duda acerca de cuáles son éstos. Los niños que no han sido informados, son los que con más frecuencia llevan a cabo experimentación sexual, porque es la forma como pueden obtener información. Varias investigaciones han demostrado que el delincuente sexual típico generalmente viene de un hogar en el que recibió poca o ninguna educación sexual.

¿Cuándo debiera comenzar la educación sexual?

Una madre preocupada le preguntó a un médico: "¿Conoce usted algunos libros apropiados sobre el tema del sexo que pueda leer mi hijo? Tiene casi 13 años y creo que ya es tiempo que aprenda los hechos de la vida". Lamentablemente, esa madre había cerrado sus propios ojos a los hechos de la vida. La educación sexual de los hijos debiera comenzar desde el nacimiento. Cuando la madre lo ama, lo cuida y juega con él, indirectamente lo está educando sexualmente.

Al niño se le enseña cómo debe sentir en relación con su cuerpo mucho antes de lo que podemos imaginar. Supongamos que Juanito, de 14 meses, está recibiendo un baño. Está sentado en el agua tibia y muy contento explora su cuerpo. Se toca los dedos de los pies y la mamá le dice: "Dedos; dedos de los pies del bebé". Juega un poco más y se toca el ombligo. La mamá le dice: "Ombligo; es el ombligo de Juanito". Repentinamente se toca el órgano genital y juega con él. En este caso, no hay muchas madres que dirán: "Genital; es el genital de Juanito". En lugar de eso, la mayoría procuraría distraerlo o hacer algo para indicar que lo que hace no es bueno. Algunas madres aun podrían pegarle en la mano y decirle: "¡No!' ¡No!"

Cuando una madre maneja esta situación de ese modo, le está enseñando a su hijo que los dedos de los pies son buenos, que el ombligo es bueno y que está bien jugar con ellos, pero que hay algo de malo y sucio en esa otra parte del cuerpo. Sin embargo, para Juanito, su genital es tan interesante como los dedos de los pies, pero la madre le crea un interés malsano en el órgano sexual al hacerle sentir que es una parte prohibida del cuerpo. ¿Qué debieran hacer los padres cuando los hijos descubren su órgano sexual? **Debieran enseñarles el nombre correcto del aparato sexual y de los órganos de eliminación, en la misma forma como les enseñan los nombres de otras partes del cuerpo.** Para los padres puede resultar más difícil decir el nombre correcto, pero no para el niño, quien aprenderá a decir pene, testículo, nalgas, ano, vulva y vagina con la misma facilidad con que dice codo, nariz, ojo y oreja. No es difícil pronunciar estas palabras y debieran usar exactitud cuando se habla con un niño acerde su cuerpo. También se presentan buenas rtunidades para enseñar cuando se usan abras como orinar o menstruar.

Una palabra de advertencia. Es mejor ense-
 a los niños pequeños que las palabras rela-
nadas con la eliminación, posiblemente con
xcepción de "quiero ir al baño", y otras pa-
ras realmente personales, debieran utilizarse
amente en su propio hogar o con sus propios
dres. **Una parte del desarrollo de su personali-**
d comprende aprender cuáles palabras son so-
lmente aceptables y cuáles no lo son.

La modestia

Un niño aprende la modestia mediante ins-
cciones y el ejemplo. No es algo totalmente
intivo. **Los niños pequeños deben aprender**
que es apropiado y lo que no es. Los padres
den ayudar a sus hijos a comprender que
tas cosas no se hacen en público, aunque
infundirles un sentimiento de vergüenza.

Explíquele por qué no debe hacer sus necesidades en el jardín o en la calle. Dígale por qué no se debe desvestir frente a las ventanas abiertas. Dígale a una niñita por qué no debe subirse su vestidito. Y explíquele a un niñito por qué debe mantener el cierre de su pantalón subido. Ocasionalmente un niño puede entrar en el dormitorio y encontrar que la mamá y el papá no están completamente vestidos. Mantener la calma en esa situación significa más que cualquier otra cosa que se pueda decir o hacer. Mantener una actitud natural y calmada le hará comprender al niño que el cuerpo humano que Dios creó es hermoso y digno de respeto. El padre o la madre podrían decir en esa situación: "Olvidaste tocar"; o bien: "No cerré la puerta. Por favor pásame mi bata". Es importante que no tengan una reacción exagerada con gritos y amenazas. Los padres que en esas circunstancias mantienen una actitud negativa e incómoda, enseñarán con ello a sus hijos a sentirse confundidos y avergonzados con su intimidad.

Sin embargo, es importante que el niño
aprenda a sentir un respeto saludable por la vida
privada. No es conveniente que un niño esté
constantemente expuesto a la desnudez de los
adultos. Ver un cuerpo desnudo con demasiada frecuencia puede despertar sentimientos y emociones demasiado fuertes para un niño. Los padres con frecuencia fallan en este punto, porque piensan que su hijo por ser demasiado tierno no puede ser estimulado sexualmente; pero aun un niño pequeño tiene sentimientos sexuales, y con frecuencia es estimulado a través de la ignorancia que los padres tienen acerca de este hecho.

Los padres no consiguen mucho al enseñar a sus hijos a ser modestos si ellos mismos no practican la modestia. Un niño pequeño estaba comiendo con su niñera, cuando la madre vino a despedirse de él porque iba a salir. Iba ataviada con un vestido de noche muy escotado."

¿Adónde vas, mamá?" –le preguntó el niño.

"A un concierto, querido" –contestó la madre.

"Pero alguien podría verte" –respondió el chico.

Las preguntas de los niños

Los niños desean saber acerca de todo, desde las estrellas hasta los gusanos. Tienen la misma sana curiosidad acerca del sexo como sobre los trenes, los animales y la electricidad. Orinar, defecar, bañarse y vestirse son actividades normales en las que el chico debe participar y aprender.

Una maestra informó a los padres de Luisito que el niño parecía exageradamente interesado en las niñitas de la escuela. Varias veces aun había mirado por debajo de las puertas de los retretes y tratado de que alguna de ellas le mostrara cómo se veían las niñas sin sus calzoncitos. Los padres, avergonzados y confundidos, se apresuraron a llevar el problema a su médico. El doctor descubrió que la mamá encerraba en su cuarto a Luisito cada vez que cambiaba los pañales a su hermanita. Si no lo hubiera hecho, Luisito habría visto en forma natural y normal a su hermanita desnuda, y con eso su curiosidad habría quedado satisfecha. No es prudente que los padres manifiesten un exceso de modestia. Los padres que ponen demasiado énfasis en la modestia pueden hacer que su hijo forme actitudes peculiares y falsas acerca de sí mismo y de los demás. Debe haber un punto medio aceptable.

Cuando un niño hace preguntas acerca de su cuerpo o del de una niña, los padres debieran contestarlas con claridad de modo que él sepa que está hecho en la forma correcta. Podría decírsele: "Los niños y las niñas están hechos en forma diferente. Dios planeó las cosas así. Todos los niños tienen un pene. Las niñas no lo tienen. Tú estás hecho en la forma como Dios desea que seas".

Cuando un niño pregunta de dónde vienen los bebés, no debiera decírseles que los trae la cigüeña, que los compran en el mercado ni que los van a buscar al hospital. Debiera decírseles que el bebé se desarrolla en un lugar especial en el interior del cuerpo de la mamá. No debiera decírseles que el niño crece en el estómago de la madre, lo cual es fisiológicamente incorrecto. Depende de las preguntas adicionales que el niño haga en ese momento, y de su grado de desarrollo, si se identificará el lugar como la matriz y si se le dará información adicional. Los padres deben resistir la tentación de dar exceso de información demasiado pronto.

Un nuevo predicador tenía que dar su primer sermón en una iglesia del campo, pero asistió solamente un vaquero. El predicador le preguntó si deseaba escuchar el sermón. El hombre replicó que él era solamente un vaquero, pero si tuviera que alimentar las vacas y llegara una sola, él de todos modos le daría comida. El pastor comenzó su sermón de una hora de duración. Cuando terminó, le preguntó al vaquero si le había gustado. Este contestó que él era nada más que un vaquero y que no entendía mucho de predicación, pero que si fuera a alimentar las vacas y encontrara a una sola, ¡no le echaría todo el alimento de una sola vez!

Un niño puede hacer preguntas acerca del aborto, la adopción, el adulterio, la inseminación artificial, la contracepción, la circuncisión, el exhibicionismo, la fornicación, la homosexualidad, la masturbación, la menopausia, la menstruación, la pornografía, la prostitución y las relaciones sexuales. Y no hay ninguna razón por la cual los padres no debieran contestar francamente esas preguntas, pero deben recordar que el niño no necesita un curso de obstetricia. Con frecuencia no es tan importante lo que se dice como la forma en que se dice. Cuando se dan pocos o muchos detalles en forma calmada y con voz carente de ansiedad, el niño se sentirá tranquilo y reposado.

El niño que no hace preguntas

Existen numerosas razones por las que un niño no hace preguntas acerca del sexo. Puede ser que su interés no haya sido estimulado a través de la vida familiar. Puede ser hijo único o bien un niño que no ha sido alertado por el nacimiento de un hermanito. Un niño puede tratar de "ser bueno", pero de alguna manera puede haber obtenido la impresión de que hay ciertas preguntas que son "malas". Otro niño que ya ha obtenido

Se debe ayudar a cada niño a convertirse en una persona que aprende, que se desarrolla y que explora con interés el admirable mundo en el que vive.

la información fuera del círculo familiar, puede haberse sentido confundido o haber sido ridiculizado y por lo tanto tal vez no se siente libre de hacer preguntas.

Pero independientemente de las razones, un niño que no hace preguntas necesita ayuda tanto como el que las hace. **Hay muchas formas positivas de enseñar la educación sexual basándose en los acontecimientos diarios de la vida, sin que sea necesario sentarse con un libro abierto para responder a las preguntas que el niño hace.** Ya hemos hablado de la primera forma de hacerlo: aprender de los hermanitos y las hermanitas. Si no hay un bebé en la familia, lleve su hijito o hijita a visitar a un amigo que tenga uno, y deje que el niño vea al bebé. No necesita decir nada especial. Otro método de aprender es observar la naturaleza. El niño que ve animales en el acto de copular da a los padres una excelente oportunidad de explicarle que los niños tienen padres y madres lo mismo que los animales. Los padres también pueden señalar que cuando los seres humanos tienen rela-

ciones sexuales eso es diferente de los animales, porque los padres y las madres se aman tiernamente; por eso se casan y viven juntos, para tener un hijito a quien amar.

Con frecuencia los padres piensan que han cumplido su deber, cuando lo único que han hecho es anunciar a su hijo: "Si tienes alguna pregunta sobre sexo, puedes hacerla con toda libertad a alguno de nosotros". Pero puede ser que el niño nunca haga preguntas. No basta decirle que puede hacer las preguntas que desee. Un buen maestro no considera que su tarea consiste nada más que en sentarse a esperar que los niños hagan las preguntas. Procurará estimular la curiosidad de modo que los chicos se sientan impulsados a hacer preguntas. Desea hacer algo más que impartir información. Quiere ayudar a cada niño a convertirse en una persona que aprende, que se desarrolla y que explora con interés el admirable mundo en el que vive. Y un buen maestro sabe que el aprendizaje se produce en forma gradual. Los padres que no dicen nada están descuidando su responsabilidad de hacer surgir el tema de la sexualidad. **Los padres cristianos se sienten más dispuestos, por ejemplo, a compartir su cristianismo con sus hijos durante sus primeros años. Le señalan en la naturaleza todas las cosas que Dios ha creado, cómo Dios nos ama y se preocupa de nosotros, y cómo podemos conversar con él.** Pocos padres cristianos rehúsan hablar de Dios y de la Biblia a sus hijos, hasta que ellos tomen la iniciativa de preguntar acerca de esos temas. Por el contrario, la mayor parte de los padres cristianos hablan con sus hijos de los importantísimos conceptos de Dios, la fe y la salvación. ¿Por qué, entonces, tendrían que encerrar el sexo en un compartimento separado marcado "no se investigue"? Hay que hablar francamente del tema de la sexualidad.

Acerca de la experimentación

A veces los padres y las madres se sobresaltan y se sienten molestos cuando descubren que un grupo de niños del vecindario se ha dedicado a tener juegos sexuales. Los juegos y la experimentación sexual no son infrecuentes entre los niños de 4 a 10 años. Desean hacer comparaciones, de modo que se encierran y se muestran mutuamente sus genitales. Experimentan con diferentes formas de orinar. Los niños lo hacen de pie y las niñas, sentadas. Se ríen de las palabras que se refieren a las funciones eliminatorias. Juegan al doctor y a la enfermera.

A veces los padres se preocupan tanto, que prohíben a sus hijos que jueguen con ese grupo de niños. Ese énfasis exagerado hace que el incidente se fije en la memoria del niño como una experiencia sucia y terrible y las actitudes sanas no se edifican sobre sentimientos de culpa y vergüenza.

Lo mejor que un padre puede hacer es conversar tranquilamente con el niño acerca del asunto, contestar sus preguntas y darles las explicaciones necesarias. Los padres que obran con sabiduría no le darán importancia al incidente y ayudarán a sus hijos a encauzar sus energías hacia otras actividades.

La cama del niño

Todo niño debiera tener su propia cama. Un niño que comparte la cama con un hermano o una hermana, no puede evitar el contacto físico que invita al juego sexual. Un número considerable de adultos con problemas sexuales hace remontar su origen al tiempo cuando dormían con hermanos u hermanas, con parientes o amigos. Muchos padres se sorprenderían al enterarse de la cantidad de juego sexual y masturbación que ocurre entre los niños cuando se ven forzados a dormir juntos. Además, los hermanos y las hermanas debieran tener dormitorios separados después de la edad de cinco o seis años. Si eso no es posible, debieran disponer los muebles del cuarto para que los niños estén en la forma más privada posible. Algunos padres permiten que sus hijos pasen la noche con un amiguito vecino, o bien permiten que un amigo venga a pasar la noche con él. En otras ocasiones, permiten que un grupo de niñas se reúnan en su casa y pasen jugando en el dormitorio la mayor parte de la noche. No queremos decir con esto que un niño nunca debe invitar a un amigo a dormir en su casa, o que nunca él podrá pasar la noche en casa de un amigo. Pero un niño está expuesto a la experimentación sexual cada vez que se le permiten estos privilegios, y es más fácil prevenir un mal que curarlo una vez que ha ocurrido.

La masturbación

Durante generaciones, la palabra masturbación, ha acarreado temor y vergüenza a miles de personas. Hasta hace pocos años se consideraba que provocaba locura, sordera, ceguera, epilepsia, calvicie, pérdida de peso, debilidad y esterilidad. Con frecuencia, el niño que era sorprendido, "en el acto", era golpeado y amonestado severamente acerca de lo que le podría ocurrir debido a su comportamiento. Hace varios años se patentó en los Estados Unidos un cinturón de castidad especial para muchachos. Otro método de controlar este hábito tan temido era el empleo de guantes de aluminio en los que podrían me-

¿Qué instrucción sexual tuve yo?

Nuestra habilidad para analizar temas sexuales está muy influida por las actitudes, pensamientos y sentimientos que hemos traído de nuestra propia niñez. Cuanto más positivas fueron las instrucciones en nuestros primeros años, tanto más probable es que podremos comunicar actitudes saludables a nuestros propios hijos. En cada una de las siguientes declaraciones, trace un circulo alrededor del número de la escala que mejor represente sus recuerdos.

1. Falso	2. Parcialmente verdadero
3. Mayormente verdadero	4. Totalmente verdadero

1 2 3 4   1. En mi infancia, mis padres me animaban a hacer preguntas sobre el sexo.

1 2 3 4   2. Mis padres nunca me hicieron sentirme culpable por sentir curiosidad acerca de los órganos sexuales.

1 2 3 4   3. Mis padres, y no mis compañeros, fueron mi primera fuente de información sexual.

1 2 3 4   4. Al repasar lo que se me enseñó en la infancia, siento que creci con actitudes saludables con referencia al sexo y la reproducción.

1 2 3 4   5. Tanto mi padre como mi madre me dieron información sexual a lo largo de los años.

1 2 3 4   6. (Para varones) Uno o ambos padres hablaron conmigo sobre las emisiones nocturnas o "sueños húmedos" antes de que eso ocurriera. (Para mujeres) Uno o ambos padres me prepararon para el comienzo de la menstruación antes de que eso ocurriera.

1 2 3 4   7. Mis padres se expresaban espontáneamente su afecto cuando yo estaba presente.

1 2 3 4   8. Me siento cómodo y sin inhibición al expresar afecto por mi cónyuge delante de mis hijos.

Sume los números rodeados por un círculo. Busque en la página 240 las instrucciones para determinar el puntaje. Comente el resultado con su cónyuge, pariente o amigo. Si es necesario hacer cambios, (1) ¿cuáles son? (2) ¿cómo piensa realizarlos? y (3) ¿cuándo piensa comenzar?

terse las manos del niño en la noche. Algunos padres utilizaron esposas como las que usa la policía. Hasta se inventó un dispositivo con timbre que sonaba en el dormitorio de los padres indicando que el muchacho había tenido una erección, tras lo cual el padre corría a salvar al niño de sí mismo. Ocasionalmente los padres recurrieron a recursos extremos como cortarle el clítoris a una hija o suturar los labios de la vulva, en un esfuerzo por detener la masturbación. También se llevaron a cabo operaciones en muchachos.

Las autoridades médicas insisten en la actualidad en que la masturbación es una parte normal del desarrollo. Casi todos los niños, y por lo menos 75 por ciento de las niñas, practican este hábito en algún momento u otro durante la adolescencia, porque han descubierto las sensaciones agradables que se obtienen mediante diversas manipulaciones de los órganos genitales. **En muchos casos, la masturbación solamente refleja la búsqueda de parte del adolescente de mayor conocimiento acerca de su cuerpo; también hay hijos e hijas que recurren a esta práctica en un esfuerzo por compensar una falta de**

amor y atención.

Es improbable que la masturbación cause muchas de las enfermedades que antes se le achacaban; sin embargo, puede destruir el respeto de sí mismo, el carácter y la moral. La práctica masturbatoria puede producir melancolía, irritabilidad y celos. **Los niños y los adolescentes pueden experimentar sentimientos agudos de remordimiento y sentirse degradados ante sus propios ojos.** La práctica continua de la masturbación puede destruir la energía del organismo y así dar orígen a una depresión. Al enfocar su atención sobre sí mismo, el que se masturba puede perder de vista las cosas espirituales.

Cuando los padres descubren que su hijo se masturba, no debieran amenazarlo con castigarlo, condenarlo ni avergonzarlo. En cambio, debieran examinar el tiempo que dedica al juego. ¿Hace suficiente ejercicio físico? ¿Juega lo suficiente? ¿Tiene juguetes adecuados con los que pueda edificar, empujar, tirar y manejar a su gusto? Si tiene más edad, ¿practica un pasatiempo favorito, o manifiesta interés en los deportes, la música y en una variedad de actividades cristianas? ¿Se siente aceptado, amado y apreciado? ¿Le queda bien la ropa? ¿Mantiene limpio su cuerpo? ¿Tiene irritación en la piel?

Durante los años de adolescencia, la masturbación adopta un significado diferente. Ya no es más cuestión de curiosidad o de sencillo placer infantil, porque adopta un significado sexual más profundo. El adolescente ha vivido con su cuerpo por unos doce años, pero ahora siente nuevas urgencias, estados de ánimo y sensaciones físicas, como resultado del despertamiento psico-sexual.

El daño más serio que produce la masturbación es la culpa relacionada con este hábito. Hay casos conocidos de adolescentes que se han suicidado porque se sentían demasiado débiles para continuar viviendo en esa forma. Los adolescentes de ambos sexos necesitan comprender que al convertirse en varones y en mujeres, sus conceptos sexuales pueden hacerse más significativos. Deben aprender que la satisfacción sexual genuina deriva de la profunda necesidad de dar antes que de recibir. Necesitan comprender el concepto de que la verdadera realización puede encontrarse únicamente en una relación de amor que abarca a otra persona y no en el placer físico solitario. Por eso Dios hizo al hombre y a la mujer.

Los padres debieran comprender que los adolescentes se encuentran profundamente preocupados con el tema de la masturbación y sin embargo es uno de los temas más difíciles de analizar. ¿Quién lo puede comprender? Los padres pueden ayudar a su hijo adolescente diciéndole que no hay nada malo con lo que está ocurriendo en su cuerpo. No deben recargarlo con sentimientos de culpa, de aborrecimiento de sí mismo o de degradación. Al mismo tiempo deben hacer énfasis en la necesidad de dirección y control de la sexualidad.

Un niño que se masturba mucho generalmente es un niño que no es feliz. Puede tener pocos amigos y no disfrutar de una cantidad normal de juegos y diversiones infantiles. La masturbación en esta clase de niños no es la causa del problema sino un síntoma de que hay algo que no anda bien en su vida. Los padres debieran efectuar un esfuerzo por crear una buena situación de juego y velar para que el niño dedique tiempo suficiente a esa actividad. Debieran proveerle tareas interesantes que él pueda realizar en el hogar y felicitarlo por lo que hace bien y por el esfuerzo realizado. Debieran incluirlo más en los entretenimientos y diversiones familiares. Si no responde positivamente después de haber tomado estas medidas, convendría hacerlo ver por un especialista.

Hay que enseñar al niño a controlar sus impulsos sexuales. Si no aprende el control de sí mismo, se desarrollará hasta convertirse en un adulto cruel, egoísta, codicioso e indisciplinado. El gran peligro es que algunos padres, en un esfuerzo desesperado por ayudar a su hijo a controlar sus urgencias sexuales, ejercen un control exagerado sobre el niño o bien se desentienden de él y no le enseñan a controlarse.

La pornografía

Otro asunto frecuente, que surge, especialmente entre los padres de adolescentes, es lo que debieran hacer cuando encuentran fotografías obscenas o revistas pornográficas en posesión de su hijo. El libro titulado Books and the *Teen-Age Reader* [Los libros y el lector adolescente], por G. Robert Carlsen, ofrece el siguiente consejo a los padres que se encuentren con este problema: "Cuando descubre un ejemplar de un libro de contenido indecente, una revista pornográfica, un chiste sucio, ocultos en el cuarto de su hijo o en un cuaderno de su pertenencia, no actúe impulsado por la emoción o la vergüenza. No es algún monstruo extraño, ni tampoco son sus intereses antinaturales. Está fascinado por ese material porque sus amigos se lo han dado a conocer. Desea experimentar por sí mismo. Hacer una escena, destruir el material, acusarlo de tener deseos vergonzosos, no disminuirá necesariamente sus intereses. Tal vez lo único que conseguirá será hacerlo más disimulado con las cosas que lee, y darle la idea de que la sexualidad es objetable y pervertida".

Al hablar de la pornografía con los adolescentes, hágales ver que lo único que hace es describir el contacto genital. No es una relación que contiene afecto, amor o compromiso entre los seres humanos. Cuando las relaciones sexuales se convierten en una finalidad en sí mismas, se tornan aburridas. Los productores de revistas pornográficas lo saben muy bien, por eso incluyen diversas escenas extravagantes y hasta grotescas. Para los cristianos de cualquier edad, el uso de materiales pornográficos para estimular las fantasías eróticas desmiente todo lo que la Biblia dice que el sexo puede ser y debiera ser.

El niño que recibe una educación sexual adecuada, y que se siente libre para hablar abiertamente de temas sexuales con sus padres, es menos probable que se vuelva

hacia los materiales pornográficos. Cuando la curiosidad natural no es satisfecha en forma inteligente, un adolescente puede volverse a la pornografía en busca de respuestas a sus preguntas. Lamentablemente, tales materiales ofrecen respuestas equivocadas, información engañosa y un concepto enfermizo del sexo, al separarlo del amor y el matrimonio.

La educación sexual de los hijos es tanto un privilegio como una responsabilidad, y debe basarse en los principios bíblicos y no en argumentos humanos que cambian con los tiempos y dejan a los adolescentes sin nada que los sostenga. **Es un privilegio de los padres dar al mundo hijos e hijas con actitudes saludables hacia el sexo y la moral, y que puedan crecer para organizar familias amantes, felices y altruistas.**

La responsabilidad de los padres: benditos los vínculos que los unen

El respeto propio de una mujer se halla estrechamente ligado a sus deseos de ser valorada, respetada y estimada. No sólo la aceptación de ella misma, sino también el éxito en su papel de esposa y madre dependen en gran medida de la aceptación y apoyo que le brinde su esposo.

11

El mero conocimiento no resolverá todos los problema
conectados con estos ajustes, pero ciertamente ayuda
bastante a las parejas inteligentes a enfrentar las
realidades antes que éstas se les echen encima.

esumen del Capítulo

UNA SEÑORA y su hija adolescente se encontraban almorzando en un restaurante. Entre los clientes había varias madres jóvenes con su inquieta prole. Cuatro de ellas se hallaban inconfundiblemente embarazadas. Durante 15 minutos habían escuchado los regaños que las madres dirigían a sus pequeñuelos. Finalmente, la adolescente le hizo a su madre una pregunta significativa: "Mamá, si tanto odian a sus hijos, ¿por qué siguen teniendo más?"

Amigo lector, ¿hizo impacto en su mente la pregunta de esa jovencita? La mayoría de nosotros crecimos con la mente llena de maravillosas fantasías según las cuales nos íbamos a casar con un príncipe apuesto o con una hermosa princesa. Los anuncios comerciales que escuchábamos o veíamos nos decían que todo lo que necesitábamos era usar cierto dentífrico especial y... ¡listo! La persona ideal aparecería instantáneamente en la escena, y nos enamoraríamos perdidamente de ella. Pronto tendríamos perfectos y preciosos bebés. Los alimentaríamos con compotas marca "Cómelo todo", maravillosamente fortificadas de modo que nunca se enfermarían, nunca se irritarían ni se pondrían majaderos. Nadie insinuó jamás que la vida se complica-

199

Satisfacción del esposo y la esposa derivada de la situación familiar

La gráfica muestra el eje vertical "Satisfacción Marital" con niveles de "Mucha" (arriba) a "Poca" (abajo), y en el eje horizontal las categorías: Recién casados, Pareja en años de fertilidad, Familia con hijos en esc. prim., Familia con hijos en esc. secund., Familia con hijos jóvenes, Familia de edad madura, Familia de edad avanzada.

ría. Recibimos la preparación menos realista para la obra más exigente de todas. Aquí está la hermosa princesita que pensaba que podría afrontar el matrimonio sin dificultades. Estaba segura de saber lo que significa la vida de casados y la crianza de una familia. Lo había visto miles de veces por televisión. Además, todas las novelas románticas se lo habían indicado: uno se casa y luego vive feliz para siempre. Pero poco después de haber comenzado a vivir el sueño, una pesadilla se asomó por el horizonte. Algo no estaba marchando tan bien como debiera. Cuando llegó el primer bebé, la relación entre ambos ya se había empezado a deteriorar. ¡La vida matrimonial se había iniciado con brillantes esperanzas y con una tierna canción en sus corazónes! ¿Y cómo es posible que en su camino se levante esta extraña pregunta:

"¿Por qué nuestra satisfacción marital disminuye progresivamente a través de los años que dedicamos a la crianza de los niños?"

¿Ha surgido alguna vez esa pregunta de su propio corazón doliente, amigo lector?

Vayamos a los hechos. Nótese en el diagrama adjunto que el nivel de la satisfacción marital baja a su punto medio cuando los niños comienzan a llegar al hogar. **El nivel de felicidad continúa decayendo en las familias con hijos y alcanza su punto más bajo cuando los hijos están en la adolescencia.**

La mayoría de las personas suponen que el nivel más elevado de satisfacción marital se alcanza durante la última parte de la vida. Esta suposición refleja la idea de que mientras más tiempo la pareja viva junta, mayor será el deseo que sienta cada uno de aumentar la felicidad del cónyuge. Pero esto únicamente sucede con parejas que *ya eran felices* al principio. Es muy difícil que una pareja que nunca ha experimentado un nivel elevado de felicidad marital lo alcance repentinamente tan sólo porque los hijos se van del hogar. Aunque este diagrama expone los resultados de numerosos estudios, no todas las parejas presentan las mismas características. Sin embargo, la mayoría de las parejas tienden a reflejar estas tendencias a menos que dediquen tanto tiempo y esfuerzo preparándose para el matrimonio y las responsabilidades paternales, como el que invierten en su preparación profesional. Por lo tanto es importante que las parejas estén dispuestas a identificar y comprender la tensión y los desórdenes que puede sufrir la relación matrimonial en cada una de sus etapas.

Cuando el sueño se desvanece

¿Por qué se presenta un descenso repentino en la satisfacción matrimonial inmediatamente después de la boda? **La mayoría de las parejas no están preparadas para los ajustes que requiere la vida matrimonial.** Con frecuencia los sueños románticos los han enceguecido de manera que no captan las numerosas situaciones reales que los recién casados deben enfrentar. Pero ¿por qué la presencia de los niños es un factor adicional que disminuye la satisfacción marital?

Los hijos son una "herencia del Señor" y están designados para ser una bendición. **Pero la pareja debe sentirse segura en su relación mutua antes de traer un niño a sus vidas.** Una pareja que piensa que la presencia de los niños en la familia le prestará cohesión a una relación insegura no comprende la dinámica de la vida. *Los hijos complican las relaciones.* De hecho, el tener un hijo durante los primeros dos años de matrimonio, duplica los riesgos de divorcio. En vista de que el divorcio afecta ya a la mitad de todos los matrimonios, esto significa que solamente una de cada cuatro parejas podrá evitarlo, si no hay variación en los demás factores.

En la mayoría de los casos, la preparación de la pareja típica es completamente inadecuada para enfrentar las demandas de la paternidad. Esta educación defectuosa produce diversas preocupaciones y tensiones que la mayoría de los matrimonios no están preparados para enfrentar. Pasan los nueve meses de gestación comprando toda clase de linda ropa y muebles necesarios para recibir al pequeño en este mundo. Si acaso reciben alguna instrucción, se trata de alguna de esas clases que dan para el alumbramiento natural, como el método Lamaze, las cuales sólo instruyen a los padres en los aspectos mecánicos del alumbramiento. No les enseñan a educar, proteger y disciplinar al bebé una vez

que éste se ha unido a la familia.

La manera repentina en que las responsabilidades de la paternidad se precipitan sobre la joven pareja hace resaltar su falta de preparación. Durante la luna de miel una pareja joven puede aprender a conocerse gradualmente. Pero cuando un bebé aparece en la escena, no hay oportunidad para ir absorbiendo gradualmente la nueva situación. Por lo tanto, la escena matrimonial adquiere matices críticos. La relación marital compite con la relación filial en cuanto al tiempo, el afecto y el cuidado. El esposo y la esposa ahora vagan a tientas mientras tratan de reorganizar su relación mutua.

¿Cuál es la solución de este dilema? Preparación... preparación... preparación, tanto para el matrimonio como para la paternidad. El mero conocimiento no resolverá todos los problemas conectados con estos ajustes, pero ciertamente ayudará bastante a las parejas inteligentes a enfrentar las realidades antes que éstas se les echen encima.

Una relación saludable entre padres e hijos se desarrolla a partir de una relación saludable entre esposo y esposa. Estos vínculos de amor proveen la seguridad que el niño necesita. La estabilidad emocional de la madre depende en gran manera del afecto, la seguridad y el sentido de logro que ella obtenga de su relación con su esposo. El respeto propio de una mujer se halla estrechamente atado a sus sentimientos de ser valorada, respetada y estimada. No sólo la aceptación de ella misma sino también el éxito en su papel de esposa y madre dependen en gran manera de la aceptación y apoyo que le brinde su esposo. Por lo tanto, es el vínculo o relación existente entre el esposo y la esposa lo que les permite o no funcionar con óptima eficiencia en su papel de padre y madre.

Los primeros años en el nido

La vida de la pareja sin niños continúa más o menos como cuando eran novios. Por lo regular ambos prosiguen sus actividades profesionales. Cuando se levantan tensiones y surgen problemas, los esquivan tomando

¿Cómo afectan los hijos el matrimonio?

Las siguientes declaraciones revelan el efecto de los hijos en la estabilidad del matrimonio. Conteste cada declaración trazando un círculo alrededor del número de la escala que refleja mejor su opinión.

1. Definidamente de acuerdo	2. Levemente de acuerdo	3. No estoy seguro
4. Levemente en desacuerdo	5. Definidamente en desacuerdo	

1 2 3 4 5   1. Ciertas investigaciones revelan que la satisfacción marital continúa disminuyendo durante todos los años de la crianza de los hijos.

1 2 3 4 5   2. El nivel de felicidad de una pareja generalmente alcanza su punto más bajo durante la adolescencia de los hijos.

1 2 3 4 5   3. Durante el período que dura el matrimonio, el nivel más elevado de satisfacción conyugal se alcanza en los últimos años

1 2 3 4 5   4. Tener un hijo en los primeros dos años de casados duplica la probabilidad de divorcio.

1 2 3 4 5   5. La satisfacción de la pareja conyugal comienza a aumentar después que los hijos se han ido del hogar.

1 2 3 4 5   6. El primer año de matrimonio es el más difícil para muchas parejas.

1 2 3 4 5   7. El esposo experimenta síntomas más intensos de desilusión que la esposa después de la boda.

1 2 3 4 5   8. El futuro del matrimonio está determinado en gran medida por la adaptación que la pareja efectúa durante el primer año de casados.

1 2 3 4 5   9. Las estadísticas muestran que el 51 por ciento de los divorcios ocurre antes de los primeros cinco años de casados.

Lea el capítulo 11 para encontrar la respuesta correcta en cada caso. Luego comente las declaraciones con su cónyuge, un familiar o un amigo.

diferentes direcciones en el mundo de sus actividades cotidianas. Se sienten libres para gozar como mejor les parezca de las noches, los fines de semana y las vacaciones. **Sin embargo, los niños cambian drásticamente la escena. Súbitamente los esposos deben adoptar el papel de padres. Las rutinas familiares desaparecen. Para la joven pareja, la vida ya no es lo que acostumbraba ser.**

La vida matrimonial ha cambiado irrevocablemente. El insistente llanto de la criatura interrumpe el sueño de mamá y papá, y modifica también sus días con igual finalidad. Tal vez se dan cuenta por primera vez que como padres, son totalmente responsables de esa personita incapaz de valerse por sí misma, y de que no pueden desprenderse de su responsabilidad.

Al principio, un verdadero sentido de estabilidad y orgullo llena de entusiasmo a los padres, al volver a casa con su bebé. La criatura es una señal visible de que la pareja ha empezado en serio su vida juntos. Puede ser que desde la boda y hasta entonces no hayan recibido mucha atención de amigos y familiares, pero ahora todos se reúnen para dar la bienvenida al nuevo bebé y expresar interés por el bienestar de los nuevos padres y por su futuro.

Por su parte, los nuevos padres se hallan envueltos en temores y frustraciones. Las noches sin dormir los han dejado completamente agotados. Y debido al confinamiento que requiere su constante responsabilidad, se sienten muy solos. Ya no pueden gozar como antes de sus actividades sociales, y la depresión oscurece sus vidas. La cantidad de tareas domésticas que una criaturita ha producido, los hace sentirse sobrecargados. La casa que antes se mantenía inmaculada gracias a los esfuerzos de ambos, ahora tiene la apariencia de un gallinero. La responsabilidad financiera aumenta. Y a cada paso enfrentan decisiones adicionales: acerca de médicos, compañeros de juego, guarderías, alimentos, educación espiritual y disciplina.

Durante los primeros años que pasan consolidando el nido, los padres también se sienten confundidos en cuanto a la manera de espaciar los hijos. Ciertos estudios muestran que los niños que se llevan dos años o menos y son del mismo sexo tienden a competir más con otros. Esto puede resultar en intensos episodios de rivalidad fraternal... pero no se desanime. También tienden a disfrutar más en compañía unos de otros durante los intervalos de paz. Los niños que se llevan más de cuatro años tienen menos cosas en común y tal vez no experimenten tanta rivalidad fraternal como los otros.

Más importantes que la distancia que debe separar a los niños son otros factores como: la edad y la salud de la madre; las obligaciones financieras, las razones por qué desean otro niño; la capacidad física y emocional de ambos padres para invertir en la enseñanza y educación de otro miembro de la familia; el espacio disponible en la casa para uno más... en fin, la lista es ilimitada.

La presión que siente un matrimonio aumenta notablemente cuando los hijos entran en la escena. Cuando una pareja no tiene ideas afines en cuanto a la enseñanza y disciplina de los niños, los conflictos son inevitables. Se hace imperativo que unifiquen sus ideales relativos a la vida familiar. Si la esposa creció en el campo y acaricia recuerdos de la familia que trabajaba unida en el huerto, mientras que su esposo criado en la ciudad es capaz de confundir los tomates con los duraznos, entonces se hace indispensable llegar a un acuerdo.

A veces las responsabilidades de la paternidad recargan tanto a una pareja que no son capaces de ver los placeres que les puede deparar su estado. Los padres jóvenes debieran siempre mantener en perspectiva la felicidad y las pruebas de la paternidad. Los niños son una de las mayores fuentes de satisfacción en la vida familiar. Y mientras más feliz sea una pareja en el proceso de lograr crecimiento en su matrimonio, más capaces serán de compartir esa felicidad con sus hijos.

Para la mayoría de las parejas que pasan por los primeros años del matrimonio, sería de gran ayuda que durante su período de compromiso comenzaran a dar los pasos necesarios para hacer una transición apropiada a su nuevo estado. Por ejemplo, una pareja cuyos miembros leen y estudian con atención buenos libros acerca del noviazgo y el matrimonio tendrá un cuadro más realista de la vida matrimonial y sus requisitos. Serán capaces de analizar en detalle los asuntos relativos a los niños y la disciplina en vez de recurrir a generalizaciones idealistas como: "¡Oh, sí! ¡Tengamos tres lindos bebés!" Ellos habrán considerado a fondo asuntos como su papel de padres, la manera de resolver problemas, cómo tomar decisiones, la compatibilidad, la comunicación, el problema de las finanzas y los suegros. Las parejas que se ajustan más fácilmente son las que han tenido amplia orientación premarital y dos o más años para adaptarse el uno al otro antes de que el primer bebé aparezca en escena.

El varón como esposo

El estado del matrimonio le produce al varón la satisfacción de verse bien considerado por sus amistades. Espera que el matrimonio le provea algunos de los sentimientos de importancia que anhela. Cuando un niño entra en escena, el esposo aprende con prontitud que la atención que una vez él recibía en forma exclusiva, ahora está dividida. Un nuevo padre debe ser suficientemente maduro para comprender que cuando su esposa comparte su amor con el niño, su amor por él no disminuye. El padre y el hijo no compiten por los afectos de la madre.

Por cuanto es fácil que broten sentimientos de esta naturaleza, es esencial que el esposo y la esposa busquen ocasiones para estar juntos sin que el niño los interrumpa. **Deben apartar tiempo y dinero para actividades recreativas fuera del hogar si es que desean mantener su identidad como pareja y reavivar las llamas del romance que tienden a menguar o perderse con las innumerables y complejas responsabilidades.** La pareja debiera planear tales ocasiones para sí mismos por lo menos dos veces por mes. Si usted realmente no puede pagar una niñera, intercambie tareas de esta naturaleza con alguna otra pareja. Seleccione actividades que atraigan a los dos. Salgan a pasear en auto, a un picnic, o a nadar. Diviértanse juntos, rían, sueñen grandes sueños. Olvídense de los problemas. Tómense de la mano y conversen de asuntos que interesen a ambos. Concéntrense uno en el otro. Edifiquen un futuro mejor para ustedes mismos. Ni usted ni su cónyuge jamás lamentarán haber pasado el tiempo así.

Alguien ha dicho, y con razón, que lo más importante que el hombre puede hacer por sus hijos es amar a su esposa. Un buen padre primero es un buen esposo. Cuando un hombre respeta a su esposa como una persona con derechos propios, cuando permanece sensible a sus estados de ánimo, y cuando considera que su papel en el hogar es tan importante como el suyo, sin lugar a dudas el ambiente del hogar será amigable y cooperativo. Las jóvenes personalidades prosperan en un ambiente tal. Esposo, ame a su esposa. Dígale que a usted le gusta como ella se mira y que es tan digna de ser amada como el día cuando se casaron. Exprésele su amor con pequeños actos de atención, cumplidos y aprecio por su devoción en el hogar, y conmemoraciones afectuosas mediante flores, tarjetas, o sacándola a comer afuera. Mantenga encendida en su matrimonio la chispa del afecto. Una mujer puede soportar mucho si sabe que su esposo todavía la considera su amada.

No se equivoque. Las expresiones diarias de atención romántica son esenciales para la existencia de la mujer. Sin la seguridad constante del afecto de su esposo, ella no podrá satisfacer tan ampliamente las necesidades del niño. Un padre que da esta clase de apoyo

Es de su padre de quien el niño aprende los rasgos masculinos que imitará y que vendrán a formar parte de su personalidad. Es de él de quien el joven aprende a actuar como un varón adulto.

emocional hallará que sus esfuerzos son bien recompensados, aunque a veces su energía pueda sufrir considerable disminución. El esposo atento presenta un cuadro apropiado del papel que debe desempeñar un hombre tanto frente a los hijos como a las hijas. En el acelerado ritmo de la vida actual, el cual hace que los miembros de la familia sientan toda clase de presiones que tienden a separarlos del hogar, se necesita más que nunca que el esposo y padre proyecte una imagen sólida. La escuela, la iglesia, las actividades de la comunidad, los trabajos, las actividades recreativas, los compañeros, y los medios de comunicación todos piden atención a la vez. El papel del varón es fundamental en el proceso de mantener la familia unida.

El varón como padre

La preparación para la paternidad ha sido tristemente descuidada. Una jovencita puede adquirir cierta experiencia en el trabajo de cuidar niños y más tarde inscribirse en un curso de vida familiar. Pero no conozco ningún sistema que enseñe a los varones la importante función del padre. Sin embargo, es crucial que los hombres estén al tanto del papel vital que les cabe en el desarrollo de un niño emocionalmente saludable.

Durante el tiempo en que un joven corteja a su futura esposa y comparte con ella ocasiones sociales, mantiene cierto grado de independencia. Una vez que se casan, aprende pronto a incluir a su esposa en sus planes, reteniendo él todavía cierta medida de independencia. Después que llega el primer bebé, el esposo pierde una parte aún mayor de su independencia. **Se da cuenta que su esposa depende de él mucho más que antes y que necesita una dosis de afecto, seguridad y ánimo. Un hombre debe reconocer esta necesidad y proveer esta clase de apoyo.** Entonces la seguridad que encuentran al trabajar juntos le será transmitida a su niño.

Aunque la madre por lo general pasa más tiempo con sus hijos no deberíamos menospreciar el papel de padre. Los padres hacen diversas contribuciones al crecimiento del niño, las cuales sólo ellos pueden proveer. Lo primero y lo más importante que el padre puede hacer es ser un hombre hecho y derecho. Es de su padre que el niño aprende los rasgos masculinos que imitará y que vendrán a formar parte de su personalidad. Es de él que un joven aprende a actuar como un varón adulto. Si el padre desea que su hijo desarrolle una actitud sana hacia las mujeres, debe proveer un modelo de respeto, pues un niño formará sus propios valores observando como se llevan papá y mamá. Si un hijo observa que su padre denigra a las mujeres, él imitará esta actitud. Si su padre es irrespetuoso con las amigas de su esposa, el niño absorberá rápidamente esta actitud y pensará: ésta es la forma en que el hombre debe actuar con las mujeres.

Por su parte, las niñas necesitan relacionarse con sus padres tanto como los niños varones. Una niña debe aprender las diferencias que hay entre los rasgos masculinos y femeninos, y su padre debe ayudarle a desarrollar su propia femineidad. Los padres deben comprender que a medida que la niña crece, necesita de su padre para que la valore. Necesita vestirse para agradarle y actuar como una mujercita. Una razón por la cual pocas mujeres adultas sienten verdadera comunión, comodidad y comprensión en sus relaciones con los hombres, es porque sus padres nunca les dieron oportunidad de desarrollar tales sentimientos temprano en la vida.

La clase de relación que una niña establece con su padre, afecta críticamente su funcionamiento sexual años más tarde. El Dr. Seymour Fisher de la Universidad del Estado de Nueva York investigó las discernibles diferencias entre dos grupos de mujeres, unas con elevada sensibilidad sexual y otras cuya sensibilidad era escasa. Descubrió que la capacidad de una mujer para alcanzar el orgasmo está íntimamente vinculada con sus percepciones y sentimientos de la manera como fueron recibidas la dependencia y confianza que depositó en la gente en general, y particularmente en los hombres.

Las mujeres con elevada sensibilidad orgásmica tuvieron una relación emocionalmente saludable con sus padres en los primeros años de su vida. Aprendieron que los hombres existían para velar por los mejores intereses de las mujeres y para cuidar de ellas.

A las mujeres con baja capacidad orgásmica les faltó este factor estabilizador. Pensaban que las personas importantes de sus vidas quizás se alejarían de ellas o las engañarían, por lo tanto no podían depender de ellas. Encontraban difícil confiar, relajarse o entregarse en los brazos de sus esposos. Su temor les robó su capacidad para responder sexualmente.

El estudio declaró: "Mientras más baja sea la capacidad de la mujer para lograr el orgasmo, más probable es que diga que su padre la trató con indiferencia, sin hacer ningún es-

¿Estoy preparado para tener hijos?

Presentamos aquí un método fácil de apreciar la preparación para la paternidad. Quienes se preparan con ese fin, y también otras personas, disfrutarán al realizar esta prueba. Trace un círculo alrededor del número de la escala que revele mejor sus sentimientos acerca de cada declaración.

1. Definidamente sí	2. Probablemente sí	3. No estoy seguro
4. Probablemente no	5. Definidamente no	

1 2 3 4 5   1. Cuando hay niños cerca de mí, vienen donde yo estoy o demuestran que les agrado.

1 2 3 4 5   2. Con frecuencia me detengo a admirar a las criaturas o para hablar con niños pequeños.

1 2 3 4 5   3. Me encanta tomar a las criaturas y niños pequeños.

1 2 3 4 5   4. Podría cuidar a hijos pequeños aunque mi cónyuge rehusara ayudarme.

1 2 3 4 5   5. Aunque fuera despertado de noche por el llanto de una criatura, estoy seguro que podría soportar la tensión adicional.

1 2 3 4 5   6. Me gustan las tareas propias del cuidado de las criaturas, como cambiar pañales, bañar, alimentar, vestir y hacer salir el aire del estómgo.

1 2 3 4 5   7. Disfruto con las tareas propias del cuidado de los niños pequeños, como bañarlos, enseñarles el control de la eliminación, corregirlos, enseñarles reglas, contestar sus preguntas y enseñarles los números y los colores.

1 2 3 4 5   8. Puedo amar a un niño aunque su comportamiento no sea digno de amarse.

1 2 3 4 5   9. Estoy preparado para aceptar un hijo o una hija.

1 2 3 4 5   10. Estoy preparado para aceptar la apariencia de mi hijo, no importa a quién se parezca.

1 2 3 4 5   11. Podría manejar admirablemente la frustración de una hija con belleza física promedio o inferior al promedio.

1 2 3 4 5   12. Podría manejar admirablemente la frustración de un hijo de baja estatura y sin estructura musculosa.

1 2 3 4 5   13. Tengo suficiente madurez para aceptar un hijo que se desempeña en forma común y corriente. sin destacarse, en la escuela y en otras realizaciones.

1 2 3 4 5   14. Nuestro vecindario actual es apropiado para los hijos, porque incluye buenas escuelas, patios de juego cercanos y otros niños bien educados.

1 2 3 4 5   15. Los muebles de nuestro hogar son apropiados para un niño. No hay ninguno en que no pueda entrar.

1 2 3 4 5   16. Nuestro hogar es adecuado para los niños tanto en tamaño como en espacio.

1 2 3 4 5   17. Nuestras entradas son suficientes para cubrir los gastos adicionales de alimentar, vestir y educar a un hijo.

1 2 3 4 5   18. Hemos resuelto nuestros problemas matrimoniales y consideramos que obtenemos mayor satisfacción que el promedio de los matrimonios.

1 2 3 4 5   19. Tengo suficiente madurez para renunciar a una velada con mis amigos en caso de tener que cuidar a un niño enfermo.

1 2 3 4 5   20. He vivido independiente de mis padres u otros familiares por lo menos durante dos años.

1 2 3 4 5   21. He estado casado por lo menos dos años antes de tener un hijo.

1 2 3 4 5   22. He tenido oportunidad de viajar y hacer otras cosas interesantes antes de tener hijos, de manera que no tengo necesidad de lamentarme por no haberlo hecho.

1 2 3 4 5   23. Creo que la paternidad es una elección, y que los hijos no se tienen para imitar a otros matrimonios.

1 2 3 4 5   24. Reconozco que los hijos me quitarán parte del tiempo que dedico a mi cónyuge, y ambos estamos preparados para cederlo.

En la página 240 encontrará las instrucciones para calcular el puntaje.

fuerzo serio por controlar la conducta de ella o hacer cumplir su voluntad; es decir, fue más bien descuidado y no estableció reglamentos bien definidos. En resumen, mientras más elevada sea la capacidad orgásmica de la mujer, menos tolerante y más controlador considera ella que fue su padre.

Evidentemente el padre, principal figura varonil en los primeros años de vida de la mujer, establece un modelo y tono que influirá en gran manera sobre sus expectativas durante sus años de casada. **La niña cuyo padre participa activamente en sus asuntos y se interesa en ella, aprende luego que un hombre puede realmente cuidarla y demostrar interés genuino en lo que a ella le suceda. Una niñita necesita tener un padre que establezca activamente normas en su vida.**

El papel estabilizador que un padre desempeña va más allá del aspecto financiero y de la provisión que haga para la comodidad de la familia. Cuando el padre se separa de su familia, ya sea por ausencia física o emocional, los niños muestran serias deficiencias en sus relaciones sociales y morales con sus madres, compañeros y vecinos. Mientras más directo sea el papel que un padre asume al guiar y dirigir a su familia, más estable será ésta y los niños gozarán de mayor estabilidad emocional.

El padre que piensa que puede dejar al niño sólo al cuidado de la esposa no ha aceptado su responsabilidad de padre. La paternidad es la tarea de dos personas, particularmente en la cultura compleja y exigente en la cual vivimos. No le lleva mucho tiempo al niño darse cuenta de cómo el padre ha aceptado su papel.

El varón como líder del grupo familiar

Además de lo dicho, un buen padre también debe asumir la responsabilidad de orientar y dirigir el grupo familiar. Tal papel no es meramente el resultado de la casualidad, las costumbres o la tradición, sino que se apoya en los escritos inspirados de la Biblia. **Estudio tras estudio ha indicado que donde se respeta al padre como jefe, la familia tiende a sufrir**

menos dificultades emocionales que donde falta la autoridad del padre.

Sin embargo, este liderazgo no consiste en el ejercicio de una autoridad arbitraria, dominante y dictatorial con la que algunos padres tienden a gobernar sus familias. El liderazgo familiar concierne tanto al esposo como a la esposa. No le toca sólo a una de las partes, como muchos han creído tradicionalmente. No significa que es el esposo el que siempre manda y la esposa siempre obedece. En una relación de mutuo apoyo, el esposo ejercita un liderazgo "suave", directo.

Un esposo sabio comprende la posición de su esposa según las circunstancias y no exigirá nada irrazonable de ella ni de sus hijos. Se dará cuenta de las necesidades de todos los miembros de su familia. **Pueda ser que no siempre complazca los deseos de su esposa, pero se esforzará por ser justo con ella y los niños.** Considerará los sentimientos de la persona según las circunstancias, simpatizará con su posición, y reconocerá en cada caso los derechos del individuo. Un líder que apoya y afirma la estructura familiar es respetuoso, justo y bondadoso. Toda la familia está segura bajo la dirección de una persona así.

Muchos problemas se levantan en el hogar cuando los papeles de liderazgo son confusos. Un niño que crece en un hogar donde los padres han invertido sus funciones con frecuencia establece pautas de rebeldía y delincuencia. **Estudios recientes revelan que la figura de una madre dominante, puede confundir a un niño que busca su identidad.** Un estudio de padres que no se casan mostró que el 85% de ellos vienen de hogares donde sus madres asumían el papel dominante, o donde el padre estaba ausente.

El varón y su tiempo

Se pidió a un grupo de 369 muchachos y 415 señoritas de escuela secundaria que nombraran 10 cualidades especialmente deseables de los padres. La que recibió más votos fue "que dediquen tiempo a sus hijos".

El padre ausente con frecuencia o constantemente ausente puede producir enfer-

Para los padres

¿Cuánto dinero tendría si recibiera cien dólares por cada ocasión en que hizo algo positivo por su hijo durante la semana pasada?

1. Saludé a mi hijo con cariño cuando regresó de la escuela.

2. Admiré en voz alta algo que mi hijo hizo con sus manos.

3. Felicité a mi hijo por un trabajo bien hecho.

4. Alabé los esfuerzos que realizó en la escuela.

5. Conversé a solas con mi hijo.

6. Jugué con él cuando regresé del trabajo.

7. Fui a la iglesia con mi hijo.

8. Trabajé con él para terminar una tarea.

9. Lo dejé que me contara una historia sin interrumpirlo.

10. Demostré cortesía al decirle "por favor" y "gracias".

11. Le pedí permiso antes de usar sus cosas.

12. Dediqué tiempo a contestar las preguntas de mi hijo.

13. Le hice escuchar buena música.

14. Le enseñé a usar correctamente las herramientas.

15. Conversé con él sobre el sexo y la reproducción humana.

medad mental, delincuencia juvenil y homosexualidad en sus hijos. El Dr. Stanley Yolles, director del Instituto Nacional de Salud Mental, declara que un padre tiene el poder de reducir la delincuencia y también tiene una influencia directa en la salud mental de su niño y la capacidad intelectual de su niño. En otro estudio hecho por un psicólogo se pidió a 300 niños del 7° y 8° grados que llevaran un registro del tiempo que sus padres pasaban con ellos en una semana promedio. ¡El padre típico y su hijo estuvieron juntos 7 minutos 15 segundos! El padre está ausente si no está en casa regularmente. Por lo tanto, el ocupado médico, el ambicioso hombre de negocios, o el vendedor de éxito que trabaja constantemente es un padre ausente si pasa más tiempo fuera del hogar que en él. Una buena forma de evaluar la situación es contar el número de comidas por semana que el padre comparte con los hijos.

Uno de los atributos más grandes que tenía John F. Kennedy era que encontraba tiempo cada día para estar con sus hijos: tiempo para retozar, para hacer paseos en bote con ellos para contarles historias. Aunque era tan ocupado, procuraba con agrado participar en sus vidas. Lo contrario sucedía con el agricultor legendario, quien pidió una tarde a su hijo que "ordeñara las vacas, diera de comer a los caballos, alimentara los cerdos, juntara los huevos, amarrara el potro, partiera la leña, batiera la crema, sacara agua del pozo, estudiara sus lecciones, y se fuera a dormir". Mientras tanto el padre salió de prisa para asistir a una reunión donde se trataría el tema: "¿Cómo podemos mantener a nuestros hijos en casa?"

Es más, la calidad del tiempo que un padre pasa con su niño es importante. **Un niño recordará afectuosamente las escenas de la niñez únicamente si el padre en realidad estaba presente. La mayoría de las veces un niño lleva registro en términos del tiempo que pasaron juntos, antes que del lugar de la acción.** El recordará con más entusiasmo los momentos que pasaba su papá caminando con él por el parque, que el día cuando su papá le trajo un nuevo juguete. Sin embargo, es cada día más difícil para el niño típico pasar una cantidad significativa de tiempo con su papá. Pareciera ser que hay una correlación estrecha entre un sueldo más elevado para el papá y menos tiempo para la familia. Si le da a su hijo atención exclusiva cuando éste le hace una pregunta, si le ayuda a resolver un problema en el momento crucial que necesita, el niño tomará esto como "tiempo de calidad".

Los padres que no están presentes, que no hacen las decisiones en la casa, que no son

ejemplo para sus hijos, un día se encontrarán **excluidos del círculo familiar. Estos hombres más tarde se quejarán de que sus hijos son extraños que viven en su casa.** Los padres de éxito son reconocidos por sus hijos como cuidadosos, ayudadores, disponibles, a veces con razón y a veces sin ella, pero consistentemente amorosos y accesibles.

La mujer como esposa

Aunque el papel de la madre es importante, el papel de esposa es en algunos aspectos más importante y esencial. La esposa que confunde sus prioridades y coloca al niño antes que a su esposo, sin duda tendrá un esposo que se siente rechazado, y un esposo insatisfecho puede desarrollar resentimiento hacia el niño que parece tener prioridad en la vida de la esposa. Por cuanto que esta clase de esposa es fácil que se vea privada de su compañero y amante, muchas veces trata de "sustituir a su esposo" con el niño. También puede comunicar a su niño la frustración y poca estima que tiene por su esposo. Esto puede hacer que el niño desarrolle falta de respeto y hasta odio hacia el padre. Cuando las mujeres insisten en ser esposas antes que madres, enriquecen las vidas de sus esposos, de sus niños y de ellas mismas.

Otro hecho básico que una esposa necesita comprender es aceptar a su cónyuge tal como es, y no tratar de cambiarlo. El intento de hacer que un hombre cambie por lo regular termina en discusiones que ocasionan tensión en el hogar. Una esposa necesita concentrarse en las buenas cualidades de su esposo y expresar admiración y aprecio por las cualidades físicas, mentales y espirituales que él posee. Diga a su esposo cuán inteligente, guapo, elegante y maravilloso luce para usted. Comprenda las pesadas cargas que lleva sobre sus hombros, las dificultades y luchas que enfrenta al llevar las cargas financieras de la familia. **Levántele siempre el ánimo, y haga de su hogar algo muy agradable adonde da gusto volver; un cielo entre los afanes del día.** Su actitud lo animará a pasar más tiempo en el hogar con usted y los niños.

Es imposible para un hombre sentir ternura por una mujer que está constantemente criticándolo o sugiriéndole que cambie.

La mujer como madre

El papel de la madre es tan variado e importante como el del padre. Durante los primeros años de crianza de los niños la madre dedica una buena parte de su tiempo a tareas del hogar. Es muy importante durante esta etapa crucial de ajuste, principalmente si acaba de renunciar al mundo del trabajo, que acepte sus nuevas reponsabilidades con gusto y con entusiasmo. Si acaba de dejar un trabajo de tiempo completo –lo cual es común para muchas mujeres jóvenes de la actualidad–, se trataba sin duda de una profesión para la cual se había preparado durante varios años. Su carrera puede haberle provisto amplias recompensas y desafíos. Y si de pronto se convierte en ama de casa de tiempo completo, el cambio puede resultarle difícil. Los días en el hogar pueden deprimirla y aburrirla si los compara con la estimulante interacción que solía tener en una ocupada oficina. Puede ser que sus compañeros de trabajo hayan dependido de sus opiniones profesionales. El estar cambiando pañales y preparando alimento o amamantando al bebé, pueden rápidamente transformar la novedad en aburrimiento. Después del nacimiento del bebé la mujer puede encontrar cambios en su nivel de energía. El proceso del alumbramiento puede haber desgastado sus fuerzas más de lo que ella se da cuenta. Puede sentir un agotamiento físico y emocional que sólo el tiempo puede sanar. Sería mejor si ella y su esposo pospusieran sus relaciones sexuales normales por unas pocas semanas después del alumbramiento. Y puede ser que pase un buen tiempo hasta volver a gozar del placer sexual completo, especialmente si ella quiere evitar otro embarazo. Una esposa necesita el apoyo y la ternura de su esposo durante este tiempo.

Lo más importante, es que una esposa aprenda a equilibrar sus responsabilidades de esposa y madre. La llegada de un niño requie-

Para las madres

¿Cuánto dinero tendría si recibiera cien dólares por cada ocasión en que hizo algo positivo por su hijo durante la semana pasada?

1. Le sonreí a mi hijo.

2. Le leí o conté una historia.

3. Al acostarlo me despedí de él con un beso.

4. Le dí un abrazo

5. Le hablé acerca del amor de Dios.

6. Le permití ayudarme en diversas cosas.

7. Le agradecí por su ayuda.

8. Le recordé una ocasión cuando demostró cortesía.

9. Le agradecí por no interrumpirme mientras hablaba.

10. Contribuí a la unión familiar al organizar una actividad especial.

11. Discipliné a mi hijo con amor, aunque estaba enojada.

12. Hice que las horas de las comidas fueran entretenidas.

13. Demostré respeto por lo que pertenece a mi hijo.

14. Permití que mi hijo hiciera sus propias decisiones.

15. Estuve en casa para recibirlo después de la escuela.

16. Demostré amor y respeto por el padre de mi hijo.

---

re cambios en la relación entre los esposos. La esposa debe estar alerta a las necesidades de su cónyuge durante este tiempo para que la transición sea tan suave como sea posible; debe estar dispuesta a dejar al bebé de vez en cuando para dedicar tiempo y atención completos a su esposo. Si en alguna ocasión él comienza a sentirse abandonado, que ocupa un lugar secundario, ella está en terreno peligroso. **Una esposa que constantemente suple las necesidades de su esposo en lo que a aprecio, admiración y respeto se refiere, le ayudará a mantener su identidad y su sentimiento de seguridad dentro de la relación.**

La madre, proveedora de seguridad emocional

Si todos los bebés del mundo se reunieran en una convención, probablemente su clamor principal sería "¡Dónde está mi mamá!" El sentimiento de seguridad es más importante para los bebés que para los niños mayores, pero cada uno necesita sentir que pertenece a alguien. El Dr. David R. Mace, declara en su libro *Success in Marriage* (El éxito en el matrimonio): "La causa principal de la mayoría de los desórdenes serios de la personalidad es la privación maternal en la primera infancia" (pág. 61). El Dr. William Glasser señala en su libro *Reality Therapy* (Terapia de la realidad) que durante toda la vida necesitamos sentir que alguien se preocupa de nosotros y que debemos devolver este sentimiento. Cuando esto no sucede, la persona pierde contacto con la realidad y eventualmente pierde la razón o se muere.

Diversas líneas de investigación han demostrado este punto. El Dr. Harry Harlow experimenta con monos recién nacidos, los cuales cría con maniquíes de género de toalla que tienen biberones permanentes. Aunque esos monitos reciben la debida nutrición, no reciben cantidades adecuadas de cariño, pues no tienen a sus madres para que los acaricien. Estos monos crecen incapaces de aparearse y se conducen en forma extraña, con maneras muy parecidas a las de los enfermos mentales. **La primera relación emocional del niño con su madre forma el fundamento de su relación emocional con los demás a través de toda su vida.** Si su relación emocional con su madre es buena, si se siente seguro y confiado de que sus necesidades son atendidas prestamente, desarrollará una personalidad estable y firme concepto de sí mismo.

La madre como maestra

El hogar es la primera escuela del niño, y la madre, su primera maestra. Ahora bien, se puede confiar en la información de una buena maestra sin necesidad de que el alumno esté procurando comprobar los hechos y dudando de ella; y una de las primeras lecciones que un niño necesita aprender es que puede confiar en las enseñanzas de su madre. Así se ahorra la confusión de dudar de cada una de sus lecciones y tener que confirmarlas.

La aceptación de autoridad es la primera lección que un niño necesita aprender. Así las lecciones siguientes serán más fáciles para él. La madre debe ser una autoridad, pero no se asuste. Una autoridad es simplemente alguien que sabe más de la materia que la persona con quien él o ella está hablando, y que tiene el buen sentido de no meterse en otros terrenos.

Una buena maestra se esfuerza por establecer confianza ante los ojos de sus alumnos mediante su enseñanza de hechos que puede comprobar. Más tarde puede aventurarse a presentar materias más difíciles de comprobar, pero debe ser después que sus alumnos han aprendido a confiar en ella. **Una madre debiera escoger siempre la lección que ella quiere que su niño aprenda sin mostrar más emoción que la que sería adecuado desplegar frente a una clase. No necesita regañar, razonar, llamar la atención ni castigar. Ella simplemente hace que el niño cumpla.**

Una buena maestra empleará el castigo si es necesario, pero ella visualiza el castigo no como algo que le hace al niño sino como algo que hace por el niño. La actitud de la madre hacia el niño desobediente debe ser: "Te amo demasiado como para permitirte que te portes de esa manera tan negativa".

La coherencia es también una parte esencial de una buena maestra. Cualquier madre provocará confusión en su hijo si los lunes y miércoles le enseña que dos más dos son seis pero el martes y el jueves le enseña que dos más dos da cuatro. **La incoherencia en la disciplina de una madre produce confusión y pánico dentro del niño, de manera que al final le dan ganas de decir: "¡No quiero saber nada más!" Y no tratará más de seguir ninguna enseñanza.** Dé a su niño el mismo hecho cuantas veces sea necesario para que él lo

acepte. Si usted piensa en serio, dígalo. Si no es así, no lo diga. Eso sí, cuando usted diga algo, persevere. En la disciplina, es mejor equivocarse siempre en la misma dirección que tener razón y ser errático.

La madre como maestra es responsable de otras zonas de desarrollo social. De ella depende ver que los talentos del niño sean desarrollados. Y un niño necesita ser desafiado con la idea de que vive no sólo para su satisfacción propia y el gozo que le produzcan sus logros, sino que tiene la obligación de usar sus talentos y habilidades para bien de la humanidad. Debe recibir educación en el idealismo en vez del materialismo. Y si una madre ha desarrollado dentro de su niño un sentido sólido de valor propio, no tendrá que preocuparse de las demás reglas sociales: ya se desarrollarán.

La madre también es responsable del desarrollo físico de su niño. Por cuanto es ella la que planea y prepara las comidas, necesita poseer un conocimiento básico sobre salud, nutrición y fisiología. Las buenas prácticas de salud de la familia protegen a sus miembros contra resfríos, caries dentales, ataques de influenza y otras enfermedades. Cuando una familia goza de buena salud, la madre ha probado que ha hecho bien su trabajo como la experta en nutrición de la familia.

Por último, una madre debe educar a su niño de modo que éste reconozca que ha sido creado a la imagen de Dios y que es su deber reflejar lo mejor que pueda –con la ayuda divina– esa imagen.

Los primeros cinco o seis años de la vida de un niño son cruciales en su proceso de desarrollarse hasta llegar a ser un adulto emocionalmente seguro e independiente. El ambiente del hogar creado por los padres durante este tiempo tendrá una profunda influencia sobre el futuro de su niño. Con todo, la paternidad se nos impone en forma instantánea. ¡Oh, si pudiésemos crecer en la paternidad!

Por eso es que ni el esposo ni la esposa debieran creer que en su vida hogareña disfrutarán de felicidad en forma automática.

Ambos debieran esforzarse concienzudamente por prepararse y nutrirla. Ambos ganarán mucho y no perderán nada al hacer algo conscientemente cada día para aumentar su felicidad mutua. En esta forma contribuirán más de lo que se imaginan a la felicidad futura de toda la familia.

Las presiones de la edad mediana

La rutina marca la vida mediana del matrimonio. El romance y el orgullo de haber iniciado una nueva familia se han desvanecido. Los padres ahora deben ajustarse a tareas menos fascinantes, como asistir a sesiones de padres y maestros, transportar a los niños a reuniones, supervisar las lecciones de música, y arbitrar en las disputas por los mejores asientos. A medida que los niños van creciendo, la tensión entre el esposo y la esposa tiende a aumentar. Ahora se deben enfrentar decisiones más importantes en cuanto a salidas con jóvenes del sexo opuesto, la escuela, actividades, los amigos, y la elección de una carrera. Cualquier disparidad en el pasado de la pareja, los métodos de disciplina, o las expectativas futuras para los hijos, cobran un agudo relieve. Para poder vivir armoniosamente durante esta época de la vida, los ideales de la vida familiar deben fusionarse y llegar a constituir un solo objetivo. En algunas familias esta transición ocurre suave y fácilmente, pero en otras los propósitos del padre, la madre y los hijos se hallan en violenta oposición. Tanto el esposo como la esposa deben trabajar unidos para poder alcanzar sus ideales, y durante esta época de la vida, la satisfacción marital llega a su punto más bajo. ¿Cómo fue que la pareja se desvió de su felicidad conyugal anterior?

En los primeros años de matrimonio, las mujeres logran un nivel considerable de satisfacción personal. Por fin alcanzaron el blanco hacia el cual habían estado apuntando desde que comprendieron que hay diferencia entre los niños y las niñas. Pero para cuando nace el primer niño, la satisfacción personal de la mujer ha disminuido a la mitad. Este nivel de satisfacción continúa menguando a través de la adultez.

La mayoría de las mujeres son extremadamente sensitivas a los cambios que se producen en la relación matrimonial; por su parte, muchos hombres ignoran totalmente los sentimientos de sus esposas. Mientras tenga a su disposición ropa limpia, sus comidas a tiempo, y los privilegios sexuales que exija, ¿qué más puede un hombre desear o esperar? Sin embargo, ella puede sentirse enloquecer debido a la falta del apoyo emocional que siente que necesita recibir de él. Los hombres tienden a conformarse con un intercambio de servicios. El romance es un simple beneficio extra para un hombre, y no la necesidad que constituye para la esposa.

Por otro lado, durante esos primeros años cuando la satisfacción personal de la esposa es elevada, la del esposo es mínima. ¿Por qué? Porque cuando se casaron, quizás estaba estudiando para la ocupación a la cual dedicaría sus talentos, o tal vez tuvo que aceptar un trabajo insignificante para mantener a su familia. Gradualmente, a través de los años, ha trabajado y luchado por superarse. Ahora entra a los cuarenta, y tiene un puesto mejor y una seguridad financiera mucho más estable que antes. Y mientras su satisfacción asciende, la de ella desciende... ¡Se avecina una crisis!

¿Puede ver usted en este esquema en qué momento aproximado su matrimonio enfrenta el mayor peligro? Sí, ocurre durante los años de la edad mediana. Y sin embargo los varones con frecuencia no lo reconocen, debido a la considerable satisfacción de que gozan en el trabajo. Mientras tanto sus esposas se sienten extremadamente exasperadas por no hallar forma de comunicar el vacío que sienten en su cuerpo, alma, y espíritu. (Recuerde que estas estadísticas representan solamente tendencias generales, de modo que no se aplican a todas las parejas.)

Los niños afectan el matrimonio no solamente cuando llegan, sino también cuando se van. Cuando los hijos se van del hogar, el esposo y la esposa nuevamente deben ajustar sus papeles maritales. Esto les sucede espe-

Los primeros cinco o seis años de la vida de un niño son cruciales en su proceso de desarrollo hasta llegar a ser un adulto emocionalmente seguro e independiente.

cialmente a las madres que se han dedicado enteramente a criar a sus hijos. Cuando el último hijo sale del hogar, la madre se une literalmente a las filas de los desempleados. La soledad, la falta de propósito y el vacío pueden establecerse con rapidez devastadora. La casa silenciosa habla de muchos momentos de ocupación y bullicio. Si su identidad ha estado envuelta en la maternidad, la madre puede ahora comenzar a dudar de su valor. Puede sufrir por la pérdida de sus hijos. Puede dudar de su individualidad especial como madre. Los niños que se fueron sobrevivirán, pero ¿qué de la madre?

El esposo y la esposa deben prepararse para el tiempo cuando sus hijos crezcan y dejen el hogar. La pareja típica pasará más de la mitad de sus años de casados en un nido vacío. Si la pareja bien adaptada se prepara para este tiempo, puede llegar a ser el período más satisfactorio de la vida. La clave está en hacer planes cuidadosos.

La paternidad durante la mediana edad

Durante la edad mediana, los padres deben comenzar a compartir más y más las responsabilidades de la familia con sus hijos. Una de las mejores formas de mantener la solidaridad de la familia durante los años de la edad mediana, es llevando a cabo reuniones familiares semanales de planeamiento. Tales reuniones deben tener prioridad en el programa semanal de actividades. No las descuide por otros compromisos. La reunión familiar semanal da a cada miembro de la familia oportunidad de hablar, hacer sugerencias, planear actividades, establecer objetivos, resolver problemas, y participar en una de las mejores experiencias educativas posibles.

El papá y la mamá pueden sentirse tentados a ejercitar su prerrogativa y sentarse como dirigentes. Pero mientras menos conspicuo sea el papel que el padre y la madre desempeñen y mientras más animen a sus hijos a participar, mayores serán las recom-

El niño más tierno depende más de su familia para su seguridad y protección.

Mediante este método el niño aprende que los problemas no necesitan destruir las buenas relaciones. Al contrario, aprenderá cómo analizar problemas, aprovechar las buenas ideas espontáneas, y analizar y escoger el rumbo debido, aunque tenga que hacerlo hallándose bajo tensión.

Cada familia debe hacer un inventario de sus prioridades y cuidarse de no dejarlas de lado. La escuela, la iglesia, los clubes, los deportes y otras actividades requieren atención constante. Aun cuando toda la familia se las arregla para pasar una noche en casa, la omnipresente televisión podría echar a perder la santidad del círculo familiar. Las familias no debieran ni tratar de aislarse totalmente de las actividades sociales, ni intentar participar en todo. Por lo tanto los padres deben guiar cuidadosamente a sus hijos, educándolos para que sepan escoger lo que es más importante para ellos. Es muy fácil dejarse abrumar por múltiples eventos que reclaman prioridad.

Las familias sabias toman inventario de sus fortalezas y debilidades a diversos intervalos a través de los años.

¿Es cada persona de la familia capaz de pensar, actuar y funcionar independientemente?

¿Disfruta cada uno de salud emocional? ¿Se sienten parte de un equipo los miembros de la familia?

¿Comparte la familia ciertos blancos, y procuran sus miembros cumplirlos juntos?

¿Es el ambiente espiritual de la familia pertinente a la vida diaria?

¿Está la conversación diaria del hogar orientada hacia la detracción del valor personal, o hacia su afirmación?

¿Lleva cada miembro de la familia sus responsabilidades sin estar sobrecargado?

¿Toma tiempo la familia para practicar actividades recreativas que alivien las tensiones diarias y promuevan la buena salud y la vitalidad?

Al contestar estas preguntas o algunas parecidas, usted tendrá una visión más clara del lugar donde se encuentra su familia y de

pensas. La dura mano de un dictador pronto matará el progreso. Esto no quiere decir que un niño tenga privilegio igual de votación en todos los asuntos; pero el hecho de permitir que todos los miembros de la familia voten al hacer decisiones que les afectan, edificará la lealtad y unidad familiar. Algunas familias rotan la dirección y permiten que cada niño ocasionalmente sea el "capitán" del barco. Tal responsabilidad le proporciona excelente entrenamiento para el futuro y también cultiva un rico ambiente para el crecimiento personal y el aumento de actitudes positivas hacia cada miembro de la familia. (Esta idea en sí, más que cualquier otra, puede permitir que las familias donde hay padrastro o madrastra estén más unidas.)

Podría también ser ventajoso permitir que los hijos observen a sus padres mientras ellos resuelven algún problema. Invite a su niño, si el tema es apropiado, a que se siente y escuche cómo usted busca las soluciones.

lo que puede esperar para el futuro.

¿Producen los hogares destruidos niños quebrantados?

El divorcio y la separación están aumentando más rápidamente entre las familias con niños que entre las parejas sin ellos. En la actualidad se estima que uno de cada tres niños menores no vive con sus padres naturales. Y tal vez lo que es más alarmante, es que muchos ahora aceptan el divorcio como una "norma" –"algo que sigue su curso". Siendo que el 60 al 70 por ciento de todos los divorcios afectan a niños menores, el bienestar futuro de los hijos constituye un punto clave en los casos que envuelven la custodia de menores. Muchos de esos casos continúan durante dos años, mientras los padres litigan en las cortes, por lo general con amargo aborrecimiento, aunque a veces con la esperanza de reconciliarse. Frecuentemente estos padres usan a sus hijos para vengarse el uno del otro.

Muchos han tratado de justificar sus actos diciendo que sus niños están mejor en un hogar exento de dificultades que en uno donde hay peleas constantes e infelicidad matrimonial. Sin embargo, la evidencia no apoya esta teoría.

¿Cómo afecta el divorcio a los niños? El Dr. Harvey White ha presentado los resultados de un estudio notable en su libro Su familia es buena para usted: "Los niños del Proyecto Divorcio", nombre con el cual se ha llegado a conocer el estudio mencionado, presenta las conclusiones a que llegaron los investigadores después de haber entrevistado a 60 familias mientras se estaban divorciando y luego un año después. **Los investigadores trataron de observar problemas emocionales tales como: depresión, ansiedad, retraimiento y funcionamiento inadecuado. La investigación reveló que mientras menos edad tenía el niño, más severos eran los efectos, porque el niño más tierno depende más de su familia para su seguridad y protección.** El estudio concluyó que los niños sufrían "una crisis aguda relacionada con la pérdida de uno de sus padres y la confusión del divorcio, así

como problemas emocionales de largo alcance que surgieron más tarde".

Los integrantes del grupo de niños de dos años y medio a tres y medio experimentaron retroceso en el control de sus funciones eliminatorias, irritabilidad, berrinches, llanto, temor, inquietudes de separación, problemas para dormir, confusión, agresividad, y caprichos. Se observó que estos síntomas ocurrieron en todos los niños que permanecieron con sus madres en su mismo ambiente del hogar, excepto uno. Sus juegos eran "desprovistos de alegría". En la terapia de juego que se les aplicaba, construían mundos inseguros habitados por animales peligrosos, y contaban historias cargadas de búsqueda angustiosas. Estaban confundidos y atemorizados. Tres de cada nueve de este grupo se hallaban aún más afectados un año después del divorcio, y se supo que estos tres venían de hogares donde el conflicto del divorcio persistía y las madres estaban la mayor parte del tiempo preocupadas con sus asuntos.

Los niños de cuatro años permanecían también severamente deprimidos y confusos, y se culpaban a sí mismos por el divorcio. Siete de cada once aparecían más deprimidos, más limitados o constreñidos en el juego y en su conducta, y expresaban mayor necesidad de aprobación, atención y contacto físico después del divorcio. Esto ocurría a pesar de una cantidad mayor de contacto cariñoso, y de lo que parecía ser una mejor relación con el padre en las visitas que la que existía antes del divorcio. Parecía tener relación con un cambio en la madre, su preocupación con sus asuntos, y sus intentos de suplir el papel del padre.

Un total del 44 por ciento de estos niños preescolares mostraban mayores alteraciones emocionales un año después del divorcio. La correlación más importante se manifestaba entre la disposición emocional de la madre y la clase de relación que el niño tenía con ella.

El grupo de 5 y 6 años presentó por primera vez niños que podían afrontar con cierto realismo el divorcio entre sus padres. Las niñas parecían ser más vulnerables durante esa edad a la pérdida de sus padres, y se hacían tristes fantasías sobre la posibilidad de recobrar a sus padres por medio de su amor. El final de las visitas era casi como un noviazgo chasqueado. Las niñas parecían sumergidas en sus fantasías y funcionaban pobremente en la escuela.

El 50 por ciento de los niños de 5 y 6 años parecían estar capacitados para afrontar sin problemas devastadores la crisis del divorcio, y el 25 al 50 por ciento restantes permanecían tristes, temerosos y confundidos en cuanto a sus lealtades, y anhelaban estar con sus padres.

Ni aun los derechos óptimos de visitación parecían calmar la necesidad que sentían los niños de 5 y 6 años, de tener a su padre en el hogar. Aun a esta edad los niños tenían que adaptarse a la pérdida de uno de sus padres, tal como los otros miembros de la familia estuvieron forzados a hacerlo. También se comprobó que los procedimientos del divorcio en sí son menos traumáticos para el niño que el proceso de ajuste que le sigue.

Joan Kelly y Judith Wallerstein, las originadoras del estudio denominado Los niños del Proyecto Divorcio, citan a un niño que describe el divorcio de sus padres así: "Me está partiendo en dos". Para enfatizar su situación, Roberto hizo un gesto con las manos como dándose un hachazo en el medio de su frente.

El Dr. F. James Anthony menciona la declaración de otro niño: "Siento como si mi papá y mi mamá estuvieran dentro de mí peleando, y luego se separasen, rompiendo mi cuerpo para que yo pueda ir con ambos, pero por supuesto, si yo hiciera eso moriría. Quedaría partido. Podré volver a ser una persona viva y entera solamente si ellos se juntan otra vez".

Los efectos en los niños mayores y los adolescentes parecían ser menos traumáticos porque los niños de esta edad son capaces de expresar más abiertamente sus sentimientos de hostilidad, enojo y amargura, disminuyendo en esta forma los efectos emocionales significativos. **Mientras menos involucrados estén estos niños en los procedimientos de divorcio, mejor pueden afrontar la situación.**

Además, tienden a mantenerse neutrales y no ponerse del lado de uno de sus padres contra el otro.

El comprometer a los niños a que se unan con uno de los padres contra el otro, corta la relación normal que debe existir entre padres e hijos. Cuando la madre viene a ser menos que madre o el padre menos que padre y se convierte como en un compañero o camarada del niño, éste ha perdido no solamente a uno de sus padres en el conflicto, sino a los dos. La mayor necesidad del niño en este punto es tener un padre o un madre, y un otro amigo o compañero más. Mientras más distante esté el adolescente del tráuma de la situación, más estable será la estructura de la familia que queda y mejor lo tomará el niño.

Las investigaciones que Wallerstein y Kelly han hecho comprueban que del 25 al 50 por ciento de los niños que han pasado por el divorcio de sus padres sufren de trastornos emocionales, que afectan su funcionamiento y desarrollo durante un año después del divorcio. ¿Qué pasa después de eso? Ellos continuaron estudiando el grupo durante 5 años y encontraron que :

Treinta y siete por ciento de los niños involucrados sufrían de depresión que manifestaban en lo siguiente: Infelicidad crónica y pronunciada, promiscuidad sexual, delincuencia en forma del abuso de drogas, robos pequeños, alcoholismo y vandalismo, deficiencia en aprender, ira intensa, apatía, incesantemente necesitados de cariño y atención.

El estudio reveló que otro 29 por ciento de los niños estaban haciendo lo que se describió como "debido progreso en su desarrollo", pero que "continuaban experimentando intermitentemente una sensación de privación y tristeza, así como resentimiento hacia uno o ambos padres". Treinta por ciento de los niños después de la separación parecían estar funcionando satisfactoriamente, es decir al nivel de los niños provenientes de familias intactas.

Cuando se preguntó a los niños su opinión, el 56 por ciento dijeron que no veían ninguna mejora en su familia actual, comparada con la anterior. Otras dificultades causadas por la pérdida de la presencia de uno de los padres, puede que no surjan sino hasta mucho más tarde en la vida. **El divorcio es de por sí difícil para los adultos. Pero sus devastadores efectos duran mucho más tiempo en los niños.**

A pesar de lo que afirman ciertos libros y artículos, rara vez el divorcio es "creativo", al contrario, casi siempre es desastroso para todos los que están involucrados. Los padres responsables deben evitarlo siempre que sea posible. **Cuando el divorcio parece inevitable a pesar de todos los esfuerzos por salvar la relación matrimonial, los padres debieran hacer todo lo humanamente posible por disminuir el daño de los niños.** Evite la crisis del divorcio siquiera durante los primeros cinco años de la vida de su niño.

Desafortunadamente, no todas las parejas capaces de procrear hijos son capaces de criarlos responsablemente. No todas las parejas de casados debieran convertirse en padres. Pero los esposos y esposas que traen niños al mundo deberían asumir la responsabilidad que implica la paternidad. Debieran respetar el privilegio de la paternidad lo suficiente como para descartar sus propios deseos y caprichos con el fin de hacer lo mejor por sus hijos.

Quizás el divorcio parezca ser el único escape para la pareja que enfrenta repetidos chascos y frustraciones en un matrimonio que nunca logró satisfacer sus expectativas. Pero los niños son los desdichados peones en el cruel juego del divorcio.

La mayor necesidad del niño

La mayor necesidad de su hijo no consiste tanto en tener un padre y una madre que lo amen a él, sino en tener un padre y una madre que se amen entre sí. El curso matrimonial más importante que el niño tomará es el que ofrece su propia familia. Sus hijos e hijas los estarán observando a ustedes como modelos para los privilegios y responsabilidades del matrimonio que ellos formarán algún día. Lo ideal no es proveer un lugar perfecto para criar a los hijos en el sentido material, sino un hogar acogedor y afectivo donde se practica constantemente la obediencia a los mejores principios.

Aun los mejores padres enfrentarán problemas durante los años de la crianza de los niños, pero llevarán sus cargas livianamente porque se apoyan con firmeza en un poder más elevado. Ellos comprenden que las quejas o los lamentos no harán desaparecer las responsabilidades de la paternidad. De vez en cuando usted se equivocará, pero en vez de castigarse a sí mismo, acepte sus errores como parte del proceso del crecimiento.

Ninguna familia puede alcanzar la felici-

dad sin esforzarse, trabajar y luchar. Debido a las grandes tensiones de la vida, que son comunes para la mayoría de las familias de la actualidad, tanto los padres como el niño deben unir sus esfuerzos para poder realizar sus sueños de una vida familiar armoniosa. Solamente el esfuerzo continuo y concentrado hará posible que la familia de hoy logre este propósito.

Obtenga beneficio de situaciones sociales desventajosas

La familia adoptiva necesita establecer puntos en común, que podrían ser actividades o trabajos que realizan juntos y que los acercan unos a otros.

12

No importa tanto la cantidad de tiempo que dedica a sus hijos, sino la calidad de las cosas que se hacen durante ese tiempo.

Resumen del Capítulo

SE HA DISCUTIDO mucho acerca de si las madres que tienen hijos pequeños debieran trabajar fuera del hogar. En este capítulo no hablaremos de eso, pero veremos la mejor forma como la familia puede actuar cuando la madre tiene un empleo regular. En algunos países industrializados, como los Estados Unidos, la mitad de las madres con hijos menores de 18 años mantienen trabajos pagados fuera del hogar. Un elevado porcentaje, 37 por ciento, de las madres con niños preescolares también trabajan fuera del hogar, porque consideran que deben hacerlo para suplementar el presupuesto hogareño.

Según un estudio realizado por A. C. Nielsen, tres de cada cinco mujeres trabajan porque la familia necesita el dinero o porque desean tener dinero adicional para adquirir un segundo carro, decorar la casa o tener vacaciones especiales. Solamente 19 por ciento de las entrevistadas dijeron que trabajaban porque deseaban hacerlo. (Datos publicados por la Dra. Joyce Brothers, artículo "Hombres enamorados y matrimonio", revista *Woman's Day*,). Resulta interesante notar que los esposos que participaron en la encuesta veían las cosas en forma diferente. Tres de cada cinco hombres dijeron que sus esposas trabajaban porque querían hacerlo. Sólo 29 por ciento admitió que la familia necesitaba una segunda fuente de ingresos económicos.

La madre que trabaja y el tiempo

¿Qué es lo que verdaderamente separa a la madre del resto del mundo? El tiempo. La madre que trabaja fuera del hogar dispone de menos tiempo para llevar a cabo lo que debe hacer. Solamente la planificación adecuada de las tareas le permitirá sobrevivir a las exigencias impuestas sobre ella. Si usted es una madre que trabaja, a continuación encontrará algunas sugerencias útiles. Establezca sus prioridades y simplifique su trabajo todo lo que sea posible.

Pida ayuda a sus hijos. Pueden proporcionarle más ayuda de lo que usted podría esperar.

Mantenga una lista con las cosas que es necesario hacer cada día, y vaya marcando las tareas que ya se han hecho.

Haga planes para tener descanso y recreación fuera del hogar y de los niños, y no se sienta culpable por ello, porque eso le permitirá ser más productiva.

Permítase el placer de hacer algo que le agrada, y hágalo habitualmente.

Dedique una noche por semana a los entretenimientos. Descarte todo trabajo pesado, sirva una comida liviana y agradable en platos de cartón y después de la comida tenga juegos con toda la familia.

Dedique cierto tiempo por semana a la realización de proyectos importantes o a estar con su familia.

Recuerde que es imposible que una sola persona haga todas las cosas.

Muchas madres ocupadas confían en un programa semanal con bloques de tiempo para las actividades familiares, las tareas hogareñas rutinarias, los mandados y los entretenimientos. Conviene no programar los días demasiado apretados. Deje una hora libre cada día para actividades espontáneas, de manera que su familia no se sienta oprimida y disminuya su eficiencia. Ese tiempo para efectuar una pausa es muy necesario. La preparación de un programa eficaz requiere práctica y las equivocaciones permitirán eliminar los factores negativos a fin de aumentar su eficacia.

El problema mayor que encuentran las madres que trabajan fuera del hogar es el cuidado de sus hijos. Alrededor de la mitad de los niños preescolares hijos de madres que trabajan, son cuidados en sus propios hogares, y poco menos de la tercera parte son cuidados en los hogares de otras personas. **El cuidado de los hijos en el propio hogar es más aconsejable y también más barato. Todas las madres debieran informarse cuidadosamente cuando piensan emplear niñeras para sus hijos.** Debido a que las palabras y las acciones negativas pueden ejercer un efecto a largo alcance sobre el respeto de sí mismo del niño, resulta muy importante saber quién cuida al niño mientras la madre se encuentra ausente. Además, la madre debiera informarse periódicamente sobre lo que está sucediendo a fin de comprobar el progreso de su hijo.

Las autoridades recomiendan que las madres no salgan a trabajar hasta que sus hijos tengan cuatro meses de edad. Para entonces, el bebé ha establecido sus pautas afectivas iniciales con referencia a los miembros de la familia, ya no padece tanto de cólicos intestinales y ha establecido una rutina en su joven vida. También se recomienda que las madres eviten salir a trabajar fuera del hogar cuando la criatura tiene de 9 a 24 meses, cuando los temores de perder a la madre son más intensos.

Dos profesionales defensoras del derecho de las mujeres a trabajar, Viola Klein y Alba Myrdal, declaran que si las madres desean tener certeza de que sus hijos están teniendo la debida seguridad emocional y el debido desarrollo físico, debieran dedicar todo su tiempo a sus hijos hasta la edad de tres años. Muchos otros expertos recomiendan que un niño debiera tener tres años de edad antes de ir a una escuela para párvulos o a un centro donde se cuida a los niños durante el día. Antes de esa edad un niño no está preparado emocionalmente para abandonar a su madre e ir a jugar con otros chicos mientras es super-

Para las madres que trabajan

Las madres que trabajan andan siempre cortas de tiempo. Tienen tanto que hacer por la familia que descuidan sus necesidades personales. Lea cuidadosamente la siguiente lista y decida si está dedicando tiempo suficiente para sí misma y si está aprovechando sus oportunidades. Use la escala que sigue para anotar el puntaje adecuado.

1. Definidamente sí	2. Probablemente sí	3. No estoy segura
4. Probablemente no	5. Definidamente no.	

Durante esta semana:

1 2 3 4 5   1. He establecido mis prioridades y he realizado lo que era más importante para mí.

1 2 3 4 5   2. He pedido la ayuda de mis hijos para hacer trabajos caseros que ordinariamente yo misma hago.

1 2 3 4 5   3. He borrado de mi lista de "trabajos pendientes" los que he ido completando.

1 2 3 4 5   4. Me recompensé regalándome o haciendo algo especial.

1 2 3 4 5   5. Periódicamente designo una noche como "noche de entretenimiento" con la familia, para prestar atención especial a la unidad familiar.

1 2 3 4 5   6. Paso tiempo dedicado especialmente a mi esposo solo o con él y los niños.

1 2 3 4 5   7. Manifiesto una actitud positiva y un punto de vista optimista con respecto a mi doble papel como dueña de casa y madre que trabaja afuera.

Analice su manera de sentir acerca de estas declaraciones con su cónyuge, un familiar o un amigo.

visado por un desconocido. Cuando las madres esperan para regresar al mundo laboral hasta que sus hijos tienen de 6 a 11 años, todo parece ajustarse con más facilidad. La madre ha permanecido con sus hijos durante los primeros años formativos y ha desarrollado en ellos sentimientos de dignidad, los ha rodeado de afecto y les ha inculcado los rasgos de carácter fundamentales. Cuando el niño ingresa a la escuela, han terminado los años más importantes de la etapa de su formación. **Entonces, si una madre debe trabajar fuera del hogar, es mejor que espere hasta que su hijo comienza el primer año de escuela.**

Aunque ciertos estudios indican que los preadolescentes y adolescentes que permanecen en la casa sin vigilancia no son más delincuentes, no llegan tarde más veces, no están ausentes en más oportunidades de la escuela ni son menos cooperadores en su comportamiento que sus compañeros que son supervisados, ciertamente no es lo ideal dejarlos solos en el hogar. Podría presentarse una cantidad de emergencias. Los adolescen-

tes dejados a su propio cuidado en el hogar pueden madurar y ser independientes tempranamente, pero sin la dirección adecuada muchos de ellos podrían llevar a cabo travesuras que de otra manera hubiera sido posible evitar.

Las madres que trabajan por su propia voluntad, con frecuencia experimentan más sentimiento de culpa que las que trabajan por necesidad económica. Los niños captan rápidamente el conflicto que surge en una madre que necesita satisfacer sus ambiciones profesionales, y al mismo tiempo, satisfacer sus responsabilidades en relación con la crianza de sus hijos. Estas madres se ven afectadas por dos necesidades contradictorias: la necesidad de quedarse en el hogar y de trabajar fuera del mismo. La culpa es improductiva y genera ansiedad, depresión y fatiga crónica. Afecta definitivamente la habilidad de la madre que trabaja para atender a sus hijos. Además, los hijos aprenden rápidamente a manipular a los padres afectados por la culpa. La reacción de la madre frente a la necesidad de dejar a su

La hora de la comida es una oportunidad de oro para fortalecer las relaciones con los hijos.

hijo, influenciará definidamente la reacción de éste. Si la madre se siente aprensiva, temerosa y culpable, transmitirá esos sentimientos a su hijo. Si una madre decide trabajar fuera del hogar, desde el principio debiera cultivar sentimientos positivos acerca de su decisión, independientemente de la edad del niño. La madres que trabajan que han hecho arreglos adecuados para la atención de sus hijos, tienden a experimentar menos culpa.

El rápido aumento en el número de madres que trabajan en diversos países está causando tensiones en millones de matrimonios. Aunque sus vidas cambian drásticamente cuando se unen a la fuerza laboral, la percepción de las responsabilidades por parte de la mayoría de las parejas no está de acuerdo con la realidad. No han alterado sus suposiciones básicas relacionadas con la dinámica matrimonial. No han modificado sus ideas de cómo una madre y un padre debieran funcionar. Esto produce una gran cantidad de conflicto. **La mayoría de las parejas todavía piensa que**

el trabajo principal de la madre se centra alrededor del hogar y los hijos, aunque trabaje tantas horas y tan laboriosamente fuera del hogar como lo hace el padre y esposo.

Las encuestas que se han llevado a cabo para determinar la clase de compañerismo que las mujeres desean en el matrimonio, revelan que la mayor parte de ellas prefiere una relación conyugal en la cual el esposo y la esposa se apoyan mutuamente y comparten las tareas hogareñas y el cuidado de los hijos. Sin embargo, estudios realizados revelan que la esposa que trabaja fuera del hogar dedica cuarenta veces más tiempo a las tareas hogareñas que su esposo. Tal vez no es justo, pero la esposa que trabaja fuera del hogar dedica como promedio 26 horas por semana a las tareas caseras, mientras que su esposo dedica solamente 36minutos a las mismas. Un estudio de tres años de duración de 1.400 familias con hijos de menos de 11 años, en las que el padre y la madre trabajan, demostró que solamente un padre de cada cinco ayudaba a atender a sus hijos. **Las madres y los esposos que trabajan fuera del hogar deben pensar en términos de cooperación en la vida familiar y de responsabilidad compartida.** La esposa debe considerar de máxima prioridad el ayudar a su esposo a participar en las tareas caseras y en el cuidado de los hijos. Pero esto puede ser más difícil de lo que parece. Algunos padres no se hacen cargo de tal responsabilidad, por lo que deben aceptarla gradualmente. Sin embargo, puede ser que un padre esté dispuesto a salir de su trabajo para ir a buscar a la escuela a un hijo enfermo, a asistir a una reunión de padres y maestros, a llevar a los hijos a una clase de música o a otras actividades que se efectúan fuera de la escuela, en forma tan eficiente como podría hacerlo una madre. Algunos hombres pueden necesitar que se los empuje un poquito y ciertas instrucciones; pero pocos de ellos ofrecerán resistencia a esas actividades una vez que forman el hábito y desarrollan confianza en sus habilidades.

Muchas madres que trabajan, todavía no han aprovechado los recursos que tienen a su disposición para obtener la mayor cantidad de ayuda: sus hijos. ¿Por qué? Porque muchas madres tienen necesidad de hacer el "papel de mártires". Como "buenas" madres sienten que deben hacerlo todo para cada miembro. Si usted tiene este problema, comience a dividir las tareas caseras y no se sienta culpable por eso. Utilice en el hogar la capacidad de ayudar que tienen los hijos, que son una fuente barata de energía. Repita esta amonestación: "Guarda tus cosas en el lugar debido antes que dejarlas en el suelo", con tanta frecuencia como sea necesario para que sus hijos adopten rápidamente el hábito. Enséñeles a colgar las toallas inmediatamente después de usarlas, a llevar los platos sucios al fregadero o pileta de la cocina, a guardar la botella de la leche en la nevera después de usarla; a echar las latas vacías en el zafacón de los desperdicios. Responden positivamente a la nueva rutina si usted les ofrece los incentivos adecuados. Presente su plan con entusiasmo, y ofrézcales recompensas por sus esfuerzos.

Las madres que trabajan también encuentran difícil pasar tiempo adecuado con sus hijos. No importa tanto la cantidad de tiempo que dedica a sus hijos, sino la calidad de las cosas que se hacen durante ese tiempo. Aunque parezca irónico, la madre que pasa todo el día con sus hijos, comprando con ellos, llevándolos en automóvil a distintas actividades, paseándolos y haciendo otras cosas juntos, puede ser que ponga menos calidad en el tiempo que pasa con sus hijos que la madre que trabaja fuera del hogar. Por supuesto que no estoy proponiendo que las madres salgan del hogar a fin de disponer de oportunidades para hacer cosas de calidad en el tiempo en favor de sus niños.

¿Cómo puede una madre muy ocupada disponer de tiempo para llevar a cabo actividades de calidad con sus hijos? Una forma de hacerlo consiste en mantener la radio y la televisión apagadas a fin de conversar con los hijos durante el tiempo que se dispone. **Tal vez usted puede escuchar con atención mientras hace ejercicio en la sala de la casa temprano en la mañana, o cuando anda en bicicleta con su hijo, o bien mientras lo lleva a la clase de música. Aproveche toda oportunidad posible de conversar sinceramente con ellos.** Puede ser que su hijo pueda hacer por su cuenta los preparativos necesarios antes de acostarse, pero si usted le ayuda en algunas cosas, descubrirá que ésa es una excelente oportunidad para conversar con él e interesarse en sus problemas.

Mientras usted corre de aquí para allá para atender las necesidades de todo el mundo, ¿deja algún tiempo para sí misma? Muchas madres se dedican con tanta laboriosidad a cumplir sus responsabilidades que no les queda tiempo para reír, jugar y ser una buena madre o buena esposa. Se sienten culpables si dedican tiempo a sí mismas. Resulta interesante saber que un padre que trabaja no tiene ningún problema en nombrar una docena de cosas que le gustaría llevar a cabo y lo haría sin rastro de culpa. Las madres que trabajan también necesitan tiempo libre. Necesitan una oportunidad de llevar a cabo algunas cosas que les ayudarán a realizarse personalmente: un pasatiempo favorito, una clase, un proyecto de la iglesia o actividades en algún club.

Las mujeres quieren lo mejor de ambos mundos. En esta época de liberación femenina, ambos mundos están abiertos para ella; pero resulta bastante difícil, si no imposible, tenerlo todo al mismo tiempo. **Nadie, hombre o mujer, puede ser un buen padre en el tiempo que le sobra, independientemente de lo que algunos autores puedan decir. Toda madre que trabaja necesita examinar sus prioridades.** Si el tiempo que pasa fuera del hogar daña a sus hijos, entonces debiera disminuir el número de horas que pasa fuera. Lamentablemente con frecuencia no logramos percibir las señales indicadoras de peligro hasta que es demasiado tarde. Una cosa es cierta: todos los hijos necesitan constantemente la presencia de la figura materna para desarrollar una salud emocional adecuada. Tal vez necesitamos examinar cuidadosamente lo que significa ser padres.

Para padres o madres solos

El ideal establecido por Dios es que los hijos tengan dos padres: una madre y un padre. Sin embargo, funcionamos en un mundo menos que ideal. Algunos hijos pierden a uno o a ambos padres en la muerte, el divorcio, la separación o el abandono del hogar. Vivir en forma creadora como padre único presenta un desafío doble, puesto que el padre o la madre deben trabajar solos.

Si usted es un padre único, y se encuentra frente a la necesidad de criar a su hijo sin la ayuda del otro cónyuge, haría bien en recordar un hecho: su hijo tiene las mismas necesidades que otros niños. Su desafío consiste en satisfacer solo o sola esas necesidades. Sin embargo, no ha sido dejado sin ayuda. Tiene por lo menos dos opciones: libros como éste que le proporcionan instrucciones útiles, y Dios, quien proveerá fortaleza y valor cuando usted los necesite.

Actualmente hay millones de niños que viven con solamente un padre. Además, muchos niños que ahora disfrutan de la compañía del padre y la madre, han tenido uno solo en el pasado o tendrán uno solo en el futuro. Si continúa la tendencia actual, casi la mitad de los hijos vivirán en hogares con un solo padre cuando lleguen a la edad de 18 años.

Llevar a cabo solo las responsabilidades de la paternidad o la maternidad es más difícil que hacerlo con un compañero o compañera. Las responsabilidades que antes se compartían entre dos, ahora uno solo tiene que realizarlas: sostener a la familia, mantener el carro, recibir visitas, remodelar la casa, reparar la casa, llevar a cabo la limpieza, etc. Luego están todas las tareas que se refieren al cuidado del niño: su alimentación, la disciplina, escucharlo, establecer límites y reglamentos; solucionar los problemas entre los hermanos; transportar a los niños a la escuela, a las lecciones de música y a otras reuniones; ayudarles con las tareas escolares; dirigir el culto en la familia; llevar a cabo el cuidado de la ropa; y además, otras numerosas tareas. Si preguntara a una familia con padre y madre si ambos se mantienen ocupados todo el día, ambos insistirían que tienen trabajo de tiempo completo fuera de la casa y en el hogar. En cambio en este caso, uno solo debe cargar con todas las responsabilidades, lo cual lo recarga. En este caso la planificación del tiempo adquiere un nuevo significado y debiera recibir atención definida.

Todos los padres se preocupan de sus hijos, pero los padres únicos tienen una razón especial para apreciarlos: en la mayor parte de los casos, los niños son lo único que queda de su "familia". Los padres divorciados frecuentemente esperan que el éxito en la crianza de sus hijos de alguna manera sea una compensación por el fracaso matrimonial. Los cónyuges viudos con frecuencia se dedican a sus hijos en un esfuerzo por demostrar una continuación de la fidelidad al cónyuge muerto.

Los hijos llenan las vidas de los padres únicos con significado especial. Llegar a ser un padre de éxito, aunque se esté solo, se convierte en un objetivo importante. En cierta forma, es más fácil para un padre único enfo-

Los padres que trabajan tiempo completo deben saber el efecto que la ausencia produce en sus hijos.

car su atención en las necesidades de sus hijos, porque él o ella no tiene que dividir el tiempo entre el cónyuge y los hijos. Algunos padres se tornan sobreprotectores o bien se preocupan exageradamente cuando sus hijos tienen dificultades. Los padres únicos generalmente tienen razón de preocuparse si la separación, la muerte o el divorcio han trastornado la familia. El mal comportamiento excesivo, la inseguridad o la búsqueda de atención de parte de los hijos, constituyen señales de alerta para los padres únicos.

Uno de los problemas más grandes que tienen que resolver los padres únicos es el cuidado de los hijos mientras trabajan. ¿Quién vigilará a los hijos cuando el padre o la madre no se encuentra en casa? Las investigaciones demuestran que la mayor parte de los padres únicos no están satisfechos con el cuidado que reciben sus hijos durante su ausencia. Los feriados escolares y las vacaciones de verano presentan problemas especiales para los hogares con padre único. Si los abuelos u otros parientes viven cerca, pueden ayudar.

Informaciones recientes indican que 55 por ciento de las madres que tienen a su cargo el hogar, trabajan afuera y otro 12 por ciento buscan activamente trabajo. Las madres solas, más que otras mujeres que trabajan, necesitan las recompensas no monetarias que ofrece el trabajo fuera del hogar. Les provee el apoyo financiero que necesitan, sí, pero también les proporciona vida social y la estima de sí mismas que tanto necesitan. **Los padres únicos que trabajan tiempo completo se preocupan por el efecto que su ausencia del hogar puede tener sobre sus hijos. Con frecuencia experimentan intensos sentimientos de culpa, aunque los niños no den señales de problemas.** Los padres solos, al parecer soportan mejor la carga de la culpa por tener que trabajar y criar para los hijos al mismo tiempo, que las madres que se encuentran en la misma categoría.

Cuando los problemas financieros se amontonan sobre todo lo demás, el padre único puede estar al borde de la desesperación. El padre solo que se ve forzado a depender de un presupuesto limitado, debiera hablar de su situación financiera con los hijos. Sea franco con ellos. Presente los hechos con calma. Sobre todo, no sienta culpa por decirles que no puede comprarles una nueva bicicleta o cualquier cosa que sea.

Los padres únicos con niños pequeños con frecuencia se ven frente a problemas especiales. Por mucho que aman a su hijo, sus exigencias constantes de atención por parte del padre o la madre pueden llegar a ser muy irritantes. Naturalmente, esto también puede ocurrir en las familias con padre y madre, pero los padres únicos son especialmente vulnerables, debido a la frustración generada por problemas de trabajo, las responsabilidades del hogar, la falta de fondos y otras situaciones productoras de tensión que no se relacionan con el niño. El padre o la madre solos

Recuerde que las necesidades de su hijo son exactamente las mismas que las de otros niños.

desean hacer las mismas cosas que cualquier buen padre hace, pero fracasan, y eso aumenta sus sentimientos de culpa.

Una vez que el hijo ha llegado a la edad escolar, generalmente disminuye el sentimiento de culpa de los padres. Pero nuevos problemas surgen a medida que el niño entra en el nuevo mundo social de deportes, juegos, fiestas de cumpleaños y actividades en la iglesia.

El padre único, más que el padre y la madre que viven juntos, necesitan un sistema de apoyo y compañerismo fuera del hogar. Los hijos no pueden llenar el vacío. El padre o la madre solos necesitan ayuda exterior porque en el hogar no hay nadie a quien volverse en busca de apoyo. Sin un compañero o compañera, toda la responsabilidad debe ser soportada por uno solo, y las emergencias presentan un doble desafío. Los amigos, los vecinos, los parientes, los grupos de padres solos y la

iglesia pueden proveer el apoyo que necesita. Este sistema de apoyo llega a ser la clave del bienestar emocional del padre o la madre solos tanto como del niño.

Si existe algún consuelo para los padres solos, es la oportunidad de tener relaciones más estrechas con sus hijos. Puesto que no hay otros adultos en el hogar que distraen la atención y requieren tiempo, resulta natural para un padre o madre solos comentar con los hijos los acontecimientos del día, los planes para la semana, los menús, y muchas otras cosas. Los niños también pueden encontrar más fácil hablar con el padre o la madre solos acerca de sus problemas, sus amigos y la escuela. Hablar con los niños no es lo mismo que conversar con un adulto, pero es mejor que no hablar con nadie.

Los padres solos necesitan reconocer, sin embargo, que no deben confiar en sus hijos para obtener simpatía o apoyo durante los momentos de tensión. Los niños con frecuencia suponen que tienen la culpa o bien que tienen que tratar de ayudar al padre o a la madre a resolver su problema. **Los niños no pueden convertirse en sustitutos emocionales del padre o la madre ausentes.**

Otro beneficio que tienen los padres solos es que no hay nadie con quien discutir acerca de la disciplina. Sus hijos tienen menos oportunidad de "dividir y conquistar" que otros niños, y debido a que con frecuencia tienen que asumir mayor responsabilidad, pueden madurar con más rapidez. La educación espiritual debe recibir máxima prioridad en el caso de los padres solos. Esto es válido especialmente cuando no hay un padre en el hogar. Debido a que los padres están en el lugar de Dios ante los ojos de sus hijos, podría ser difícil para un niño en un hogar sin padre relacionarse con un Padre celestial. Una madre amante y dedicada puede ayudar a su hijo a formar un concepto adecuado de Dios por medio de su propio ejemplo, enseñando al niño la palabra de Dios y permitiéndole que se ponga en contacto con hombres cristianos y piadosos.

Si usted se ve frente a la necesidad de

criar solo o sola a su hijo, recuerde que las necesidades de su hijo son exactamente las mismas que las de otros niños. La diferencia es que usted, sin la colaboración de su cónyuge, debe lograr que esas necesidades sean satisfechas. Pero Dios no lo ha dejado sin ayuda aunque usted esté solo o sola. Dios puede guiarlo paso a paso, y lo hará si usted se lo permite.

El desempeñarse correctamente como padre o madre solos requiere un sistema de apoyo adecuado y mantener una actitud positiva. El hecho de ser padres solos naturalmente producirá sus propias tensiones, pero ellos deberán reconocer la contribución que están haciendo sin la ayuda de otra persona. **Pocas cosas en la vida son más satisfactorias que criar hijos bien adaptados y responsables.**

Los padres adoptivos

Millones de niños viven con padres adoptivos en la actualidad. Veremos a continuación en qué sentido criar los hijos de otros es diferente de criar los propios. Una autoridad en cuestiones familiares ha dicho que el papel de un padre o una madre adoptivos es cinco veces más difícil que el de los padres naturales. Puede ser que haya exagerado un poco, pero la realidad es que los padres adoptivos tienen un trabajo difícil.

En primer lugar, el padrastro o la madrastra debieran establecer lo que esperan del niño adoptivo. En el caso de matrimonio de personas viudas o divorciadas con hijos, tanto el padre o madre naturales, como el padre o madre adoptivos deben ponerse de acuerdo en lo que se refiere a la crianza del hijo, para que sus expectativas coincidan. De otro modo, tendrán que verse con una situación caótica. Una vez que se hayan puesto de acuerdo, ambos debieran comentar la situación con el niño o el adolescente para que éste reconozca que el padrastro o la madrastra se han convertido en miembros permanentes de la familia.

Especialmente la madre adoptiva necesita el apoyo de su esposo. Como recién llegada a una relación familiar establecida, general-mente es vista como una intrusa o como una persona que puede ofrecer ayuda. **Si el padre es tan pasivo o débil que permite que la madrastra tome la iniciativa, el hijo o los hijos se resentirán profundamente.** Además, la madrastra se sentirá muy abrumada por los complejos problemas que encontrará, y numerosas situaciones críticas futuras podrían originarse durante los primeros meses de esa nueva relación.

Aunque se hayan analizado correctamente las expectativas del comportamiento antes del matrimonio, los padres adoptivos pueden esperar oposición de los hijos. Cada hijo adoptivo probará una vez y otra los límites que se han establecido. La exploración de los límites de cualquier nueva relación o situación forma parte de la necesidad de un niño. Notemos lo siguiente: la respuesta del padre o la madre adoptivos a esta clase de prueba por parte de un niño determinará el tiempo que durará esta prueba. Por eso, cuanto antes los padres adoptivos hagan sentir su presencia y demuestren que están allí para quedarse, tanto antes el niño aceptará la nueva situación.

Los padres adoptivos debieran prepararse mentalmente, en la mayor parte de los casos, para encontrar una actitud inicial de resentimiento. Los niños más tiernos se adaptan mejor a los padres adoptivos. Sin embargo, la mayor parte de los padrastros y madrastras no son suficientemente afortunados para adoptar esta responsabilidad bastante temprano para que el niño se convierta en parte de ellos. En cambio, deben trabajar con él después que su carácter y su personalidad más o menos se han solidificado. Aunque un hijo de más edad siente amor hacia el padre o la madre adoptivos, generalmente es menos probable que le dé expresión verbal o que lo demuestre abiertamente.

Si el lector es padre adoptivo o madre adoptiva, debe prepararse para hacer frente a algunas dificultades. **No espere amor instantáneo de parte del hijo o la hija. Recuerde que el niño ha experimentado una gran pérdida a través de la muerte o el divorcio.** Debido a que ha pasado por una situación emocional

Pueden salir juntos los fines de semana, practicar algún deporte que les guste a todos, salir a caminar al campo, al bosque o a la playa o bien pueden llevar a cabo diversas actividades en la iglesia. Pero debe ser algo que ayude a establecer vínculos de amistad en el seno de la familia.

tan intensa, es extremadamente vulnerable a las ofensas y vejaciones. Como resultado, con frecuencia podría actuar en forma peor que normalmente. Los padres adoptivos suelen interpretar mal este comportamiento y suponen que el hijo adoptivo los ha rechazado, pero esto no es necesariamente así. El hijo adoptivo que visita sólo ocasionalmente a su padrastro o madrastra, es probable que nunca sienta verdadero "amor" por ellos. Alguien ha sugerido que los padres adoptivos deben eliminar de su vocabulario la palabra amor. **Sería mejor que formen una relación de respeto con los hijos que han adoptado, la que con el tiempo podría conducir a sentimientos más cálidos y profundos y a un mayor acercamiento mutuo.**

En los casamientos por segunda vez, las familias se unen mejor cuando los niños menores han sido preparados adecuadamente para vivir con el padre o la madre adoptivos. La regla más importante en la formación de una familia adoptiva es hablar de lo que se espera antes del matrimonio. Los cónyuges no necesitan tener opiniones idénticas sobre todos los temas, pero es importante que cada uno comprenda cómo se siente y reacciona la otra persona, especialmente en las cuestiones de disciplina. Esa preparación abarca la comprensión de las limitaciones que el padre o la madre encuentran. Los padres adoptivos no tienen vínculos biológicos con los hijos y por lo tanto deben ganar su respeto. No reciben nada de los hijos únicamente por la posición que ocupan. Por eso es necesario que demuestren vez tras vez que merecen su cariño y aprecio.

Mucha gente piensa que es muy fácil ser padre o madre adoptivos. Pero la vida ha demostrado que no es así. Numerosos padres adoptivos se imaginan que son maduros, que aman a los niños y que establecen fácilmente vínculos de amistad. "Será como tener un hijo propio", dicen con optimismo. Pero la adopción es una experiencia sumamente diferente. No existen vínculos biológicos. El niño no ve la necesidad de amar a su padrastro o madrastra como en el caso del hijo propio.

Todo el amor que se amontone sobre el hijo adoptivo no hará ninguna diferencia. La comprensión de este hecho resulta más clara al cabo de seis meses después del segundo matrimonio.

Cuando el hijo adoptivo había conocido durante bastante tiempo a su futuro padrastro, antes de que se casara con su madre, tanto mejores son las probabilidades de establecer buenas relaciones con él y de resolver los problemas. Dejar a un niño sin preparación cuando se hacen planes de darle un padre o una madre adoptivos, puede tener repercusiones duraderas. Los adultos sabios generalmente hacen participar al hijo adoptivo en la ceremonia de casamiento. En un caso oportuno, hasta se mencionaron los nombres de cada hijo adoptivo en el momento de tomar el voto matrimonial. Eso hizo que los niños se sintieran parte de la nueva unidad familiar. Esto contrasta definidamente con el caso de otra familia con la cual he trabajado. El padre declaró con vehemencia: "Yo me casé con ella, y no con sus hijos". Rehusó reconocer que cuando hay hijos éstos también pasan a formar parte de la familia.

Antes del segundo casamiento, conviene permitir que el niño vea a su nuevo padre o madre adoptivos en su verdadera personalidad en todas las circunstancias. Los padres adoptivos debieran procurar por todos los medios animar al niño a que manifieste lo que espera de la nueva relación.

El ser padre o madre adoptivos de un hijo de una persona divorciada puede resultar muy diferente de vivir con un niño que anhela que alguien llene el vacío dejado por la muerte de su padre o madre. Cuanto más tiempo ha vivido el niño solamente con el padre o la madre después de la muerte de uno de ellos, tanto más rígidos se toman sus recuerdos y más difícil resulta la adaptación. Es probable que el niño espere que el nuevo padre o madre siga actuando en la forma como actuaba el padre o la madre muertos, pero eso no es posible. Todos los niños en la nueva familia formada debieran sentirse parte de la familia tan pronto como sea posible.

Todo niño necesita saber que tiene un lugar especial. Si, en el caso de padres divorciados, visita al padre o a la madre en los fines de semana o en los días feriados, de todos modos es necesario disponer de un lugar que sea exclusivamente para él: una cama, un ropero y diversos artículos. Cuando tanto el padre como la madre que se han casado por segunda vez aportan varios hijos a la familia, es todavía más importante que cada uno tenga un lugar exclusivo. Una madre que llevó a sus dos hijos al hogar con su nuevo esposo, quien también tenía dos hijos, comentó: "Todos los niños se han visto forzados a efectuar ciertos ajustes. Deben compartir los dormitorios. Mi hija mayor quiere tener un dormitorio para ella sola, y los hijos de mi esposo se quejan diciendo: ¿De quién es esta casa, al fin y al cabo?"

La familia adoptiva necesita establecer puntos en común, que podrían ser actividades que llevan a cabo juntos, trabajos que realizan juntos y que los acercan unos a otros. Pueden salir juntos los fines de semana, practicar algún deporte que les guste a todos, salir a caminar al campo, al bosque o a la playa o bien pueden llevar a cabo diversas actividades en la iglesia. Pero debe ser algo que ayude a establecer vínculos de amistad en el seno de la familia.

Nadie puede reemplazar a un padre o madre biológicos, y ningún padre adoptivo debiera intentarlo. Sin embargo, lo mejor que podría sucederle a un hijo de una familia afectada por la muerte o el divorcio es recibir un padre o una madre adoptivos adecuados y competentes. Ese niño puede ser amado por el padre o la madre biológicos, ciertamente. Pero ser amado por alguien que ha elegido amarlo, es algo completamente diferente. **Es posible tener una familia adoptiva feliz, si los adultos son maduros, pacientes y persistentes, y si demuestran constantemente el amor de Dios durante el proceso de adaptación.** La unión de dos familias puede sanar las heridas emocionales dejadas por el divorcio o la muerte.

Unidad y compañerismo en la familia

Es probable que el mundo en general nunca aprecie debidamente el esfuerzo efectuado para llevar a cabo la tarea de la paternidad responsable.

13

Usted debe establecer sus prioridades de tal manera que pueda comprender la diferencia entre lo que es urgente y lo que es importante.

Resumen del Capítulo

EL LECTOR ha aprendido en las páginas de este libro los principios que rigen la buena crianza de los hijos y la formación del carácter, y los métodos de disciplina necesarios para su aplicación. Los beneficios superarán los esfuerzos realizados. Se necesita mucho trabajo y aplicación para llegar a ser padres y madres competentes. Sin embargo, la paternidad y la maternidad requieren algo más que trabajo perseverante, esfuerzo y dominio de sí mismo. Un beneficio adicional es la posibilidad de pasar momentos agradables en mutua compañía y gozarse por ser miembro de una familia feliz.

El exceso de unión y compañerismo puede sofocar el crecimiento y desarrollo de los hijos, pero la insuficiencia produce el mismo resultado. Numerosas familias fracasan en la actualidad porque dedican su tiempo y sus energías a una multitud de actividades: prestan servicio en la escuela, en la iglesia y en diversas instituciones de la comunidad; se dedican a sus pasatiempos favoritos, a los deportes y al club del que son miembros. Transitan por la vía rápida de la vida y no les queda tiempo para cultivar la unión y el compañerismo en la familia.

Muchos padres arguyen que lo que importa a la larga es la calidad del tiempo y no la cantidad. Tienen razón en cierto sentido; pero las familias que deseen cultivar la solidaridad familiar deben pensar en la calidad y en la cantidad.

¿Cómo se puede lograr este objetivo? **Cuando los hijos crecen, suelen recordar con más claridad y aprecio el tiempo pasado en compañía de sus padres, y no tanto el cumpleaños cuando recibieron una bicicleta como regalo.** En mi familia hemos promovido la unión y el compañerismo observando ciertas tradiciones. Por ejemplo, mantuvimos durante años la tradición de servirnos cierta comida mexicana los viernes de noche. Nuestros tres hijos ya no viven con nosotros, pero cuando nos visitan, esperan que en la cena del viernes nos sirvamos la sabrosa comida tradicional.

También convertimos los viernes de noche en ocasión de reunión familiar. Después de la cena nos reuníamos para leer juntos. A veces nos turnábamos en la lectura, y así leímos numerosos libros que nos enseñaron lecciones espirituales y dirección para nuestras vidas. La repetición de esta práctica la convirtió en tradición familiar.

Otra tradición que establecimos era sentarnos juntos en la iglesia. No era obligatorio, pero había pocas excepciones. Cuando nuestros hijos salían de las divisiones infantiles antes del servicio de adoración, no teníamos necesidad de ir a buscarlos. Ellos venían por su cuenta, y no tenían dificultad para ubicarnos, puesto que siempre nos sentábamos en el mismo lugar. Esto nos permitía observar la actitud de nuestros hijos durante las reuniones religiosas, lo que era importante para nosotros. Esta tradición debiera establecerse cuando los hijos son pequeños y practicarse constantemente. Cuando nuestros hijos tengan sus propias familias, esperamos verlos sentados juntos siempre en el mismo lugar en la iglesia. Es la tradición.

Otros acontecimientos y actitudes que también se convirtieron en tradición eran la celebración de los cumpleaños, la realización diaria del culto familiar y el tomarse de las manos durante la oración. Estas tradiciones nos ayudaron a comprender que éramos miembros de una familia unida. **Una familia piadosa no debe estar constituida por miembros que viven aislados de los demás aunque viven bajo el mismo techo. En cambio, debe estar formada por un grupo de personas que participan en las mismas actividades y que hacen lo necesario para vivir unidos por los vínculos del amor y el respeto.** Toda familia necesita características, valores y actividades que la hagan diferente de las demás familias.

Mi esposo y yo no pretendemos saber todo lo que la paternidad y la maternidad de éxito requieren. Pero hemos aprendido a lo largo de los años que los miembros de la familia para ser felices necesitan entenderse unos con otros y sentir agrado en mutua compañía. A veces no alcanzamos por completo los ideales acariciados, pero agradecemos a Dios por los momentos felices que disfrutamos en compañía de nuestros hijos.

Nuestros hijos aprendieron a manifestar alegría y a tener un espíritu creador. El día en que cumplimos 17 años de casados, organizaron una fiesta de celebración, sin que nosotros lo supiéramos. Cuando mi esposo y yo llegamos a casa en la noche, quedamos gratamente sorprendidos al encontrarla llena de amigos que nuestros hijos habían invitado. Nos condujeron a los asientos que nos habían reservado, y nuestra hija Carlene, directora del programa, leyó la siguiente proclama escrita con su letra infantil: "El primero de enero, a las ocho de la noche, hace solamente 17 cortos y felices años, hubo una boda en el hogar de Carl William Real y esposa. Su hija, Nancy Lue, se casó con el Sr. Harry Arthur Van Pelt. Esta noche deseamos repetir una pequeña parte de esa maravillosa ocasión".

Y a continuación comenzó la fiesta. Tuvimos una velada muy agradable, con entretenimientos, comida y música. Hasta escuchamos una grabación de la ceremonia de nuestra boda. Como culminación del programa, nuestros tres hijos nos entregaron un sobre. Lo abrimos con gran curiosidad. Veamos a continuación su contenido.

"Queridos esposos Van Pelt:

"Acaban de recibir como obsequio un viaje de recreo para dos personas, de tres días y dos noches de duración, en una hermosa cabaña de troncos situada en Canmore, Canadá.

"Esperamos que tengan una hermosa segunda luna de miel y que disfruten de un descanso de las tareas hogareñas, de los hijos y de la rutina de todos los días. Ustedes conocen bien el lugar de manera que no tendrán ningún inconveniente, y solamente mucha diversión y un tiempo muy agradable.

"Quedan cancelados todos los demás compromisos que les habíamos hecho creer que tenían. ¡Eran todos falsos! Varias personas nos ayudaron a crear esos supuestos compromisos para ustedes, y les envían sus

Evaluación de la unidad familiar

Para ayudarse en la tarea de establecer sus prioridades y evaluar el nivel de unidad actual de su familia, trace un círculo alrededor del número que describe mejor sus sentimientos. Guíese por la escala que sigue:

1. Todo el tiempo	2. Casi siempre	3. A veces	4. Pocas veces	5. Nunca

1 2 3 4 5   1. Planeamos una noche de entretenimientos para la familia por lo menos una vez por semana.

1 2 3 4 5   2. Es divertido ser miembro de nuestra familia.

1 2 3 4 5   3. En nuestra familia todos participamos en las actividades que se han elegido para la ocasión.

1 2 3 4 5   4. En nuestra familia, la unidad de sus miembros es una cuestión de elevada prioridad.

1 2 3 4 5   5. Promovemos la unidad familiar observando ciertas tradiciones, como tomarse de las manos durante la oración de acción de gracias que hacemos antes de las comidas, y otras por el estilo.

mejores deseos".

La carta terminaba con la firma de nuestros hijos, Carlene, Rodney y Mark. Incluía 15 dólares que habían reunido entre ellos. No sé cuáles serán los sentimientos del lector, pero en mi caso, las lágrimas asoman a mis ojos. Tenemos gratos recuerdos de momentos felices pasados con nuestros hijos durante sus años de crecimiento y desarrollo.

Ha llegado el momento cuando los padres deben volver a considerar sus valores. Es el momento de aflojar el paso. Hay que olvidarse del nuevo automóvil, de las nuevas alfombras para la casa o de los muebles con que se pensaba decorar la sala. Es necesario poner en segundo o tercer lugar todas las ventajas materiales que se desea proveer a los hijos. Ellos no necesitan las cosas tanto como a sus padres. Necesitan la valiosa inversión de tiempo personal que solamente usted puede proveer.

Dedique tiempo a pasear con sus hijos por la naturaleza, y a contestar sus preguntas acerca de la creación realizada por Dios. Dedique tiempo a hacer una cometa (papalote, barrilete), y a apreciar el deleite manifestado por su hijo al verla elevarse y danzar en las alas del viento. Dedique tiempo a jugar y revolcarse con los hijos en la casa, donde todos puedan reír y disfrutar. **Dedique tiempo ahora a escuchar a sus hijos, porque mañana puede ser que no deseen hablar con usted. Dedique ahora tiempo a estas actividades, porque el mañana no ofrece ninguna garantía.**

Se requiere tiempo para llegar a ser un padre o madre eficaz, pero no estoy sugiriendo que es necesario invertir todas sus energías en su hijo. Usted debe establecer sus prioridades de tal manera que pueda comprender la diferencia entre lo que es urgente y lo que es importante. Los asuntos urgentes de la vida tienen prioridad, mientras que las cosas importantes se mantienen descuidadas. Por ejemplo, puede ser que el timbre del teléfono lo haya interrumpido mientras usted le leía una historia de la Biblia a su hijo. Tal vez se quedó media hora en el teléfono mientras su hijo se fue a acostar solo. Lo urgente ganó otra vez.

PADRE, AFLOJE EL PASO. MADRE, AFLOJE EL PASO. Dedique tiempo ahora a las cosas importantes. Seleccione sus prioridades. Dios bendecirá y honrará sus esfuerzos.

La crianza de los hijos puede ser una experiencia devastadora. Puede producir dolores de cabeza y afectar los nervios. Tal vez algunos días usted sienta ganas de cambiar a su hijo por cualquier cosa. En otras ocasiones sentirá que ha fracasado lamentablemente y lo ha hecho todo mal. Probablemente se verá invadido por la desesperación.

¿Estoy diciendo con esto que los matrimonios no debieran tener hijos debido a las dificultades y tensiones inherentes de la paternidad? ¡De ninguna manera! El matrimonio que desea tener hijos (no solamente el matrimonio que espera tener hijos porque todos los demás los tienen) y que desea participar con Dios en la bendición y el privilegio de la procreación, debiera responder seriamente al desafío que le lanza la paternidad. **Una de las recompensas más grandes de la vida es ver a los hijos madurar y comenzar a devolver la inversión que se ha hecho en ellos. Y repentinamente, un día usted descubrirá que debe haber hecho más cosas correctas que equivocadas, porque ahí, frente a usted, estará su hijo o su hija, cuyo carácter revelará las cualidades que usted tanto se esmeró por cultivar.**

Es probable que el mundo en general nunca aprecie debidamente el esfuerzo efectuado para llevar a cabo la tarea de la paternidad responsable. Pero en el juicio final aparecerá en la forma como Dios la considera y él recompensará en público a los padres que han preparado a sus hijos para su reino. Entonces se verá que un hijo criado correctamente vale más que todo el esfuerzo realizado. Puede ser que vigilar y dirigir el desarrollo de un hijo cueste lágrimas, ansiedad y noches de insomnio, pero los padres que se hayan preocupado de la salvación de sus hijos oirán a Dios decir: "Bien, siervo bueno y fiel".

Oración de los padres

Padre Celestial:

Me abruma la enormidad de las exigencias de la paternidad. Si no te tuviera constantemente a mi lado, mis esfuerzos serían en vano. Te alabo por ser la fuente de todo gozo, victoria, dignidad personal y gratitud en mi vida.

Ayúdame, Padre, a inculcar en mis hijos sentimientos saludables de valor personal, aunque los míos a veces se encuentren muy bajos. Ayúdame a no humillar a mis hijos con palabras duras, avergonzándolos o ridiculizándolos. Concédeme la habilidad de estimular sus buenas cualidades con expresiones de aprecio y palabras de ánimo.

Sujeta mi lengua cuando debiera estar escuchando en lugar de hablar. Quiero estar listo para escuchar cuando me necesitan. No permitas que los reprenda innecesariamente, ni que emplee un tono de voz áspero cuando los discipline. Dame paciencia todos los días para ayudarles a formar un carácter recto y una actitud responsable. Concédeme sabiduría para acceder a sus deseos razonables y valor para negar los pedidos de cosas que podrían perjudicarlos.

Que una sonrisa ilumine mi rostro cada día. Que la felicidad y la risa llenen nuestro hogar.

Concédeme la habilidad para reconocer cuándo debo dejar de lado el trabajo para disfrutar de experiencias que se presentan en forma inesperada. Confío en que me ayudarás a atesorar recuerdos agradables y tradiciones familiares para el futuro.

Perdóname por los numerosos errores y fracasos cometidos en el pasado. Quita de mí todo sentimiento de culpa, enojo o resentimiento que podría perjudicar mi relación con mis hijos.

Ayúdame a manifestar amor por mis hijos desde sus tiernos años y durante toda la vida, para que conozcan lo que el amor es por haberlo experimentado en nuestro hogar.

Mis hijos también son tus hijos, Padre. Los encomiendo a tus manos poderosas. Que el ejemplo que doy a tu servicio inspire amor en ellos y el deseo de servirte para siempre.

Sobre todos los dones, Señor, concédeme paciencia y dominio propio. Gracias por estar a mi lado para ayudarme en los días difíciles que me esperan. Te amo y te agradezco por contestar ésta mi oración por el futuro de mis hijos. Confío en que satisfarás todas nuestras necesidades en el momento en que lo consideres conveniente.

_____ _____
          Fecha   **Nombre**

Clave para las respuestas

Pág. 16 - 17. PRUEBA PARA PADRES Y MADRES

Puntaje: En el caso de todas las declaraciones con números impares, sume los números que ha rodeado con un círculo y coloque aquí el resultado: _____

En el caso de los números pares, invierta el puntaje: si el número rodeado por un círculo es (4) recibe 1 punto, si es (3) recibe 2 puntos, si es (2) recibe 3 puntos, si es (1) recibe 4 puntos. Sume todo y coloque aquí el resultado: _____

Total de los números pares e impares: _____

INTERPRETACIÓN DE LOS PUNTAJES:

82 a 88 Usted es un buen padre o madre, pero de todos modos encontrará ayuda en este libro.

75 a 81 Mención especial en su conocimiento de la forma de criar a los hijos. El libro lo animará.

68 a 74 – Conocimiento aceptable de la forma de criar a los hijos, pero puede mejorar.

61a 67 – Su conocimiento de la forma de criar a los hijos definidamente necesita ayuda.

52 a 60 – Conocimiento deficiente de la forma de criar a los hijos. Necesita ayuda urgente.

Un puntaje de menos de 52 es lamentable e indica que usted está violando la mayoría de los principios necesarios para criar a los hijos con éxito. Pero no se desanime. Esta obra puede ayudarle, y usted puede comenzar a mejorar ahora mismo.

Después de leer este libro, le sugerimos que vuelva a realizar esta prueba para apreciar el grado en que ha mejorado sus habilidades como padre o madre.

Página 27. EVALUACIÓN DEL AMOR PROPIO PARA ADULTOS

Para encontrar su índice de amor propio, sume los puntajes de todas las declaraciones que componen la prueba. La amplitud posible va de 0 a 100 puntos. Un sólido índice de amor propio está indicado por un puntaje de 95 o más. La experiencia ha demostrado que cualquier puntaje inferior de 90 es desventajoso. Un puntaje de 75 o menos representa una seria desventaja. Un puntaje de 50 o menos revela una falta de amor propio que es perjudicial.

Página 102. ¿ESTÁ USTED ENSEÑANDO A SU HIJO A SER ODIOSO?

Cuantos menos "unos" y cuantos más "cincos" tenga, tanto menos probable es que esté enseñando a su hijo a ser odioso. Analice sus respuestas con su cónyuge, un familiar o un amigo.

Página 142. LOS ADOLESCENTES Y LA DISCIPLINA

Puntaje: (1) c; (2) b y/o d; (3) e; (4) b.

Página 159. AUTOEXAMEN SOBRE PREVENCIÓN DE LA DROGADICCIÓN

Puntaje: Si ha contestado VERDADERO a todas o a la mayoría de las declaraciones, ¡FELICITACIONES! Es improbable que alguna vez tenga que ver con drogadicción en su familia.

Pág. 168. RIVALIDAD ENTRE HERMANOS

Puntaje: La prueba estaba "cargada", porque todas las respuestas son verdaderas. Esta prueba sirve como un sólido conjunto de reglas para manejar los conflictos entre hermanos.

Pág. 193: ¿QUÉ INSTRUCCIÓN SEXUAL TUVE YO?

Cuanto más alto sea su puntaje, tanto más probable es que comunique actitudes sanas a sus hijos.

Página 202. ¿ESTOY PREPARADO PARA TENER HIJOS?

Sume los números rodeados por un círculo y luego compare el puntaje con lo que sigue:

24-35: ¡Felicitaciones! Si ha contestado sinceramente, usted posee habilidades extraordinarias para ser padre o madre. La prueba revela que usted posee estabilidad marital, madurez personal y preparación para las tareas propias de la crianza de un hijo. (Espero que cuando tenga un hijo no se desilusione mucho.)

36-48: ¡Ha hecho muy bien! Usted posee habilidad por encima del promedio para hacer frente a las presiones y responsabilidades de la paternidad. Si continúa estudiando y preparándose para esta tarea tan exigente, tendrá éxito y experimentará placer en el desempeño de las funciones de la paternidad.

49-60: ¡No se entusiasme! Usted ha demostrado tener un potencial promedio para la paternidad. Si considera que eso es suficiente para usted, continúe con sus planes de tener hijos. Sin embargo, ya hay un número excesivo de padres y madres mediocres en el mundo. Por eso conviene que se dedique a estudiar y a prepararse con entusiasmo. Lea algunos libros sobre el tema de la crianza de los hijos y asista a clases o seminarios de educación para padres. Eso le ayudará a alcanzar su objetivo.

61-89: ¡Cuidado! Su puntaje revela una preparación para la paternidad que se encuentra por debajo del promedio. Sería mejor que abandone por un tiempo la idea de tener hijos, hasta que cambien algunas de sus actitudes. Es aconsejable que se someta a un intenso período de estudio y preparación.

90-120: ¡Peligro! Usted definidamente no está preparado para hacer frente a las exigencias de la paternidad. Abandone todo pensamiento de tener hijos hasta haber realizado algunos cambios drásticos y necesarios.